Eira Mân, Eira Mawr

Gareth F. Williams

Gomer

I
Richard, Susan, Llinos ac Ethni.

Cyhoeddwyd yn 2007 gan
Wasg Gomer, Llandysul, Ceredigion SA44 4JL
www.gomer.co.uk

ISBN 978 1 84323 829 2

Dymuna'r cyhoeddwyr gydnabod cymorth
Adrannau Cyngor Llyfrau Cymru.

Argraffwyd a rhwymwyd yng Nghymru gan
Wasg Gomer, Llandysul, Ceredigion SA44 4JL

Come away, O human child!
To the waters and the wild
With a faery, hand in hand,
For the world's more full of weeping
than you can understand.

W. B. Yeats, *The Stolen Child*

PROLOG

Noswyl Nadolig

Stiw Powell

Caeodd y drws ffrynt gyda chlep uchel gan ysgwyd y tŷ at ei seiliau. Roedd yn wyrth nad oedd y paen o wydr barugog yn ei ganol wedi syrthio a thorri'n deilchion ar y garreg ddrws.

A'i wyneb yn wyn, cododd Stiwart Powell o'i gadair, yna eistedd yn ôl i lawr ag ochenaid uchel. O'r tu allan i'r tŷ daeth sŵn injan y car yn tanio ac yna *bwm-bwm-bwm* undonog y bas a'r drymiau cyn i'r car yrru i ffwrdd.

Edrychodd Stiw ar ei wraig.

'Paid,' meddai Yvonne.

'Be?'

'Dy fai di oedd hynna. Felly paid â sbio arna i.'

'Â phlesar.'

Gwyliodd Stiw wefusau'i wraig yn tynhau. Eisteddai ar y soffa gyda'i choesau wedi'u plygu oddi tani. Meddyliodd Stiw ei bod yn edrych fel blob anghynnes yn ei chrys chwys a'i throwsus tracsiwt.

A dw inna fawr gwell na hi, meddyliodd.

Pwyntiodd Yvonne y teclyn i gyfeiriad y sgrin deledu, a diflannodd Graham Norton mewn gwisg Siôn Corn: yn ei le daeth Phillip Schofield ac Anne Robinson – hwythau mewn gwisgoedd Siôn Corn.

'Crap. Dim byd ond crap,' meddai. Edrychodd ar Stiw. 'Lle bynnag dw i'n sbio.'

Cododd Stiw eto a mynd at y ffenestr. Symudodd gornel o'r llenni ac am eiliad syllodd ar ei lun yn nüwch y gwydr. Blob w't titha hefyd, Stiw Powell, meddyliodd. Be mae'r blynyddoedd wedi'i wneud i chdi ac Yvonne?

Edrychodd ar lun ei wraig y tu ôl iddo yn tanio sigarét arall; roedd y blwch llwch wrth ei hochr yn orlawn yn barod, fel yr un oedd ar fraich ei gadair yntau. Ar ei glin roedd tun mawr agored o Quality Street, ac ar y carped wrth y soffa roedd potel o Bacardi a chan Coca-Cola. Gorweddai'r *TV Times* a'r *Radio Times* yn agored ar y carped rhad; roedd cnau a chreision wedi'u sathru i mewn iddo, a'r bwrdd yn y gornel yn anialwch o blatiau a gwydrau budron. Llwyddai'r goeden Nadolig anferth yn y gornel i wneud i'r ystafell fyw fechan edrych hyd yn oed yn llai nag yr oedd hi mewn gwirionedd, ac roedd y llawr o'i chwmpas yn frith o nodwyddau gwyrddion. Doedd yna'r un anrheg wrth ei throed: roedd y rheini wedi'u hen agor a'r bin sbwriel ger y tân nwy yn llawn o bapur lapio amryliw.

Mae golwg y diawl ar y lle 'ma, meddyliodd Stiw, ac mae golwg y diawl arnon ninnau hefyd.

Aeth criw swnllyd o bobol ifanc heibio y tu allan. Ffrindiau Sara? Na, edrychodd yr un ohonyn nhw i gyfeiriad y tŷ. Cangen arall o'r criw ifanc a oedd yn rheoli'r stad gyngor hon, penderfynodd, a Duw a helpo unrhyw bensiynwyr diniwed a fyddai'n ddigon dwl i fentro allan o'u tai pan oedd y rhain o gwmpas y lle.

Ond ma' Gwyn a Sara'n saffach yma nag y basan nhw

adra yn Aberllechi, fe'i hatgoffodd ei hun. Hyd yn oed os y gwneith hi fwrw eira heno 'ma.

Edrychodd Stiw i fyny ar yr awyr. Ni allai weld yn iawn oherwydd y lamp stryd oren oedd fwy neu lai union gyferbyn â'r tŷ, ond credai fod y sêr y medrai eu gweld yn gynharach wedi'u cuddio gan gymylau.

Cymylau eira.

Ond ma'n ol-reit, ceisiodd ei sicrhau ei hun. *Dydan ni ddim yn Aberllechi, felly ma' bob dim yn ol-reit.*

Y tu ôl iddo, defnyddiodd Yvonne y teclyn i sboncio o un sianel i'r llall heb aros am fwy na phum eiliad ar bob un. Roedd y sain yn mynd ar nerfau Stiw – yr hanner brawddegau, y gerddoriaeth uchel, y chwerthin gwallgof a di-angen.

'Defnyddia'r *mute*, wnei di, os w't ti'n mynnu gneud hynna.'

'O – jest *piss off*, Stiw.'

Syrthiodd lwmpyn o lwch o flaen sigarét Yvonne ac i mewn i'r tun Quality Street.

'Mi fasa'n braf, un flwyddyn, ca'l 'Dolig bach neis, dw't ti ddim yn meddwl, Yvonne? 'Sti – y pedwar ohonon ni o gwmpas tanllwyth o dân glo, yn chwara gêma a chael hwyl iawn; carola ar y CD a'r ddau blentyn yn mynd i'r gwely'n gynnar, wedi ecseitio'n lân, a chdi a finna'n cydlo ar y soffa.'

Ddywedodd o mo hyn yn uchel, fodd bynnag. Yn hytrach, meddai: 'Diolch am dy help di gynna, efo Gwyn.'

'Ma'n iawn iddo fo ga'l mynd allan. A Sara hefyd, tasa hi'n dŵad i hynny.'

'Na!'

Trodd Yvonne ac edrych i fyny ato. Gostyngodd Stiw ei lais.

'Na, ddim heno 'ma,' meddai. 'Ma' hi'n rhy ifanc . . .' ychwanegodd yn llipa, a throdd Yvonne yn ôl at y sgrin deledu â golwg ddirmygus ar ei hwyneb.

Aeth Stiw trwodd i'r gegin, gan feddwl: Ia, Yvonne sy'n iawn, does 'na ddim byd 'ifanc' ynglŷn â'n Sara ni, ma' hi wedi rhoi'r gora i fod yn blentyn ers pan oedd hi tua wyth ne' naw oed. A Gwyn hefyd. Fel gweddill y cids sy'n byw yn y stad uffernol 'ma.

Yn y gegin, caeodd ddrws yr ystafell fyw ar ei ôl a sefyll yn y tywyllwch. Yn raddol, daeth ei lygaid i arfer â'r gwyll; gallai weld siâp y twrci'n dadmar ar blât mawr yng nghanol rhagor o lestri budron, caniau cwrw, poteli o Bacardi a seidr, a bocsys *pizza* gwag. Teimlai, am eiliad, fel ei godi a'i luchio allan drwy'r ffenestr ond gwyddai, petai'n dechrau, na fedrai roi'r gorau iddi nes y byddai wedi chwalu'r tŷ cyfan.

Aeth allan i'r ardd gefn. Na, dim eira eto, ond roedd hi'n rhyfedd o lonydd. Ac yn noson oer, hefyd. Ond oedd hi'n ddigon oer? Neu, yn hytrach, oedd hi'n *rhy* oer?

Crwydrodd ei feddwl yn ôl i'w blentyndod, i'r dyddiau hynny pan oedd y Stiwart Powell bach yn arfer gobeithio bob gaeaf am eira – yn *gweddïo* amdano, hyd yn oed. Dyn cefn gwlad oedd ei daid, a hoffai Stiw feddwl bod ganddo ef a'i deip y gallu i ragweld y tywydd gyda chryn dipyn mwy o gywirdeb na'r 'arbenigwyr' ar y teledu. Arferai swnian arno'n feunyddiol, bron, drwy'r gaeaf.

'Ydi hi am eira, Taid?'

Arferai Gwilym Powell droi'i wyneb i fyny at yr awyr a sniffian fel hen gadno. Pur anaml y byddai'n edrych yn ôl ar Stiw a nodio. Ond, weithiau, dywedai rywbeth a swniai'n od i'r bachgen:

'Na, ma' hi'n rhy oer i eira.'

Doedd hyn ddim yn gwneud synnwyr i Stiw. Onid oedd y llefydd oeraf ar wyneb y blaned dan eira trwm drwy'r flwyddyn? Sut, felly, oedd hi'n rhy oer i eira . . ?

'Be 'dach chi'n 'neud?'

Neidiodd Stiw. Safai Sara yn nrws y gegin.

'Haia . . .'

'A'th Gwyn allan gynna?' gofynnodd.

'Be ti'n feddwl oedd yr ecsplosion 'na ar y drws ffrynt?'

'Reit. Dw inna'n mynd hefyd.' Dechreuodd Sara droi oddi wrtho.

'Dw't ti ddim!'

'Ond mi 'na'thoch chi ada'l iddo *fo* fynd!'

'Ma' Gwyn yn ddeunaw oed, Sara,' ochneidiodd Stiw.

'So –?'

'So – mae o dair mlynadd yn hŷn na chdi, yn dydi.'

'So –?'

Mygodd Stiw Powell yr ysfa i daro'i ferch ar draws ei hwyneb powld. Trodd ei gefn arni.

'Dw't ti ddim yn mynd allan heno 'ma, a dyna fo.'

'O – diolch yn fawr, Dad! Grêt – ffycin grêt!'

Trodd yn ei ôl yn wyllt, ond roedd Sara wedi mynd. Clywodd hi'n ei heliffantu hi i fyny'r grisiau i'w hystafell.

'Mond trio edrych ar ych hola chi ydw i! teimlai fel sgrechian dros yr ardd. *'Mond trio'ch cadw chi'n saff!*

Ond ni fedrai ddweud hynny wrth yr un o'i blant, na chwaith wrth Yvonne. Buasai'r tri ohonynt yn chwerthin am ei ben, cyn penderfynu'i fod o wedi colli arno'i hun yn llwyr.

Ni fedrai ddweud wrth neb.

Heblaw am . . .

Aeth yn ei ôl i mewn i'r gegin a chodi'r ffôn. Petrusodd am ychydig, yna deialu. Canodd y ffôn y pen arall – bum gwaith, ddeg gwaith, bymtheg . . .

'Helô– ?'

Daeth o fewn dim i roi'r ffôn yn ôl i lawr. Aeth i'w boced i estyn sigarét, yna sylweddolodd ei fod wedi eu gadael trwodd yn yr ystafell fyw.

'*Helô–?*' meddai'r llais eto, ychydig yn fwy diamynedd. Saib, ac yna clywodd Stiw ochenaid. 'Stiw . . .'

'Ia . . .'

'Be w't ti isio?'

'Be ti'n feddwl dw i isio? Sut ma' hi yna?'

'Sych . . . ar y fomant.'

'Ac yma, hefyd.' Petrusodd am eiliad. 'W't ti'n ocê?'

'O, yndw! Mi *fydda* i'n ocê, yn byddaf? Fedran nhw 'neud dim byd i mi. 'Sgin i ddim plant.'

'Be am Marc? A'thon nhw i ffwrdd yn y diwadd?'

'Ma' nhw i gyd yn Fflorida. Y pedwar ohonyn nhw.'

Sylweddolodd Stiw ei fod yn dal ei wynt. Dechreuodd anadlu eto.

'Diolch i Dduw. Ac Ows Bach? Lle a'thon nhw?'

'Dwn i'm . . .'

'*Be?*'

'Ma' nhw wedi mynd i rwla, ocê? Mi es i heibio'r tŷ

gynna – ma'r lle mewn t'wllwch. Lle'r a'thon nhw, dwn i ddim.'

'Rhwla drud, 'nabod hwnnw.'

'Dw i'n mynd rŵan . . .'

'Ond w't ti'n ocê?' Roedd yn gyndyn o roi'r ffôn i lawr rŵan.

'Yndw.'

'A finna hefyd,' meddai, er ei fod yn teimlo fel gweiddi: *Nac dw, dw i ddim yn ocê, dw i'n bell o fod yn ocê!*

'Wel w't, siŵr Dduw. Dw't ti ddim yma, yn nag w't? Mi fyddi di'n iawn. A dy blant, dim ots faint o eira gewch chi. Ta-ra, Stiw.'

'Ia, hwyl. O – a Dolig llaw–' cychwynnodd ddweud, ond doedd neb yn gwrando arno.

Mi fyddi di'n iawn. Dim ots faint o eira gewch chi.

A dy blant.

Byddan, siŵr, meddyliodd. Mi fyddan ni'n tshampion. Pawb ohonan ni.

Gwyn Powell

Roedd o'n sobor fel sant.

Grêt. Y noson cyn y Dolig, pawb arall yn chwil o'i gwmpas o, a dyma fo'n ista mewn cornel efo *Coke* fflat mewn gwydryn ar y bwrdd o'i flaen. Yn gwylio'i fodan yn dawnsio efo rhyw foi arall.

Roedd ganddo gur yn ei ben hefyd, doedd hwnnw ddim yn helpu; cur oedd wedi dechrau cyn iddo fynd allan o'r tŷ.

Diolch i'w dad. Bastad tew, meddyliodd.

Roedd Stiw Powell wedi bod yn ymddwyn yn od ers dyddiau, wastad un ai'n gwylio'r tywydd ar y teledu neu allan yn yr ardd gefn yn astudio'r awyr fel tasa fo'n chwilio am UFOs neu rwbath.

Ac amser te heno, roedd o wedi dweud wrth Gwyn: 'Dw i ddim yn meddwl y dylat ti fynd allan heno 'ma.'

Roedd Gwyn wedi rhythu arno gyda darn o *pizza* hanner ffordd i'w geg. Be oedd hyn – un arall o'i jôcs uffernol o? Ond na, roedd ei dad o ddifrif, yn ôl yr olwg ar ei wep.

'Byhafia, 'nei di?' meddai Gwyn wrtho.

'Ma' nhw'n gaddo eira.'

'*Big deal*.'

'Dw i 'di deud wrth Sara, dydi hi ddim yn ca'l mynd allan.'

O, meddyliodd Gwyn, dyna egluro'r gweiddi a glywodd yn gynharach, a'r ffaith nad oedd Sara yn y gegin.

'Ma' hi'n noson cyn Dolig, Stiw,' meddai Yvonne.

Trodd Stiw ac edrych arni.

'Ti'n meddwl 'mod i ddim yn gwbod hynny?' Trodd yn ei ôl at Gwyn. 'Pam na wnei di ffonio Kelly, a gofyn iddi hi ddŵad yma?'

'*Yma?*'

'Pam lai? Ma' 'na ddigon o lysh yma.'

Roedd Gwyn wedi piffian chwerthin, gan boeri briwsion *pizza* dros y bwrdd.

'Ti'n meddwl fod Kelly isio dŵad yma – isio treulio heno, o bob noson, yn ista o flaen y teli efo chi'ch dau? *Get a life*!'

Neidiodd Gwyn a'i fam wrth i Stiw daro wyneb y bwrdd â'i law.

'Dw't ti ddim i fynd allan heno 'ma!'

Cododd Gwyn ar ei draed.

'W't ti am fy stopio i, w't ti?'

'Yndw! Os oes raid i mi . . .'

Safodd Gwyn yn ei unfan wrth i Stiw wthio'i gadair yn ôl a stryffaglu i godi oddi wrth y bwrdd. Gosododd Yvonne ei llaw ar ei fraich, a defnyddiodd Stiw hynny fel esgus dros beidio â chodi ymhellach.

Gwenodd Gwyn. Ma'r boi yma, meddyliodd, yn pathetig.

'Gad iddo fynd allan os ydi o isio.'

'A *mae* o isio,' ychwanegodd Gwyn. 'Mae o'n mynd, hefyd.'

Aeth i ymolchi a newid. Wrthi'n gwisgo'i siaced yr oedd o pan ddaeth Sara i mewn i'w ystafell.

'Ti'n mynd allan?'

'Nac 'dw. Dw i am aros i mewn, yn gwrando arnyn nhw'u dau yn ffraeo ac yn rhechu. Be *ti'n* feddwl?'

'Dw i'n dŵad efo chdi.'

'*No way*! Dw i'n galw i nôl Kelly . . . a dw i'n hwyr yn barod. Symud o'r ffordd, 'nei di?'

Ymwthiodd allan heibio i'w chwaer.

'*Plîs*, Gwyn.'

'Cer di i dy wely'n gynnar yn hogan dda, ac ella y daw Santa â lot o bresanta neis i chdi.'

'Bastad!'

Roedd Stiw'n aros amdano wrth droed y grisiau.

'Dw i am ofyn yn neis i chdi . . .'

Be oedd yn *bod* ar y dyn? Roedd haen denau o chwys

ar wyneb ei dad, ac roedd ei lygaid yn sgleinio â rhyw oleuni rhyfedd. Mae o wedi bod yn yfed drwy'r dydd, penderfynodd Gwyn, ac wedi cymysgu'r diodydd anghywir – gormod o Bacardi, gormod o seidr, gormod o gwrw. Gormod o bopeth o beth uffarn.

'O, jest *piss off*, Dad, 'nei di?'

Ymwthiodd heibio iddo a chwilio drwy bocedi'i gôt am allweddi'r car. Lle ddiawl oedden nhw . . ?

'Ei di ddim yn bell heb y rhain, beth bynnag.'

Trodd Gwyn i weld Stiw yn cerdded i mewn i'r ystafell fyw gyda'i allweddi ef yn ei law.

'Hei!'

Brysiodd ar ôl ei dad.

'*Hei*! Ty'd â'r rheina yma!'

Edrychodd Yvonne i fyny'n flin o'i gorsedd yng nghornel y soffa. 'O'r arglwydd, be rŵan eto?'

'Deud wrtho fo, 'nei di? Ma' 'ngoriada i gynno fo!'

Rhuthrodd Gwyn am ei dad, ond camodd Stiw yn ôl oddi wrtho a chau'i ddwrn yn dynn am yr allweddi.

'Rho nhw'n ôl iddo fo, wir Dduw.'

'Dydi o ddim i fynd allan heno 'ma!' mynnodd Stiw.

'Blydi hel, Stiwart, ti'n gwbod yn iawn nad ydi Gwyn byth yn yfad pan fydd o'n gyrru!' Roedd hynny'n wir: roedd Gwyn Powell yn meddwl y byd o'i gar, a buasai'n torri'i galon petai'n colli'i drwydded oherwydd un camgymeriad gwirion.

Ysgydwodd Stiw ei ben yn ddryslyd.

'Ddim dyna pam . . .' Ceisiodd resymu efo'i fab. 'Gwyn – plîs, jest gwranda am fun–'

Ond ni chafodd gyfle i fynd ymhellach. Roedd Gwyn wedi colli'i amynedd a phlannu'i ddwrn ym mol ei dad.

Aeth Stiw i'w ddwbwl wrth i'w wynt ffrwydro allan drwy'i geg; baglodd yn ei ôl nes i flaen ei gadair daro'n erbyn y tu ôl i'w bennau gliniau a'i orfodi i eistedd i lawr.

Syrthiodd yr allweddi i'r llawr a sgubodd Gwyn hwy i fyny oddi ar y carped budur.

'Gwyn . . .' cychwynnodd Yvonne yn llipa.

'*Be?*'

Ysgydwodd Yvonne ei phen. 'Dim byd, dim byd. Jest cer, os w't ti'n mynd.'

Roedd Gwyn wedi dianc, gan ofalu cau'r drws ffrynt ag andros o glep wrth fynd. Dyna pryd y dechreuodd ei gur pen, gwyddai'n awr – cur a waethygodd o'r eiliad y llithrodd Kelly i mewn i'r car bum munud yn ddiweddarach.

'Ti'n hwyr.'

'Ddim 'y mai i oedd o.'

Trodd Kelly ei hwyneb oddi wrtho pan geisiodd ei chusanu.

'Dw i 'di bod yn rhewi'n nhits i ffwrdd yn disgwl yn fan 'ma amdanat ti.'

Ceisiodd Gwyn leddfu pethau drwy roi'i law ar ei bron dde a dweud, 'Mi fasa hynny'n biti uffernol,' ond cafodd slasan galed ganddi ar gefn ei law.

'Ty'd – siapia hi. Ma' pawb yn disgwl amdanon ni yn y Goat.'

'Be? Ond . . . ro'n i'n meddwl, heno 'ma, mai jest chdi a fi . . .'

Edrychodd Kelly ar Gwyn fel petai wedi drysu.

'Ti'n gall? *Christmas Eve*? Ma' pawb allan heno 'ma. Ty'd – 'dan ni'n hwyr yn barod.'

Aeth y ddau i'r Goat, ac oddi yno i'r Ship Aground, ac wedyn i'r Fusilier, gyda Kelly a phawb arall yn mynd yn fwy a mwy meddw ac yn cael mwy a mwy o hwyl tra oedd Gwyn yn yfed *Coke* ac yn teimlo'i gur pen yn mynd yn waeth ac yn waeth.

A'i amynedd yn mynd yn llai ac yn llai.

Rŵan, roedden nhw mewn clwb ac roedd Kelly, ar ôl gweiddi yng nghlust Gwyn ei fod yn ymddwyn fel 'prat boring' am ei fod wedi cynnig eu bod yn mynd i rywle bach tawel a phreifat, yn dawnsio efo rhyw bloncar o foi. Roedd hi fwy neu lai'n gwthio'i thits reit i mewn i'w wyneb, a doedd hwnnw ddim wedi tynnu'i lygaid oddi ar ei chlîfej ers iddyn nhw ddechrau dawnsio.

Blydi hel, meddyliodd Gwyn yn flin, ma'r brych yn glafoerio! Yn glafoerio dros fy modan i!

Digon oedd digon. Cododd ac ymwthio drwy'r dawnswyr nes iddo fedru bloeddio yng nghlust Kelly.

'Dw i'n mynd rŵan! Ty'd!'

'Be?'

'*Dw i'n mynd!*'

Nodiodd Kelly. 'Ocê!'

Yna trodd oddi wrtho gan ailddechrau dawnsio efo'r hogyn arall. Rhythodd Gwyn arni, yna cydiodd yn ei braich.

'Ty'd!'

Tynnodd Kelly ei braich o'i afael. Camodd y bachgen arall ymlaen a rhoi'i law ar fraich Gwyn. Trodd Gwyn ato gyda'r bwriad o roi bŷt iddo yng nghanol ei wyneb, ond sylweddolodd mewn pryd – diolch i'r ffaith ei fod yn sobor – fod hwn yn edrych yn galetach o lawer nag y tybiodd Gwyn i ddechrau.

Trodd yn ei ôl at Kelly.

'W't ti'n dŵad adra efo fi, 'ta be?'

Ysgydwodd Kelly ei phen.

'Kelly . . . plîs . . .'

Camodd y bachgen arall rhyngddyn nhw. Ymateb greddfol Gwyn oedd tynnu'i fraich yn ôl a chau'i ddwrn, ond gwenodd y bachgen arall gan ysgwyd ei ben yn araf. Gydag un edrychiad olaf at Kelly, a oedd â'i llygaid wedi'u hoelio ar y bachgen arall, trodd Gwyn i ffwrdd.

Pam, pam, pam oedd o wedi dweud 'plîs' wrth y bitsh? meddyliodd wrth gerdded am ei gar. A rhyw hen *plîs* plentynnaidd, cwynfanllyd oedd o hefyd – fel hogyn bach yn Tesco yn swnian ar ei fam am ryw dda-da neu'i gilydd. Edrychodd Gwyn ar ei wats.

Newydd droi hanner nos.

Roedd yn ddiwrnod Nadolig.

Ac roedd hi'n bwrw eira, sylweddolodd am y tro cyntaf – nid yn drwm iawn eto, ond roedd y plu gwynion a syrthiai'n dawel o'i gwmpas yn setlo'n barod ar y palmantydd a'r ceir oedd wedi'u parcio bob ochr i'r stryd.

Ei fwriad oedd gyrru draw i'r stad a dod o hyd i griw a fyddai'n fwy na bodlon ei helpu i roi cariad newydd Kelly yn yr ysbyty. Gwenodd Gwyn wrth feddwl amdano'n ceisio bwyta'i dwrci Nadolig heb ddannedd . . .

Yna daeth teimlad cryf drosto fod rhywun yn ei ddilyn.

Trodd yn sydyn.

Neb.

Nid y tu ôl iddo, beth bynnag; roedd tri chwpwl yn

cerdded yr ochr arall i'r stryd, ond roedd eu sylw nhw i gyd ar ei gilydd. Oedd rhywun, efallai, wedi neidio i dywyllwch drws siop wrth i Gwyn droi?

Na, go brin. Roedd o wedi troi'n rhy sydyn i neb fedru gwneud hynny heb iddo gael o leiaf cip arnyn nhw'n diflannu.

A ph'run bynnag, y teimlad a gafodd oedd bod rhywun *reit* y tu ôl iddo – yn ddigon agos i anadlu'n oer ar ei war.

Crynodd. Roedd yn bwrw eira'n drymach rŵan, a'i siaced yn rhy denau ar gyfer tywydd fel hyn.

Trodd yn ei ôl a brysio am y car.

Cyrhaeddodd y maes parcio aml-lawr a thalu crocbris wrth iddo wthio'i docyn parcio i mewn i'r peiriant. Ac wrth gwrs, roedd y lifft wedi torri. Rhegodd. Roedd y dref yn brysur heno a bu'n rhaid iddo barcio yn weddol uchel – llawr 8, os cofiai'n iawn, y nesaf ond dau at y to.

'Ffycin hel!' meddai'n uchel.

Roedd y maes parcio'n drewi – nid o'r arogl piso a chwd arferol, ond o arogl . . . beth? Arogl llosgi. Roedd rhywbeth gwahanol ond eto'n gyfarwydd yn ei gylch. Beth oedd o? Porc, sylweddolodd Gwyn, a choed tân, a phetrol – fel petai rhywun wedi mynd dros ben llestri gyda'r petrol wrth baratoi porc mewn barbeciw. Teimlai Gwyn ei stumog yn troi wrth iddo ddringo'r grisiau ac ymdrechodd i beidio ag anadlu drwy'i drwyn. Roedd sŵn ei draed ar y grisiau yn adleisio'n uchel, fel ag yr oedd sŵn traed y person oedd yn ei ddilyn i fyny, rhyw ddau neu dri llawr oddi tano . . .

Arhosodd Gwyn, a gwrando.

Distawrwydd.

Ond rhyw ddistawrwydd anghyffredin oedd o . . . rhyw ddistawrwydd *llawn*, rhywsut, fel petai pwy bynnag oedd yn ei ddilyn yn sefyll ag un droed i fyny, yn aros nes i Gwyn ail-gychwyn cerdded cyn rhoi ei droed – neu ei throed – i lawr a'i ddilyn unwaith eto.

Ceisiodd Gwyn sbecian i lawr dros ochr y ganllaw, ond doedd neb na dim i'w weld. Roedd sawl golau wedi cael ei falu ac roedd y rheini oedd ar ôl yn wan iawn – ac yn mynd yn wannach ac yn wannach gyda phob eiliad, sylwodd Gwyn, fel petai'r trydan yn cael ei sugno ohonyn nhw gan y tywyllwch . . .

Rhythodd Gwyn.

Ia, meddyliodd, y *tywyllwch.* Roedd hwnnw'n cynyddu ac yn cropian i fyny'r grisiau – fel staen inc yn llifo dros tudalen o bapur.

A dechreuodd y sŵn traed unwaith eto.

Roeddynt yn fwy brysiog rŵan, fel petai'r person oedd yn eu creu wedi blino ar chwarae tric ar Gwyn ac wedi penderfynu brysio ar ei ôl. Roeddynt yn dod i fyny efo'r tywyllwch, yn nes ac yn nes, *yn rhan o'r tywyllwch* . . .

Trodd Gwyn a dechrau rhedeg i fyny gweddill y grisiau.

Llawr 6 . . .

Roedd yr arogl llosgi'n gryfach o lawer yn awr.

Baglodd ar y grisiau nesaf a bloeddio wrth i'w ben-glin daro'n erbyn un o'r grisiau cerrig. Ond ni fedrai fforddio aros. Herciodd i fyny gweddill y grisiau.

Llawr 7 . . .

Trodd yn wyllt am y grisiau olaf a throi'i droed yn y broses. Prin y gallai weld y grisiau o'i flaen: roedd y tywyllwch wedi cynyddu a deuai'r sŵn traed y tu ôl iddo'n nes . . .

Llawr 8.

Taflodd ei hun yn erbyn y drws, dim ond i sylweddoli mai agor at allan yr oedd o. Cydiodd yn yr handlen a thynnu'r drws ar agor a bu bron iawn iddo chwydu yn y fan a'r lle wrth i'r drewdod ruthro amdano, i fyny'i ffroenau ac i mewn i'w ysgyfaint. Gallai weld ei gar yn y pen pella a herciodd i'w gyfeiriad gan dynnu'r allweddi o'i boced a gwasgu'r botwm yr un pryd. Diolch i Dduw, daeth y goleuadau i gyd ymlaen am eiliad wrth i'r drysau ddatgloi, ond roedd y sŵn traed reit y tu ôl iddo.

'Dw i ddim isio troi,' meddai Gwyn wrtho'i hun yn uchel. 'Plîs Dduw ac Iesu Grist, pidiwch â gadael i mi droi rownd 'chos dw i ddim isio gweld be bynnag sy'n dod y tu ôl i mi . . .'

Agorodd ddrws y car a sgrialu i mewn iddo. Rhythodd ar yr olwyn lywio oherwydd doedd o ddim – *ddim* – isio gweld be bynnag oedd y tu allan i'r car ac yn rhuthro amdano ar draws llawr y maes parcio, heibio i'r ceir eraill oedd o'i gwmpas. Gwthiodd yr allwedd i mewn a chychwyn yr injan a *bwm-bwm-bwm* ei stereo. Trodd yr olwyn yn ffyrnig a gallai deimlo tu ôl y car yn crafu yn erbyn ochr y car oedd wedi'i barcio wrth ei ochr, a hynny dros y *bwm-bwm-bwm*, ond dim ots, roedd yr allanfa o'i flaen. Trodd yr olwyn yn ffyrnig eto a chael tolc arall ar du ôl y car, ond dim ots. Roedd o ar y llawr nesaf rŵan, llawr 7, ac yn troi eto ac i lawr yr allt fechan, gul at lawr 6. Oedd y tywyllwch o'i gwmpas wedi dechrau gwanhau rhywfaint?

Oedd, roedd llawr 5 yn well ac edrychai llawr 4 – a llawr 3 yn enwedig – fel petai wedi gyrru allan i olau dydd o'u cymharu â'r hyn yr oedd Gwyn wedi'i adael y tu ôl iddo. Ond gwrthodai'n lân ag edrych yn y drych rhag ofn iddo weld rhywun – *rhywbeth* – yn rhedeg ar ei ôl; ffigwr carpiog a main a gwyn allan o freuddwyd cas. A dyma fo rŵan yn gadael llawr 2 a dim ond un arall roedd ganddo i fynd ac – ia! – dacw'r brif allanfa o'i flaen. Ond roedd angen ei docyn arno. Be wnaeth o efo'r ffycin peth ar ôl talu? Ym mhoced frest ei siaced, cofiodd, ond roedd yn rhaid iddo agor ffenestr y car ac ofnai, petai'n gwneud hynny, y buasai *rhywbeth* yn cydio ynddo ac yn ei lusgo allan o'r car. Doedd dim dewis ganddo. Agorodd y ffenestr ddigon iddo fedru gwthio'r tocyn i mewn i'r peiriant a phesychodd y peiriant y tocyn yn ei ôl allan.

DIOLCH I DDUW! Cododd y rhwystr. Saethodd car Gwyn allan o'r maes parcio uffernol hwnnw ac allan i'r eira a goleuadau oren bendigedig y dref.

Sara Powell

Mater bach oedd i Sara wneud iddi'i hun edrych fel petai'n ddeunaw oed. O leiaf deunaw, meddyliodd Sara. Credai y gallai, ar binsh, basio fel merch un ar hugain. Fel dynes ifanc yn hytrach na'r hogan ysgol yr oedd hi mewn gwirionedd. Ychydig o golur, ia, a'r dillad iawn – sgert weddol gwta, top isel yn dangos digon o glîfej – ond credai mai'r *agwedd* oedd y peth pwysicaf; yr agwedd a'r osgo iawn – cerdded i mewn i rywle fel tasa chi'n berchen ar y lle a'ch llygaid yn llawn dirmyg ar gyfer unrhyw fownsar a fyddai'n ddigon gwirion i ofyn faint oedd eich oed chi. Cadwodd ei cholur a syllu arni'i hun yn ei drych. O, ia – deunaw o leiaf.

Yna, o gornel ei llygad, gwelodd rywbeth yn symud y tu allan i'w ffenestr.

Eira.

Shit!

Byddai'n rhaid iddi wisgo'i chôt dros ei siaced. Ofnai y byddai hynny'n tynnu dwy flynedd oddi ar ei deunaw. Hudwyd hi at y ffenestr. Gwyliodd y plu'n syrthio dros yr ardd gefn, ac am rai eiliadau roedd Sara Powell yn ferch fach unwaith eto, yn teimlo cyffro rhyfedd a dieithr iawn yng ngwaelodion ei stumog.

Doedd hi erioed wedi cael profiad o eira o'r blaen. Roedd y dref fawr hon ar yr arfordir a doedden nhw ddim wedi cael eira yma ers dros ugain mlynedd, yn ôl y sôn, heblaw am ambell gawod wlyb, ddi-ddim a gludwyd yma gan wynt o'r môr. Ond roedd hwn, meddyliodd Sara, yn eira go iawn; eisoes, roedd yr ardd wedi troi'n wyn a gwyliodd nifer y plu a syrthiai heibio i'w ffenestr yn dyblu ac yna'n treblu. Teimlai'r ysfa i newid i'w jîns a'i siwmper a'i menig a'i welingtons a . . .

Na.

Caeodd y llenni a throi'n ei hôl i fod yn ddeunaw oed unwaith eto. O leiaf deunaw, fe'i hatgoffodd ei hun, gan edrych ar ei hadlewyrchiad yn nrych hir ei wardrob y tro hwn.

Nodiodd yn fodlon. Aeth trwy'i bag yn frysiog – oedd, roedd popeth ynddo – cyn rhoi CD McFly ymlaen ar *repeat* ar ei chwaraeydd. Nid yn rhy uchel, neu bydden Nhw'n dŵad i fyny'r grisiau i gwyno, ond yn ddigon uchel iddyn Nhw feddwl ei bod yn ei hystafell yn pwdu.

Rŵan amdani . . .

Ar y landin, sbeciodd i lawr dros ganllaw'r grisiau. Pan oedd wedi edrych ychydig yn gynharach yn y noson, roedd ei thad yn crwydro'n ôl ac ymlaen rhwng y gegin a'r ystafell fyw fel *rottweiller*. Petrusodd am ychydig rhag ofn ei fod yn dal wrthi, ond o'r diwedd clywodd ef yn pesychu dros sŵn y teledu yn yr ystafell fyw.

Cychwynnodd Sara i lawr y grisiau. Rhegodd yn dawel pan welodd, drwy wydr barugog y drws ffrynt, fod yr eira'n syrthio'n drymach o lawer nag yr oedd o ddau neu dri munud yn ôl.

Roedd hi hanner ffordd i lawr y grisiau pan ymddangosodd rhywun yr ochr arall i wydr y drws.

Rhewodd Sara yn ei hunfan, gydag un droed i lawr ar y gris nesaf. *Blydi hel, pwy sy 'na rŵan?* meddyliodd.

Nid un o'i ffrindiau hi, yn sicr: roedd y siâp amwys a welai drwy'r gwydr yn rhy fawr, yn rhy lydan. Neu efallai mai'r eira oedd yn gwneud iddo edrych yn fwy? Siâp go debyg i siâp ei thad, a dweud y gwir – ond roedd hwnnw yn yr ystafell fyw; roedd Sara newydd ei glywed yn pesychu. Un o'r cymdogion, fwy na thebyg; un o gyd-yfwyr Stiw Powell.

Pam oedd o'n sefyll yno, a hithau'n bwrw eira'n drwm? Fel rhywun oedd eisoes wedi curo wrth y drws neu ganu'r gloch, meddyliodd Sara, ac wedi camu'n ôl ychydig o fodfeddi fel petai'n disgwyl am ateb.

Ond doedd neb wedi curo, roedd yn siŵr o hynny, nac wedi canu'r gloch chwaith: buasai Sara wedi eu clywed. A ph'run bynnag, roedd hi wedi gweld pwy bynnag oedd yno yn cyrraedd – yn ymddangos yn ddirybudd drwy'r eira. Oedd o neu hi wedi ei gweld *hi*, drwy'r gwydr, wedi gweld ei siâp *hi* hanner ffordd i lawr y grisiau a chymryd ei bod hithau, felly, wedi eu gweld nhw ac y buasai rŵan yn dod i lawr ac agor iddynt?

Dw i ddim isio!

Ffrwydrodd y geiriau yn ei meddwl fel petai rhywun wedi eu bloeddio yn ei chlust, ac unwaith roedden nhw yno, daeth mwy a mwy yno ar eu holau.

Dw i ddim isio agor y drws 'na; dw i ddim hyd yn oed isio cario ymlaen at waelod y grisia; dw i ddim isio mynd yr un fodfadd yn nes at y drws 'na nag ydw i'n barod a dw i ddim isio bod yma o gwbl. Dw i isio mynd yn ôl i fy llofft a chloi'r drws a rhoi'r golau ymlaen a dringo i mewn i'r gwely a thynnu'r dillad dros fy mhen a dw i ddim yn gwbod pam . . . Yndw, dw i yn *gwbod, o blydi hel dw i'n gwbod yn iawn pam . . .*

Dw i ofn!

Ac wrth i Sara Powell feddwl hynny, daeth beth bynnag oedd yn sefyll yr ochr arall i'r drws yn nes ato, reit i fyny ato, a gwthio'i wyneb yn erbyn y gwydr . . .

Yvonne Powell

. . . ac yn yr ystafell fyw, newidiodd Yvonne y sianel eto fyth. Y bobol rheiny sy'n trefnu ein 'hadloniant' ar gyfer y Nadolig, meddyliodd, ydyn nhw'n meddwl ein bod ni i gyd yn ddwl? Roedd y mwyafrif o'r rhaglenni wedi cael eu recordio fisoedd yn ôl, yng nghanol haul tanbaid yr haf, fwy na thebyg, ac mae cymaint o ddiffuantrwydd yn eu bloeddiadau o '*Merry Christmas!*' ag sydd yna mewn addewid gan wleidydd.

Ac maen nhw fel petaen nhw'n benderfynol o droi pawb yn alcoholics rhonc, meddyliodd, drwy ddarlledu'r crap yma a'n gyrru ni i gyd i'r dafarn agosaf dim ond er mwyn ei osgoi.

Yno y baswn inna rŵan hefyd, meddyliodd yn chwerw, oni bai am . . . *hwn*!

Trodd ei phen a gwgu at Stiw a safai â'i gefn ati wrth y ffenestr, yn syllu allan i'r nos fel tasa'r brych tew yn disgwl cael gweld sled Siôn Corn unrhyw funud. Roedd o wedi dweud wrth bawb o'u ffrindiau na fyddai Yvonne ac yntau'n eu gweld yn y clwb rygbi heno – o na, roedden nhw am gael 'Dolig bach neis, teuluol, gartra ar yr aelwyd'. Bolocs! meddyliodd Yvonne yn ffyrnig. Doedd ar yr un ohonyn nhw *isio* bod adra – fedra fo ddim gweld hynny? Roedd Sara i fyny yn ei llofft yn pwdu, roedd Gwyn wedi dianc mewn tymer, ac roedd hi, Yvonne . . .

Dw i jyst â drysu yma, meddai wrthi'i hun. Doedd y clwb rygbi ddim yn nefoedd ar y ddaear, o bell ffordd, ond o leiaf yno byddai rhywun wedi sgwrsio efo hi, wedi bod yn glên efo hi, wedi gwenu arni. Dim ond gwgu a gweiddi a rhegi oedd i'w gael 'gartra ar yr aelwyd'.

'O – bygro hyn!' Bustachodd ar ei thraed. 'Dw i'n mynd i'r clwb,' meddai. 'Ma' croeso i chdi aros yma – a deud y gwir, mi fasa'n well gen i tasat ti *yn* aros yma – ond *dw i'n* mynd. Ti'n clywad?'

Doedd Stiw ddim wedi ymateb iddi o gwbwl. Safai yn rhythu allan drwy'r ffenestr.

'Hoi! Dw i'n siarad efo chdi . . .'

Rhegodd Yvonne a chroesi ato. Dros ysgwydd ei gŵr gwelodd yr eira'n syrthio'n drwm yr ochr arall i'r ffenestr.

'O, briliant – jyst be o'n i isio!' Rhoes bwniad galed i Stiw yn ei ysgwydd. 'W't ti'n 'y nghlywad i –?'

Trodd Stiw tuag ati'n araf, a phan welodd Yvonne ei wyneb camodd yn ei hôl oddi wrtho. Roedd cyn wynned â'r eira tu allan, ac yn sgleinio o chwys oer, annifyr. Roedd ei lygaid yn fawr ac yn grwn ac yn rhythu reit drwyddi hi, fel tasa fo'n cerdded yn ei gwsg ond yn cael breuddwyd cas yr un pryd.

Ac roedd o'n crynu drosto – drosto a thrwyddo.

'Stiw?' Cododd Yvonne ei llaw efo'r bwriad o'i gyffwrdd yn ysgafn, ond tynnodd hi'n ei hôl yn sydyn, heb fod yn siŵr iawn pam. 'O, blydi hel, Stiw, paid â *gneud* hyn! 'Mond eira ydi o.'

Doedd Yvonne erioed wedi ei weld cyn waethed â hyn o'r blaen. Roedd o'n casáu eira â chas perffaith: gwyddai Yvonne hynny, wrth gwrs – amhosib oedd peidio gwybod, a hwythau efo'i gilydd ers bron i ugain mlynedd. Bob gaeaf âi ar ei nerfau, gan ei fod byth a beunydd yn ymchwilio'r tywydd yn y papurau newydd, ar y teledu, ar y we – ac ar yr ychydig achlysuron prin pan fyddai'n bwrw eira yma, dyna lle'r oedd o yn y ffenestr yn gofalu fod pob un bluen yn diflannu'n wlyb i mewn i'r ddaear.

Weithiau byddai yno drwy'r nos.

Roedd o wedi gwella'n raddol dros y blynyddoedd, wrth i aeaf ddilyn gaeaf a'r eira'n cadw draw – neu efallai mai hi oedd wedi dysgu byw efo'r chwiw fach ryfedd hon roedd gan ei gŵr, ac felly wedi sylwi llai arni o un flwyddyn i'r llall.

Ond heno . . .

''Mond eira ydi o!' meddai wrtho eto. 'Stiw!'

Mentrodd roddi pwniad arall iddo, yn ei frest y tro hwn, a gwelodd ryw fath o ymwybyddiaeth yn dod yn ôl i'w lygaid.

'Rydan ni'n iawn, yn tydan?' meddai wrthi.

'Be . . ?'

Nodiodd Stiw fel petai Yvonne wedi'i ateb, a throi'n ei ôl at y ffenestr. 'Ydan, siŵr, 'dan ni'n tshampion. Yma'r ydan ni, yndê. 'Dan ni'n bell o Aberllechi.'

'Stiw . . .'

Trodd yn ei ôl ati a gadael i'r llenni syrthio'n ôl i'w lle.

'Y plant,' meddai, gan gychwyn heibio iddi.

'Ma' nhw'n iawn,' meddai Yvonne. 'Ma' Sara yn 'i llofft.'

'Ond ma' Gwyn . . .'

'Ma' Gwyn allan efo Kelly. Blydi hel, Stiw – be sy'n bod arnach di? Mae o'n iawn – ma' nhw mewn rhyw byb ne' glwb yn rhwla, ma'n siŵr.'

Nodiodd Stiw eto, a cheisio gwenu y tro hwn. Ond gwên ofnadwy oedd hi, fel gwên dyn oedd ar fin cael ei ddienyddio.

Ac roedd o'n dal i grynu.

'Jyst gad i mi jecio,' meddai Stiw, 'fod Sara'n ocê.'

Symudodd Yvonne o'i ffordd a'i wylio'n mynd allan o'r ystafell fyw. Ofn welais i ar 'i wynab o gynna, meddyliodd. Rhywbeth mwy na braw, mwy na dychryn – a dw i byth isio gweld y ffasiwn ofn ar wyneb neb arall eto tra bydda i byw . . .

'SARA –!'

Neidiodd Yvonne pan glywodd y floedd – y sgrech – yn dod o'r cyntedd.

'Stiw–?'

Brysiodd allan ar ei ôl.

Roedd Sara'n hanner eistedd, hanner gorwedd wrth waelod y grisiau, ei sgert gwta wedi'i chodi'n goman ac yn ddi-hid o gwmpas ei chanol. Ond ei hwyneb a gipiodd sylw Yvonne. Arno roedd yr union ofn a welsai funudau ynghynt ar wyneb Stiw – ei chroen yn wyn, ei llygaid yn fawr a'i cheg yn gam fel petai hi'n ceisio'i gorau glas i sgrechian ond yn methu'n lân â dod o hyd i'w llais.

Roedd ei llygaid wedi'u hoelio ar y drws ffrynt.

Trodd Yvonne i edrych, ond doedd dim byd i'w weld yno heblaw'r eira'n syrthio'n ddidrugaredd yr ochr arall i'r gwydr.

Trodd Yvonne yn ei hôl. Roedd Stiw yn awr ar ei bennau gliniau ac yn cydio yn ysgwyddau Sara.

'Sara–?' Ysgydwodd hi'n ysgafn. 'Sara – be sy, del?'

Daliai Sara i rythu ar y gwydr yng nghanol y drws ffrynt.

'Syrthio wna'th hi, Stiw?' meddai Yvonne.

Trodd Stiw ati, ac roedd yr ofn uffernol hwnnw wedi dychwelyd i'w wyneb, yn waeth nag erioed.

'Ma' nhw yma . . .' sibrydodd.

A dyna pryd y dechreuodd Sara sgrechian, nerth ei phen, drosodd a throsodd a throsodd.

Er na ddylai fod wedi gwneud hynny, o ystyried ei fod yn crynu fel petai ond newydd ddringo allan o lyn wedi'i rewi, gyrrodd Gwyn yn araf a phwyllog drwy brif strydoedd y dref. Roedd angen goleuni arno – goleuni llachar a lliwgar o'i gwmpas ym mhobman, a phobol eraill, dim ots pa mor feddw yr oeddynt, dim ots pa mor gyfoglyd o hapus.

Roeddynt i gyd, sylwodd, fel petaen nhw wedi gwirioni efo'r eira. Roedd llawer o bobol yn neidio ynddo a thrwyddo fel plant, yn ei sgubo oddi ar doeau ceir ac yn taflu peli gwynion at ei gilydd.

Fyddan nhw ddim mor falch ohono fo ymhellach ymlaen heno os deil hi fel hyn, meddyliodd, a hwythau'n methu'n lân â chael tacsi adref. Ond rhaid oedd iddo gyfaddef, edrychai'r eira'n dlws iawn yn disgyn heibio i'r goleuadau Nadoligaidd amryliw a grogai uwchben y strydoedd.

Nes iddo gyrraedd wyneb y stryd a throi'n slwj brown, peryglus.

Basa'n well i mi'i throi hi am y stad, penderfynodd Gwyn. Rhag ofn i mi a phwy bynnag fydd efo fi fethu dod yn ôl i mewn i'r dref.

Teimlai'n well yn awr, ond eto'n gyndyn braidd o gefnu ar oleuadau'r strydoedd yng nghanol y dref.

Jyst paid â mynd ar gyfyl y maes parcio 'na! meddai wrtho'i hun, a cheisiodd beidio â meddwl am y tywyllwch rhyfedd a lifodd ar ei ôl i fyny'r grisiau, nac am y sŵn traed a ddeuai ohono, na'r drewdod ofnadwy hwnnw . . .

Digon.

Meddyliodd yn hytrach am Kelly a'r bachgen hwnnw oedd mor llawn ohono'i hun yn y clwb. Ac am y ffordd roedd y ddau ohonynt wedi'i fychanu. Gadawodd i'r casineb lenwi'i feddwl a'i gorff nes iddo fedru ei flasu, bron, erbyn iddo gyrraedd cyrion y dref a'r rhiw serth a arweiniai at y stad.

Roedd yr eira'n fwy trwchus yma, a'r plu a ffrwydrai'n awr yn erbyn ei ffenestr flaen yn gwneud iddo feddwl am wyau gwynion. Doedd yna'r un swch eira wedi bod ar gyfyl y lle, a gorweddai'r eira'n llyfn a gwyn yng ngoleuadau ei gar – fel tywel trwchus. Dechreuodd Gwyn ofni na fyddai'n gallu dychwelyd i'r dref na hyd yn oed cyrraedd pen y rhiw yn y lle cyntaf. Teimlodd olwynion ôl y car yn bygwth llithro a newidiodd gêr.

Erbyn iddo droi am y fynedfa i'r stad, roedd ei weipars ar y dwbwl. Dechreuodd dderbyn y byddai'n rhaid iddo ohirio'i ddial ar Kelly a'i chariad newydd. Ond dim ots, roedd rhywun yn siŵr o fod yn gwybod pwy oedd o, a lle roedd o'n byw . . .

A chamodd y ddynes allan i ganol y ffordd, reit o'i flaen.

'Blydi HEL!'

Ceisiodd wasgu'i droed i lawr ar y brêc a throi'r llyw, ond yn rhy hwyr. Un ennyd roedd y ddynes yn sefyll o'i flaen, i'w gweld yn glir yn y goleuadau, a'r ennyd nesaf clywodd a theimlodd yr ergyd wrth iddo'i tharo. Diflannodd o dan yr olwynion. Teimlodd y car yn codi a disgyn – *thymp-thymp* – wrth iddo yrru drosti.

'*Shit!*' gwaeddodd.

Am eiliad cafodd ei demtio i yrru i ffwrdd, i barhau yn ei flaen am adref a cheisio anghofio fod heno wedi digwydd o gwbl, ond gwyddai – o ystyried ei lwc ef yn ddiweddar – y byddai rhywun yn siŵr o fod wedi'i weld a gwneud nodyn o rif cofrestru'r car.

Teimlai'n sâl yn awr, yn swp sâl wrth iddo godi'r brêc llaw a rhoi'r car yn y gêr niwtral. Datododd ei wregys ac agor y drws a theimlo'r eira'n wlyb ac yn oer ar ei wyneb. Nid gŵr ifanc deunaw oed, gydag enw o gwmpas y lle am fod yn un go galed, a ddringodd allan i'r eira, ond hogyn bach ddeng mlynedd yn iau, yn igian crio ac isio'i fam ac yn gweddïo drosodd a throsodd fod y ddynes y cafodd gip clir arni yn ei oleuadau – dynes ganol oed, cofiai'n awr, gyda gwallt hir tywyll a ffrydiau o arian yn llifo trwyddo: fod honno, drwy ryw wyrth, yn fyw ac yn iach.

Gyda'i stumog yn troi a'i berfedd yn teimlo'n wlyb ac yn llac, baglodd Gwyn drwy'r eira at gefn y car . . .

Rhythodd.

Doedd neb yno.

Neb na dim – dim ond olion ei olwynion ef yn prysur lenwi ag eira newydd, glân.

Edrychodd yn ôl i fyny'r ffordd: efallai bod ei gar wedi llithro ymlaen gryn dipyn pan wasgodd ei droed i lawr mor ffyrnig ar y brêc.

Ond roedd y ffordd yn wag.

Lle uffarn . . ?

Blydi hel, meddyliodd, mi es i drosti hi, dw i'n cofio *teimlo'r* car yn bowndian dros ei chorff, dw i'n cofio'r sŵn – *thymp-thymp*, wnes i ddim dychmygu hynny, *no way*, mi *ddigwyddodd* o!

Dylai corff y ddynes fod yn gorwedd yma ar ganol y ffordd, ychydig o droedfeddi y tu ôl i'w olwynion ôl, yn un swpyn gwaedlyd, toredig, marw.

Lle oedd hi?

Roedd ei drwyn yn rhedeg a sychodd y llysnafedd ar lawes ei siaced wrth edrych yn wyllt i bob cyfeiriad. Daeth iddo'r syniad ofnadwy efallai fod y car wedi llusgo'r ddynes oddi tano . . . ond na, roedd yr eira'n wyn ac yn lân; petai hynny wedi digwydd, buasai'n batrwm blêr o goch a du a brown.

Aeth ar ei bedwar a chraffu o dan y car, rhag ofn.

Na. Doedd dim golwg o'r ddynes yn unlle.

'O . . !'

Ef ei hun oedd wedi griddfan, sylweddolodd, a theimlai'n sâl oherwydd y rhyddhad a ruthrai drwy'i gorff.

Ond be oedd wedi digwydd?

Safodd, yno yn yr eira, yng nghanol y ffordd, gyda choed Nadolig yn wincian arno o wahanol ffenestri; trodd i bob cyfeiriad ac ysgwyddau'i siaced ddu'n troi'n wyn a'i wallt yn hongian yn gudynnau hir, gwlyb dros ei lygaid. Roedd golau i'w weld y tu ôl i lenni rhai o'r tai, ond roedd eraill yn hollol dywyll ac yn rhythu'n ddall yn ôl arno; rhythu ar y ffigwr unig, dryslyd yn troi fel pyped meddw yno yng nghanol yr eira, ac ar y car a arhosai'n wag ac yn amyneddgar amdano, un drws yn llydan agored, y goleuadau ymlaen, a'r beipan wacáu yn bytheirio mwg llwyd.

'Ffycin hel!' meddai'n uchel.

Oedd o wedi dychmygu'r holl beth? Roedd o wedi cynhyrfu, oedd – doedd dim dwy waith am hynny – ac wedi cael hymdingar o fraw yn gynharach yn y maes parcio.

Oedd o wedi dychmygu *hynny* hefyd?

Hwyrach mai effaith y gwahanol gyffuriau y bu'n eu cymryd o bryd i'w gilydd oedd hyn i gyd; rhyw ganlyniad gwallgof, hwyr i'r holl arbrofi.

Ia, dyna be ydi o, dw i'n siŵr, meddyliodd wrth ddychwelyd at ei gar. Sylweddolodd ei fod yn crynu eto – cyfuniad o oerni a gwlybaniaeth a sioc a rhyddhad. Eisteddodd y tu ôl i'r llyw a chau'r drws.

Bath poeth, meddyliodd. Mi fydda i'n well wedyn.

Gafaelodd yn ei wregys – ond rhywle, yng nghefn ei feddwl, sylweddolodd fod drewdod y maes parcio'n llenwi'r car. Trodd yn ei sedd er mwyn gwthio'r bwcwl i mewn i'w le . . .

Eisteddai'r ddynes yn y sedd arall, ei hwyneb ond fodfedd oddi wrth ei wyneb ef, yn gwenu'n llydan. Wrth i'w gwefusau duon gau am ei wefusau ef, y peth olaf a glywodd Gwyn Powell oedd ei sgrechfeydd ef ei hun yn llenwi'i ben.

Yvonne Powell

Er eu bod wedi tawelu o'r diwedd, roedd sgrechfeydd Sara'n dal i lenwi'i phen. Daliai i sgrechian wrth i Yvonne a Stiw ei chario'n ôl i fyny'r grisiau ac i'w llofft, gan wingo'n wyllt yn eu breichiau fel llysywen mewn rhwyd.

Parhaodd i sgrechian wrth iddynt ei rhoi yn ei gwely, er bod ei llais erbyn hyn yn gryg a'i chorff yn llac ac yn llipa. Er gwaethaf hynny, llwyddodd i gael digon o nerth o rywle i wingo a chicio dan ddillad y gwely nes i

Yvonne orwedd ar y gwely hefo hi, ei breichiau wedi'u lapio amdani'n dynn.

Roedd dwylo, breichiau ac wynebau'r ddau riant yn gleisiau ac yn waed drostynt: roedd Sara wedi gwneud ei gorau i'w cripio a'u brathu a'u cicio a'u taro gyda'i dyrnau bach esgyrnog.

A thrwy'r amser yn sgrechian, sgrechian, sgrechian.

Yn awr, heblaw am ambell gnewiad fach ofnus ac ambell blyciad nerfus, gorweddai Sara'n dawel ac yn llonydd. Er hynny, ofnai Yvonne lacio'r un mymryn ar ei breichiau.

Be uffarn welodd hi?

Os oedd rhywbeth yno i'w weld, meddyliodd Yvonne.

Lle *oedd* yr ambiwlans yna? Roedd Stiw i fod wedi galw am un: roedd wedi clywed ei lais ar y ffôn, beth bynnag. Ond noswyl Nadolig oedd un o'r adegau gwaethaf posib i alw am unrhyw un o'r gwasanaethau brys, yn enwedig ar y stad hon.

A hithau'n stido bwrw eira.

'Sshh, ma'n ocê, sshh . . .'

Roedd Sara wedi dechrau gwingo ac igian crio eto. Teimlai Yvonne fel ei hysgwyd yn galed yn hytrach na sibrwd geiriau o gysur yn ei chlust. Am Ddolig ffantastig dw i am 'i ga'l! meddyliodd yn chwerw.

Llonyddodd Sara eto, am ryw hyd beth bynnag. Crynodd Yvonne yn sydyn, a sylweddolodd fod yr ystafell yn oer gythreulig. Trodd ei phen. Na, doedd y ffenestr ddim ar agor, ond felly'r oedd yr ystafell yn teimlo. Oedd yr idiot Stiwart yna wedi agor y drws ffrynt, a'i adael yn agored led y pen?

Lle oedd o, erbyn meddwl?

A be oedd o'n ei feddwl yn gynharach, pan ddywedodd, 'Ma' nhw yma . . .'?

Pwy oedd yma?

Ochneidiodd Yvonne. Blydi hel, roedd hi'n oer – gallai weld ei hochenaid yn saethu fel cwmwl llwyd o'i cheg. Ni ddylai fod cyn oered â hyn – hyd yn oed os oedd y drws ffrynt yn agored. Oedd rhywbeth wedi digwydd i'r gwres canolog?

Grêt. Dyna'r cwbwl dw i 'i angan, ar ben bob dim arall, meddyliodd.

'Stiw?'

Trodd ei phen at y drws, yn meddwl yn siŵr iddi glywed sŵn troed rhywun ar y grisiau.

'Stiwart?'

Yna trodd yn ei hôl. Roedd Sara wedi dweud rhywbeth. Gwelodd rŵan fod Sara wedi troi'i phen ac yn syllu i gyfeiriad y ffenestr.

'*Detlene*,' meddai.

'Be–?'

Yna cododd ei phen eto, a synhwyro'r aer.

Roedd arogl rhywbeth yn llosgi yn rhywle.

Ac roedd rhywun yn dringo'r grisiau.

Stiw Powell

Amhosib oedd brysio drwy'r eira, ond gwnaeth Stiw ei orau glas – yn ôl ac ymlaen rhwng ffrynt a chefn y tŷ gan geisio anwybyddu'r pigyn poenus yn ei ochr, yr oerni gwlyb oedd wedi hen dreiddio drwy'i esgidiau a'i sanau, a'r ffaith fod ei goesau'n teimlo fel darnau o blwm.

Arhosodd i gael ei wynt ato.

'Bastads,' meddai'n uchel. 'Dw i'n gwbod ych bod chi yma.'

Gallai deimlo'i galon yn carlamu a phwysodd yn erbyn ochr y tŷ. Syrthiai'r eira o'i gwmpas, bron mor drwchus â niwl: prin y gallai weld trwyddo at y ffordd a redai heibio i'r tŷ a thrwy'r stad, a llenwai'r eira olion ei draed eiliadau'n unig ar ôl iddo'u creu.

A dim ond olion ei draed ef oedd yno.

Roedd Sara wedi gweld rhywbeth yn y drws, meddyliodd, *dw i'n gwbod 'i bod hi.*

Ond pan agorodd Stiw'r drws, doedd dim olion o unrhyw fath i'w gweld ar wyneb llyfn yr eira.

'*Lle ydach chi?*' gwaeddodd yn uchel.

Meddyliodd, am eiliad, iddo glywed sŵn rhywun yn sgrechian yn y pellter: llais dyn ifanc. Craffodd drwy'r eira i gyfeiriad y stad, ond ni fedrai weld ymhellach na'r giât o flaen y tŷ.

Sylweddolodd ei fod yn wlyb at ei groen ac yn crynu drwyddo; roedd ei ddannedd yn clecian yn erbyn ei gilydd ac ni fedrai deimlo'i draed o gwbl. Roedd cerdded at y drws ffrynt fel cerdded drwy driog gwyn.

Gwthiodd y drws yn agored, ac wrth iddo faglu i mewn i'r cyntedd, sylweddolodd dri pheth ar yr un pryd – fod y tŷ'n teimlo'n anhygoel o oer, fod arogl llosgi'n llenwi'r lle, a bod *rhywun* newydd fynd i fyny'r grisiau. Cafodd gip sydyn ar waelod côt laes a thywyll yn diflannu heibio'r tro ar ben y grisiau.

I gyfeiriad llofft Sara . . .

'*Na!*' bloeddiodd Stiw.

Bustachodd Yvonne i godi ar ei thraed.

'Stiw – chdi sy 'na, yndê?' meddai.

Pam nad oedd y brych yn ei hateb? Gallai ei glywed yn dringo'r grisiau – diawl, gallai ei glywed yn anadlu, hyd yn oed.

Symudodd Yvonne fel bod gwely Sara rhyngddi hi a'r drws. Roedd rhywbeth annifyr tu hwnt ynglŷn â'r sŵn *anadlu* hwn, rhywbeth annaturiol. Swniai fel . . . fel . . .

. . . *fel rhywbeth sy ddim wedi arfer anadlu.*

A deuai'n nes.

Ac yn nes.

Yna clywodd lais ei gŵr yn sgrechian o waelod y grisiau, a'r eiliad nesaf teimlodd Yvonne wlybaniaeth poeth yn llifo i lawr ei chluniau dan ei thracsiwt, dros ei sanau a'i slipas ac ar y carped.

Gwelodd gysgod tywyll yn dod am y drws a theimlodd ei hun yn dechrau llewygu, ond yna roedd Stiwart yn gwasgu topiau ei breichiau ac yn ei hysgwyd yn galed.

'Lle ma' nhw?' gwaeddodd yn ei hwyneb. 'Lle a'thon nhw?'

'Be . . ? Pwy?'

Gollyngodd Stiwart hi, ei lygaid yn gwibio'n wyllt o gwmpas yr ystafell. Gan ebychu'n uchel, rhuthrodd allan a chlywodd Yvonne ef yn mynd i mewn ac allan o'u hystafell wely nhw, ystafell Gwyn ac yna'r ystafell ymolchi cyn dychwelyd at ddrws ystafell Sara.

'Stiwart – be ddiawl sy'n digwydd?' sgrechiodd arno. 'A be ydi'r ogla llosgi ofnadwy 'na?'

Ysgydwodd Stiw ei ben.

'Ma' nhw yma . . .' meddai eto.

'Pwy?'

Yna neidiodd y ddau wrth i rywun ganu cloch y drws. Meddyliodd Yvonne mai cyfeirio at yr ambiwlans oedd Stiw, a phan aeth ato ar y landin gallai weld, drwy ddrws agored eu hystafell wely nhw, fod yna oleuadau glas yn fflachio y tu allan i'r tŷ.

'Diolch i Dduw!' meddai. Cychwynnodd am y grisiau, yn ymwybodol yn awr o'r gwlybaniaeth anghynnes y tu mewn i'w throwsus. Fydd dim ots gan y criw ambiwlans, meddyliodd wrth i gloch y drws ganu eilwaith; ma' nhw wedi arfer efo pethau gwaeth o lawer na 'chydig o biso.

Ond pan agorodd y drws, gwelodd mai'r heddlu oedd yno.

Edrychodd ar eu hwynebau, a gwyddai fod gwaeth i ddod . . .

'Stiwart!' gwaeddodd.

Sara Powell

Ni chyffrôdd Sara o gwbl wrth i'w rhieni weiddi a brysio'n ôl ac ymlaen rhwng yr ystafelloedd. Gorweddai ar ei chefn yn ei gwely, ei llygaid ynghau a'i phen yn wynebu'r ffenestr. Felly'r oedd hi pan betrusodd Stiw yn nrws ei hystafell am eiliad neu ddau, cyn penderfynu fod Sara'n weddol am y tro. Rhuthrodd i ufuddhau i waedd llawn dychryn ei wraig.

Unwaith yr oedd o wedi mynd o'i hystafell, fodd bynnag, agorodd llygaid Sara. Daeth gwên fach hapus i'w hwyneb.

'*Detlene*,' meddai.

Cododd a mynd at y ffenestr. Welodd hi mo'i hanadl yn cymylu yn yr aer o'i blaen, ac ni theimlodd oerni ofnadwy'r ystafell. Nid oedd y drewdod a lenwai'r tŷ erbyn hyn yn effeithio arni o gwbl.

Cododd gornel un o'r llenni a gwasgu'i hwyneb yn erbyn y gwydr oer.

Craffodd drwy'r eira i lawr at yr ardd gefn.

Gwenodd eto wrth weld fod rhywun yn sefyll yno, yn aros amdani. Plentyn – hogyn ifanc dengmlwydd oed, gyda gwallt du a llygaid mawr tywyll, yr hogyn bach delaf a welodd Sara erioed. Roedd o'n gwenu'n hoffus arni ac yn codi'i law, yn ei galw ato.

'*Detlene*,' giglodd Sara, er nad oedd unrhyw syniad ganddi beth oedd ystyr y gair. Yn wir, ni sylwodd ei bod wedi ei ddweud hyd yn oed.

Agorodd ffenestr ei llofft yn llydan.

Dringodd i fyny ar sil y ffenestr. Gallai deimlo'r eira yn anwesu'i gwallt, yn gynnes ar ei hwyneb ac yn setlo am ei chorff fel breichiau cariadus, diogel a chryf.

Gwenodd i lawr ar y plentyn a arhosai amdani ar y lawnt wen oddi tani. Gwisgai byjamas tenau ac roedd yn droednoeth; ond wrth gwrs, meddyliodd Sara, dydi o ddim yn oer o gwbwl – does 'na ddim byd oer ynghylch yr eira hwn.

Chwarddodd y plentyn, chwerthiniad bach hapus – Ydi, ma' hyn yn hwyl, yn dydi?

'*Chindilan?*' meddai wrthi, a nodiodd Sara gan wenu, yn gallu deall yn awr: oedd, roedd hi wedi blino, wedi cael llond bol ar . . . ar bob dim, a deud y gwir – ar ei thad a'i mam a'i brawd a'i ffrindiau a'i chartref a'i bywyd.

'*Dosta*,' meddai Sara'n ôl wrtho: digon.

A chwarddodd y bachgen eto, cyn troi a dechrau cerdded i ffwrdd.

'*Detlene!*' gwaeddodd Sara ar ei ôl.

Arhosodd y bachgen bach, yna trodd a gwenu dros ei ysgwydd.

Nodiodd.

'*Detlene*,' meddai, a chamodd Sara allan i'r eira. Ond yn yr eiliad cyn iddi daro'n galed yn erbyn y ddaear, cyn i'w phen ffrwydro drwy'r eira, cyn i'w gwddf dorri fel matsien fregus ar y concrid a orweddai dan y trwch meddal, cafodd gip ar wyneb go iawn y bachgen. Sylweddolodd mai ystyr 'Detlene', yn yr hen, hen iaith ryfedd hon, yw ysbrydion plant meirw.

Aberllechi

Gwawriodd dydd Nadolig yn Aberllechi heb i'r un bluen o eira ddisgyn yno. Er bod yr awyr yn llwyd ac yn llawn, dechreuodd fwrw glaw yn o fuan wedi toriad gwawr.

Hen law mân annifyr a dreiddiai drwy bopeth.

Disgynnodd ar y cychod yn yr harbwr, ar y waliau cerrig, hynafol ac ar y meinciau pren, modern.

Disgynnodd ar y toeau a'r strydoedd, ar y ceir, ac ar y plant a chwaraeai ar eu beiciau newydd sbon; disgynnodd ar y bobol a fentrodd allan am dro ar ôl gwledda ar dwrci a phwdin plwm.

Disgynnodd ar y ffermydd o gwmpas, ar y caeau a'r coed noeth yn y goedwig – a disgynnodd ar un dyn yng nghanol y goedwig, dyn a wisgai hen gôt laes, fudur, a chap gwlân wedi'i dynnu'n dynn dros ei glustiau.

Roedd y dyn hwn ar ei bennau gliniau yn y glaswellt gwlyb. Roedd yn beichio crio.

'Magda!' gwaeddodd i fyny i'r coed, i'r awyr, i'r glaw. 'Lle w't ti–?'

1

Dwy flynedd yn ddiweddarach

Caren

i

Do'n i ddim yn arfer coelio mewn ysbrydion.

Ro'n i wastad wedi f'ystyried fy hun yn rhy gall i bethau felly. Pan oedd rhywun yn marw, yna roeddan nhw'n marw, a dyna fo – dyna ddiwedd arni, amen a *kaput*. Doedd gen i ddim amynedd, felly, efo'r holl straeon roedd fy ffrindiau i gyd yn mwynhau eu hadrodd wrth ei gilydd mewn lleisiau dyfnion, crynedig, 'sbwci'; dim amynedd chwaith gyda'r holl ffilmiau arswyd sydd i'w gweld mor aml ar y teledu, yn y sinemâu, neu ar DVD.

Doedden nhw ddim yn fy nychryn i o gwbl.

Hyd yn oed pan oeddwn i'n fach, wnes i erioed fethu cysgu oherwydd fy mod i'n credu fod yna fwgan yn llechu yn nhywyllwch fy wardrob, neu ysbryd yn cuddio o dan fy ngwely, ac y baswn yn teimlo'i ddwylo oer yn cau am fy fferau wrth i mi roi fy nhraed noeth i lawr ar y carped.

Doedd dim ots gen i grwydro drwy fynwent ar ôl iddi dywyllu. Wnes i erioed deimlo bod llygaid yn fy ngwylio pan gerddwn drwy dŷ gwag ar fy mhen fy hun (a dw i wedi gwneud hynny'n reit aml, fel mae'n digwydd: gwerthwr tai ydi Dad), na chwaith fod yna rywun yn sefyll y tu ôl i mi mewn hen atig lychlyd, yn anadlu'n oer ar fy ngwar.

Wedi'r cwbl, credwn yn gall i gyd, mae yna hen ddigon o bethau go iawn yn digwydd yn y byd o'n cwmpas a ddylai fod yn codi ofn arnon ni. Does dim angen i ni greu rhyw fyd arall, dychmygol, dim ond er mwyn cael ein dychryn.

Ond erbyn hyn . . .

Wel, dw i'n gwybod yn well erbyn hyn.

ii

'Ydach chi'n meddwl y cawn ni Ddolig gwyn eleni?'

Cwestiwn digon diniwed. Mae'n siŵr ei fod yn cael ei ofyn gan gannoedd ar filoedd – miliynau – o bobol bob gaeaf, a gan eu plant yn enwedig. Mae'r Nadolig i *fod* yn wyn, yn dydi? (Os nad ydach chi'n byw mewn gwlad boeth fel Awstralia, wrth gwrs – ac mae'n rhaid i mi ddeud, er nad ydw i'n hogan ramantus o bell ffordd, mae'r syniad o ddathlu'r Nadolig ar lan y môr mewn haul tanbaid yn un rhyfedd ofnadwy.) Mae eira i'w weld ar y rhan fwyaf o gardiau Nadolig, mae'r cwmnïau betio yn gwneud ffortiwn bob blwyddyn drwy gynnig ods y bydd hi'n bwrw eira ar Ragfyr y 25ain, ac mi wnaeth Bing Crosby filiynau o ddoleri drwy freuddwydio am Nadolig gwyn.

Y fi ofynnodd y cwestiwn y tro hwn, a hynny oherwydd bod Lois, fy ffrind pennaf ar y pryd, wedi fy herio.

Nos Wener wlyb yn nechrau mis Rhagfyr oedd hi, ac roeddan ni allan yn dathlu pen-blwydd Lois yn un ar bymtheg oed – rhieni Lois, ei nain a'i thaid, ei nain arall, ei brawd Deian (oedd bedair blynedd yn iau na hi), a fi. Dw i'n meddwl fy mod i ond wedi cael fy ngwahodd oherwydd i mi wahodd Lois i nghinio pen-blwydd i, bron i dri mis ynghynt: roedd Lois a minnau wedi gwneud llai a llai efo'n gilydd ers hynny, am ryw reswm, ar ôl bod yn fêts mawr er pan oedden ni'n ddim o bethau.

Dyna lle'r oedden ni, felly, i gyd yn eistedd o gwmpas un bwrdd mawr yn yr Hen Felin, y bwyty gorau yn Aberllechi. Doedd hi ddim wedi bod yn noson wych, a dweud y lleiaf: roedd yn amlwg nad oedd Lois yn awyddus i fod yma, efo'i theulu. Roedd hi'n ffinio, ar ddechrau'r noson, ar fod yn surbwch ac anghwrtais; ro'n innau'n teimlo'n annifyr ac awydd rhoi ysgydwad i Lois i ddod â hi at ei choed.

Ond mi ymlaciodd rhywfaint ar ôl yr awr gyntaf. Daeth yn ei hôl o'r tŷ bach y tro cyntaf ag arogl sigaréts ar ei gwynt, a'r ail dro yn ogleuo o ddiod – diolch, dw i ddim yn amau, i Rob Parri, oedd yn gweithio yng nghegin yr Hen Felin.

'Gofyn i Dad os ydi o'n meddwl y cawn ni Ddolig gwyn,' sibrydodd Lois yn fy nghlust.

'Be?' Troais fy mhen ac edrych arni. Roedd ei llygaid yn dawnsio'n las yn ei phen, dw i'n cofio, ac roedd rhyw hen wên fach sbeitlyd ar ei hwyneb. 'Pam?'

'Gei di weld. Jest gofynna iddo fo.'

Edrychais ar draws y bwrdd. Roedd ei thad wedi gwyro ymlaen ac yn gwrando ar rywbeth roedd ei fam, nain weddw Lois, yn ei ddweud wrtho.

'Pam?' gofynnais eto.

Roedd yn amlwg fod rhyw jôc neu dric neu rywbeth ar y gweill. Ysgydwais fy mhen.

'*No way*, Lois.'

'Caren . . .'

'Dw i ddim yn ddwl, ysti.'

Yfais rywfaint o'r *Coke* oedd gen i o 'mlaen. Dyma un rheswm pam fod Lois mor surbwch: roedd ei thad wedi mynnu na châi hi yfed alcohol o unrhyw fath, nid yng ngŵydd ei dwy nain, beth bynnag. Un ar bymtheg oedd hi, wedi'r cwbwl, nid deunaw, ac arno fo a mam Lois y buasai'r ddwy wedi hefru.

'Be ti'n feddwl?' Trodd ei llygaid yn ddwy soser las o ddiniweidrwydd.

'Gofyn di iddo fo.'

'Na, mi fydd o'n swnio'n well yn dŵad oddi wrthat ti, Caren.'

Rhaid i mi gyfaddef, ro'n i'n reit chwilfrydig erbyn hyn.

'O, ocê!' Gwyrais ymlaen dros y bwrdd. 'Mr Richards?' Edrychodd tad Lois arnaf. 'Ydach chi'n meddwl y cawn ni Ddolig gwyn eleni?'

iii

Taswn i'n gwybod, y noson honno, yr hyn dw i'n ei wybod rŵan, yna 'swn i ddim wedi agor fy ngheg am filiwn o bunnoedd.

Ac am Lois – wel, bitsh ydi'r unig air i'w disgrifio hi. Roedd hi wedi eistedd yn ôl yn ei chadair efo'i breichiau wedi'u plethu dros ei bronnau pan ddudis i, 'Mr Richards?' efo'r hen wên fach sbeitlyd honno'n ôl ar ei hwyneb. Dylai hynny fod wedi fy rhybuddio, mae'n debyg, ond roedd hi'n rhy hwyr bellach i mi newid fy meddwl.

Pam oedd hi wedi mynnu fy mod i'n gofyn? Allan o sbeit, dim byd ond sbeit – dyna'r unig reswm y galla i feddwl amdano – ond eto, pam? Roedd ei thad, hyd y gwyddwn i, yn hen foi iawn – y fo oedd wedi talu am y cinio, wedi'r cwbl – a'r unig beth wnaeth y creadur i bechu yn erbyn Lois oedd ei rhwystro rhag yfed unrhyw alcohol tra oedd ei neiniau yn dal hefo ni.

Funudau ar ôl gofyn y cwestiwn, es allan i gefn yr Hen Felin am ffag. Ro'n i angen un, ac roedd fy llaw'n crynu wrth i mi'i thanio hi.

Daeth Deian, brawd Lois, allan ar f'ôl i.

'Bitsh,' meddai wrthyf.

'*Fi?* Gwranda – Lois ddudodd wrtha i am 'neud . . .'

'Wn i, wn i. Sôn am Lois yr o'n i, Caren.'

'O . . .'

'Ga i ffag gen ti?'

Edrychais arno. 'Ers pryd w't ti'n smocio?'

Cochodd ychydig. 'Ers . . . ers talwm. Blynyddoedd.'

'*Piss off*, Deian.'

'Yndw! Wel . . . ers tipyn, beth bynnag. Plîs?'

Ochneidiais ac estyn un Marlboro Light iddo. 'Ti'n stiwpid, felly.'

'Rw't ti a Lois yn smocio.'

'Wn i. 'Dan ninna'n stiwpid hefyd. Ddim gen i gest ti hon, ocê?'

Nodiodd wrth oleuo'i sigarét efo blaen f'un i.

'Be wnes i, Deian?' gofynnais. 'Pam fod y cwestiwn yna wedi ypsetio cymaint ar dy dad?'

Cododd ei ysgwyddau.

'Dwn i'm. Mae o wastad wedi – unrhyw sôn am Ddolig gwyn. Mae o'n paranoid am y peth.'

'Pam?'

Ysgydwodd ei ben. Roedd Lois a Deian wedi etifeddu tlysni a gwallt golau eu mam, Gwennan, ond gwallt tenau oedd gan Deian, ac edrychai fel petai'n debygol o ddilyn esiampl Marc, ei dad, a cholli'r rhan fwyaf ohono'n weddol ifanc. 'Roedd Lois yn gwbod yn iawn be roedd hi'n 'i 'neud,' meddai. Edrychodd arnaf. 'Paid â phoeni, ma' Dad yn gwbod nad arnat ti ma'r bai.'

Rhwbiais fy mreichiau a meddwl eto am ymateb Marc Richards. Roedd o'n gwenu pan gychwynnais ofyn y cwestiwn, a gwyliais y wên yn diflannu'n araf oddi ar ei wyneb, fel tasa 'na rwbath y tu mewn iddo fo'n ei sugno hi i ffwrdd. Yna, gan feddwl ella bod fy nghwestiwn yn un ddigon diniwed wedi'r cwbwl, ceisiodd wenu eto, ond roedd o'n welw iawn erbyn hyn; efo'r wên gam, ffug honno, edrychai ei wyneb fel wyneb penglog.

'Na chawn, gobeithio . . .' dechreuodd ddweud, yna gwelais ei lygaid yn symud oddi wrtha i ac at Lois. Deallodd yn syth mai hi oedd y tu ôl i'r cyfan, a phan welais y tristwch yn llenwi'i lygaid, sylweddolais fod hynny'n waeth o lawer na'r braw a'r dychryn a welais ynddyn nhw ond ychydig eiliadau ynghynt. Roedd Lois, hefyd, wedi'i sobri erbyn hyn a throdd ei gwên faleisus yn un ansicr. Doedd hi ddim yn gwybod lle i sbio, a neidiodd ei llygaid i bob cyfeiriad fel petaen nhw'n trio dianc oddi wrth rai ei thad.

Cliriais fy ngwddf.

'Sgiwsiwch fi,' dywedais, a chan godi fy mag oddi ar y llawr, allan â fi i'r cefn, yn sgrialu am fy ffags ffwl sbîd wrth fynd.

iv

Pwy arall oedd wedi sylwi, tybed, ar wahân i Deian? Gwennan, mam Lois, dw i'n siŵr; wn i ddim am y ddwy nain a'r taid.

Taflais weddillion fy sigarét allan i'r glaw.

'Mi ddudist ti gynna,' dywedais wrth Deian, 'fod Lois yn gwbod be oedd hi'n 'i 'neud.'

'Gwbod y basa'r cwestiwn yn gwylltio Dad, dyna o'n i'n 'i feddwl,' atebodd. 'Ond dydi hitha ddim yn gwbod *pam*, chwaith.'

'Ma' dy fam yn gwbod, siawns?'

Cododd Deian ei ysgwyddau wrth ddiffodd ei sigarét yn y bwced tywod oedd ger y drws.

'Dwn i'm, Caren. Nac 'di, medda hi.'

Aeth yn ei ôl i mewn i'r bwyty a throais innau i ffwrdd dan ochneidio. Blydi Lois – wedi fy rhoi ar y sbot fel 'na. Teimlwn y dylwn ymddiheuro i Marc Richards, ond am be? Am ofyn cwestiwn bach diniwed?

Ond doedd o *ddim* yn ddiniwed, yn nag oedd?

Bisâr – dyna be oedd o. Hollol bisâr. Roedd o'n ffinio ar fod yn ddigri. Tasa fo wedi digwydd i rywun arall, mi faswn i wedi chwerthin. Ac roedd o *yn* chwerthinllyd fod dyn fel Marc Richards – a oedd yn foi go galed, yn ôl y sôn, ac yn dipyn o iob pan yn iau – wedi ymateb fel ag y gwnaeth o i gwestiwn bach mor gyffredin.

Baswn wedi rhoi'r byd am ffag arall, ond ro'n i wedi bod yn ddigon anghwrtais yn barod, diolch i Lois. Un peth da: roeddan ni i gyd wedi gorffen bwyta pan agorais i fy ngheg, a phan es yn ôl i mewn roedd pawb wrthi'n gwisgo'u cotiau. Ceisiais wgu ar Lois, ond gwrthododd edrych arna i. Yn wir, sbio ar y llawr roedd hi a'r olwg ar ei hwyneb, am unwaith, yn fwy difrifol na surbwch.

'Diolch yn fawr am fy ngwadd i heno 'ma,' dywedais wrth Gwennan. 'Ac ma'n ddrwg gin i os . . . 'y chi . . .' ychwanegais, gan deimlo y dylwn i ddweud rhywbeth.

Ysgydwodd Gwennan ei phen yn siarp, yn amlwg ddim eisiau clywed unrhyw sôn am y peth.

'Anghofia amdano fo, Caren.'

Y tu allan, safais dan f'ymbarél yn eu gwylio'n dringo i mewn i'r 4x4.

'Diolch eto . . .'

Gwenodd y neiniau arnaf a winciodd taid Lois i'm cyfeiriad, ond cefais y teimlad eu bod hwythau, hefyd, ar goll yn lân, dim ond yn synhwyro fod *rhywbeth* wedi digwydd i ddifetha'r noson.

Ond be, Duw a ŵyr.

Marc

Yli, Gwennan – dw i'n sori, ocê?

'Mond trio rhoid 'y mraich amdanat ti wnes i rŵan, a 'ma chdi, yn tynhau drwyddot: ma' hyn 'run fath â chysgu efo bwrdd smwddio. Ma'n bechod fod gynnon ni ddim stafall sbâr, yn dydi? Yno y baswn i heno 'ma, saff i chdi, ar 'y mhen.

Ia, reit – ocê, ella 'mod i wedi gor-ymatab gynna, yn yr Hen Felin. Ond dw i'n dal i ddeud, nid y fi ddaru ddifetha'r noson. Ar Lois oedd y bai i gyd, ond rw't ti – fel arfar, os ga i ddeud – yn methu'n glir â gweld hynny.

Mi ddois i'n agos uffernol at 'i hitio hi. Do, ar f'enaid i. At roid slasan iawn i'r gnawas fach sbeitlyd reit ar draws 'i hwynab – ia, y fi, a finna 'rioed yn 'y mywyd wedi codi bys yn 'i herbyn hi na Deian – nac yn d'erbyn ditha chwaith, tasa hi'n dŵad i hynny, fel rw't ti'n gwbod yn iawn.

A 'sgin i ddim cywilydd cyfadda, mi wna'th y teimlad hwnnw fy nychryn i. *Ond ddyla hi ddim fod wedi deud wrth Caren am ofyn y cwestiwn hwnnw, am Ddolig gwyn.*

Ma' gin i fy rhesyma.

Dw i jyst ddim yn gallu sôn amdanyn nhw wrth neb arall. Yn enwedig wrth 'y nheulu.

Tasach chi ond yn gwbod, yndê . . .

Ond dydach chi ddim, diolch i Dduw.

Coelia di fi, Gwen, ma' gynnoch chi i gyd le i ddiolch am hynny. Mi faswn i'n rhoid y byd am fedru deud wrthat ti *pam*, am fedru deud y cwbwl lot wrthat ti.

Ond ma’ arna i ofn ych colli chi i gyd.

Y ffasiwn ofn . . .

Mi wnest ti drio cadw part Lois heno ’ma, yn do, ar ôl i ni gyrraedd adra.

‘Be oedd ar dy ben di?’ meddat ti wrtha i.

‘*Fi–?*’

‘’Sa chdi ddim wedi gallu gneud gwell job o ddifetha’r noson tasat ti wedi trio.’

‘Be–?’

‘Noson Lois oedd heno i fod. Ond mi ddechreuist ti bigo arni hi cyn i ni roi’r un o’n traed y tu allan i’r tŷ ’ma, hyd yn oed. Fasa un gwydriad o win ddim wedi brifo neb.’

‘Dy rieni di fasa’r rhei cynta’ i gwyno. A ’sa fo ddim wedi bod yn deg iawn ar bobol yr Hen Felin, chwaith. Un ar bymthag ydi hi heddiw, Gwen, nid deunaw.’

‘Arglwydd, clywch ar y dirwestwr mawr yn traethu, myn di’an i! Roedd gin ti fol cwrw cyn i chdi gyrra’dd ’i hoed hi.’

‘Mi fasa dy rieni di – ocê, ella na fasa Gwil wedi deud llawar, chwara teg, dydi’r cradur ’rioed *wedi ca’l* deud llawar, yn nac ’di? Ond mi fasa dy fam . . .’

‘Be ti’n feddwl–?’

‘. . . mi fasa Megan wedi chwara’r diawl. Ti’n gwbod hynny. Blydi hel, pam ydan ni’n dadla dros hyn, beth bynnag? Dw i’n mynd i ’ngwely, wir Dduw.’

Ac mi es i, ond mi fynnist ti ga’l cario ’mlaen ar ôl dŵad yno ar f’ôl i.

‘Ma’r peth yn hurt bost, dyn o dy oed di’n ymatab fel ’na bob tro ma’ rhywun yn sôn am Ddolig gwyn.’

‘Wn i. Ond . . .’

'Am *eira,* hyd 'noed.'

'Ia, ocê – dw i'n gwbod. Ond fel 'na dw i 'di bod erioed, ocê? Fel rw't *ti'n* gwbod. Felly gad lonydd i betha rŵan.'

'I'm dreaming of a white Christma-aa-ss . . .'

Trio fy ngwylltio i oeddat ti? Trio fy herio i? Dylat ti wbod fod canu'r gân yna byth yn gweithio – rw't ti wedi gneud hynny ddigonadd o weithia dros y blynyddoedd. Neu oeddat ti'n trio fy ngha'l i ymatab i chdi fel y gwnes i'n gynharach i Lois? Gwen fach, dydach chi'ch dwy ddim yn yr un cae. Roedd yr hyn wnaeth Lois – sef ca'l rhywun sydd i fod yn ffrind iddi i ofyn y cwestiwn hwnnw – yn waeth o beth myrdd: roedd o'n fwy *sytl*, yn fwy slei ac yn fwy sbeitlyd o lawar.

Ac felly'n fwy poenus na'th ganu plentynnaidd di.

'Gwennan . . .'

'*Be*, Marc?'

'Jyst . . . paid. Plîs.'

Ochneidio wnest ti wedyn, fel taswn i'n bod yn hollol afresymol. Ac i chdi, mae'n siŵr 'y mod i. Duw a ŵyr, Gwen, ma'r holl beth wedi swnio'n hollol afresymol i minna hefyd, ers ugain mlynadd.

'Jôc oedd o, Marc. Dyna'r cwbwl.'

Mi sbiaist arna i wedyn, am sbelan go lew, yn disgwl i mi ddeud rhwbath – unrhyw beth fasa'n dy helpu di i ddallt. Ond fedrwn i ddim, ac ers hynny rw't ti wedi troi dy gefn arna i a gorwadd ar dy ochor a thynhau drwyddot bob tro y bydda i'n trio closio atat ti.

Ac mi faswn i'n rhoi unrhyw beth rŵan, Gwen, i fedru egluro pam fod y jôc wedi syrthio'n fflat. I fedru deud wrthat ti, er enghraifft, am Stiw Powell. O – rw't ti'n gwbod yn fras be ddigwyddodd iddo fo a'i deulu; hogyn lleol, yndê, o Aberllechi; ma'r rhan fwya o bobol y lle 'ma'n gwbod y ffeithia moel. Ond 'mond tri ohonon ni'n sy'n gwbod pam y cafodd Stiw un hartan ar ôl y llall nes i'r ola – y drydadd ne'r bedwaradd – 'neud amdano fo; pam fod 'i fab o 'di marw mewn 'damwain car', meddan nhw, ar yr un noson yn union ag y syrthiodd 'i ferch o allan drw' ffenast 'i llofft, a pham fod hynny hefyd wedi digwydd dros y Dolig a hitha'n bwrw eira. A pham fod Yvonne, ei wraig druan, erbyn heddiw yn alci rhonc, ac yn gofyn yr un peth drosodd a throsodd – sef pam fod hynny wedi gorfod digwydd iddi hi?

Mi 'swn i'n dotio ca'l deud y cwbwl wrthat ti, Gwen.

Ond fedra i ddim.

Duw a'm helpo, ond fedra i ddim.

2

Caren

i

Er mai tref glan-y-môr ydi Aberllechi, does yna ddim 'glan-y-môr' go iawn yma. Cerrig sydd ar y traeth, yn hytrach na thywod, heblaw am ambell stribyn brown pan fo'r llanw allan. Yr harbwr ydi'r peth delaf sydd gynnon ni, a bod yn onest, ac mae hwnnw – fel pob harbwr arall, am wn i – ond i'w weld ar ei orau pan fo'r llanw i mewn.

Allan roedd o ar y prynhawn Sadwrn llwyd hwn. Mwd yn lle môr, a hwnnw'n drewi, a'r cychod yn hanner gorwedd ar eu hochrau fel pobol wedi meddwi'n chwil ulw gaib. Doedd hi ddim yn bwrw glaw, ond roedd y gwynt yn wlyb ac yn oer a doedd y nos ddim wedi cilio rhyw lawer drwy'r dydd: edrychai'r harbwr fel hen lun du a gwyn.

Er gwaetha'r tywydd, eisteddai dau berson ar un o'r meinciau pren sydd wedi'u gosod yma ac acw o gwmpas yr harbwr. Hogan ifanc yng nghanol ei harddegau oedd un ohonyn nhw – hogan fain a oedd yn dalach na'r genod eraill ym mlwyddyn 11, ac yn dalach na llawer o'r hogia, hefyd – a dynes yn ei thridegau hwyr oedd y llall. Roedd gwallt coch, hir gan hon, reit i lawr at waelod ei chefn, ond amhosib oedd ei weld yn iawn heddiw oherwydd y gôt laes *Afghan*, drwchus a wisgai dros ei jîns a'i siwmper wlân, drwchus – fel y siwmperi rheini sy'n cael eu gwisgo gan bysgotwyr yn Llydaw. Gwisgai'r ferch ifanc siaced *fleece* gwta, gyda phâr o jîns a botasau a wnâi iddi edrych hyd yn oed yn dalach nag yr oedd hi'n barod. Gwallt brown, blêr a thrwchus oedd ganddi, a gwisgai sbectol gyda fframiau mawr. Er nad oedd hi'n bwrw glaw, roedd y gwynt fel tasa fo'n poeri bob hyn a hyn, a thynnai'r ferch ei sbectol yn aml er mwyn ei sychu â'i hances boced cyn ei gwthio'n frysiog yn ôl ar ei thrwyn. Ar wahân i'r ffaith na fedrai weld yn dda iawn, ofnai fod ei hwyneb yn edrych yn rhyfedd o noeth heb ei sbectol.

Y fi, Caren, oedd y ferch hon, ac Anna oedd y ddynes a eisteddai wrth f'ochor.

Doedd Anna ddim wedi cael bore da iawn. Ddwy waith – y tro cyntaf yn syth ar ôl iddi agor y siop, a'r ail dro tua hanner dydd – roedd John Gawi wedi sefyll y tu allan efo'i drwyn yn erbyn gwydr y ffenast a'i lygaid wedi'u hoelio ar Anna druan am funudau hirion.

Gwnâi hyn yn reit aml. Nid bob dydd o bell ffordd, a dim ond yn y gaeaf, am ryw reswm. Weithiau byddai dwy neu dair wythnos yn mynd heibio a dim golwg ohono, ond yna un diwrnod byddai Anna'n cael cip ar gysgod drwy gornel ei llygad, troi, a'i weld o'n sefyll yno yn ei *greatcoat* fawr lwyd a'i gap gwlân wedi'i dynnu i lawr yn dynn am ei ben a thros ei glustiau, yn cymylu'r gwydr efo'i anadl.

Edrychai fel petai'n craffu ar gloriau'r llyfrau ail-law oedd gan Anna yn y ffenestr. Ond rhythu ar Anna yr oedd o mewn gwirionedd.

Crîpi . . .

Y tro cyntaf i mi weld hyn yn digwydd, tua dwy flynedd yn ôl bellach, oedd ar y dydd Sadwrn cyntaf i mi weithio yn *Pandora's Books*. Y cwbwl a ddywedodd Anna oedd:

'Paid â chymryd sylw ohono fo, Caren.'

'Ond be mae o'n 'neud? Be mae o isio?'

'Ddaw o ddim i mewn. Jest anwybydda fo.'

'Fedra i ddim. Mae o'n crîpi.'

'Crîpi . . .' Edrychodd Anna i ffwrdd gyda gwên fach dawel. 'Yndi. O, yndi – mae o'n crîpi.'

O bryd i'w gilydd dros y misoedd nesaf, gwnes ati i sefyll rhwng Anna a'r ddau lygad dyfrllyd yr ochr arall i wydr y ffenestr. Ond bob tro yr edrychwn i fyny, roedd John Gawi'n syllu reit drwydda i, fel tasa fo'n gallu gweld Anna drwy fy nghorff i.

Mi es i allan ato fo un bore, pan oedd Anna yng nghefn y siop yn gwneud ei gwaith papur.

''Newch chi fynd o'ma, plîs?'

Anwybyddodd fi'n llwyr.

''Dach chi'n bod yn niwsans, 'y chi.'

Camais yn nes ato – ond ddim yn rhy agos. Roedd o'n drewi'n ofnadwy, fel tasa fo wedi cysgu mewn sgip oedd yn llawn o fwyd wedi pydru, ac wrth godi wedi glanhau hwnnw oddi arno efo hen sanau chwyslyd, gwlyb.

'Dydi Anna ddim yma heddiw, beth bynnag.'

Parhaodd i syllu i mewn â'i drwyn a'i geg yn pwyso ar y gwydr, fel taswn i ddim yno o gwbl.

Un peth dw i'n ei gasáu ydi cael f'anwybyddu. Teimlais fy nhymer yn dechrau berwi.

'Ylwch – *piss off*, 'newch chi?'

Chymerodd o ddim sylw ohona i, nes i mi ddweud:

'Well i chi fynd; ma' Anna wrthi'n galw'r heddlu.'

Dyna pryd y trodd John Gawi ac edrych arna i'n llawn am y tro cyntaf. Roedd o yr un oed ag Anna, yn tynnu at ei ddeugain, a chofiais hi'n dweud un tro eu bod yn yr un flwyddyn ysgol. Ond edrychai o leiaf ddeng mlynedd yn hŷn na hi, efo'i wyneb hir, main a phantiog a'i locsyn a edrychai fwy fel darnau o hen glwt du a gwyn yn sownd i'w wyneb.

Gwenodd arnaf, ac roedd hynny o ddannedd roedd ganddo ar ôl wedi pydru. Camais yn f'ôl rhag ofn i mi arogli ei wynt.

'Nac 'di, tad,' meddai. 'Fasa Anna Wyn byth yn gneud hynny, del. Gofyn iddi hi pam.'

'Yli – bygra hi o'ma ne' mi fydda *i'n* galw'r cops!'

Ymateb John Gawi i hyn oedd ei rwbio'i hun drwy ddefnydd ei drowsus a gwenu'n lletach nag erioed. Dechreuodd fflician ei dafod arnaf, fel hen fadfall 'sglyfaethus. Clywais ef yn chwerthin wrth i mi droi oddi wrtho a gwibio i mewn i'r siop, gan gau a chloi'r drws ar f'ôl.

Pan edrychais i fyny, roedd o wedi mynd gan adael cwmwl gwlyb ar y ffenestr lle'r oedd o wedi anadlu drosti. Roedd y patshyn anghynnes hwnnw'n dal yno pan es i allan bum munud yn ddiweddarach efo dŵr poeth a chlwt; wrth sgwrio'r gwydr roedd yn rhaid i mi gwffio'n galed rhag chwydu, oherwydd teimlais yn siŵr fod drewdod John Gawi yn glynu wrth y ffenestr fel rhywbeth byw.

Ro'n i'n methu deall, pan adroddais yr hanes wrth Anna'n ddiweddarach, pam nad oedd hi wedi gwneud rhywbeth ynglŷn â'r hen fochyn cyn hyn: roedd ymweliadau John Gawi â'r siop wedi bod yn digwydd ers blynyddoedd.

'Does 'na ddim llawar o ddim byd y medra i'i 'neud,' meddai. Cerddai o gwmpas y siop gyda phentwr o lyfrau yn ei breichiau, gan eu dodi fesul un ar wahanol silffoedd. Dilynais innau hi fel ci bach.

'Mi fedri di alw'r heddlu, Anna.'

Trodd ei chefn arnaf er mwyn gwthio *Birds of the West Indies* i'w le yn yr adran adareg.

'Waeth i mi alw'r ysgol feithrin ddim.'

'Rw't ti wedi gneud, felly?'

Gwenodd yn dynn a symud i'r adran ffuglen.

'Roedd o'n deud na fasat ti byth yn galw'r cops. Ac y dylwn i ofyn i chdi pam.'

'Dw i *wedi* gneud, ocê?'

'A 'na'thon nhw ddim byd?' dywedais, yn methu credu'r peth.

'Fel be, Caren? Fel y dudon nhw, 'mond sbio i mewn drw' ffenast siop y mae o, a dydi hynny ddim yn erbyn y gyfraith.'

'Ma' be wna'th o heddiw, i mi, yn erbyn y gyfraith,' dadleuais. 'Sglyf. Ar wahân i'r ffaith 'mod i ond yn bedair ar ddeg.'

'Ia, wel – doedd dim isio i chdi fynd allan ato fo, yn nag oedd!'

Rhythais arni'n gegagored. Oedd hi'n dweud mai arna *i* oedd y bai?

Edrychodd dros ei hysgwydd a gweld yr olwg ar fy wyneb.

'O, Caren – sori,' meddai. 'Yli . . . dydi John Gawi ddim yna i gyd, yn nac 'di? Ma' pawb yn gwbod hynny.

Ac ma'i fywyd o'n ddigon uffernol, ma'n siŵr, heb i mi achwyn amdano fo wrth yr heddlu. Anwybydda fo. Dydi o byth yn loetran yna am yn hir iawn, beth bynnag – 'chydig o funuda ar y tro, dyna'r cwbwl. Dw i wedi hen arfar efo fo rŵan; dydi o'n poeni dim arna i.'

Hmmm. Do'n i ddim wedi credu hyn, rhywsut, ac ro'n i'n iawn i beidio â gneud. Dechreuais wylio Anna'n ofalus bob tro yr ymddangosai John Gawi yn y ffenestr, a gallwn weld y tensiwn yn chwyddo drwy'i chorff nes ei bod hi mor dynn â thant gitâr. Sylwais hefyd ei bod yn aml yn sbio allan ar yr awyr ar ôl iddo fynd, fel petai hi'n astudio'r tywydd yn bryderus.

Ond ddywedais i 'run gair. Dysgais yn fuan, ar ôl iddi droi'n reit biwis efo fi gwpwl o weithiau, nad oedd arni eisiau trafod y peth. Ymdrechais innau i ysgafnhau ychydig ar y sefyllfa drwy ddweud pethau fel, 'Ma' dy *number one fan* di yma eto.' Rhowlio'i llygaid a pharhau efo'i gwaith a wnâi Anna bob tro, ond ni allai guddio'r tensiwn a welwn yn meddiannu'i chorff.

ii

Soniais i ddim wrth Dad am yr hyn a wnaeth John Gawi i mi'r diwrnod hwnnw (efallai fod gan Anna bwynt pan ddywedodd fod ei fywyd yn ddigon trist yn barod), ond mi wnes ei holi ychydig amdano fo, ac am Anna.

Efallai y dylwn i egluro yma fod Dad ac Anna yn – wel, doeddan nhw ddim cweit yn eitem, falla, ond yn sicr roeddan nhw'n fwy na dim ond ffrindiau.

Dylwn i hefyd egluro mai gŵr gweddw ydi Dad; bu

farw Mam pan oeddwn i'n ddwy oed, wedi syrthio'n gelain un bore oherwydd gwaedlif ar yr ymennydd.

Roeddan ni'n byw y tu allan i Wrecsam ar y pryd, a symudon ni yma i Aberllechi, tref enedigol Dad, pan oeddwn i'n bedair. Ychydig iawn, iawn dwi'n ei gofio am Mam, wrth reswm, ac ro'n i'n rhy ifanc o lawer i fedru dallt be oedd wedi digwydd iddi a lle'r oedd hi wedi mynd. Mae digonedd o luniau ohoni gan Dad (ar wahân i'r llun lliw ohoni sydd mewn ffrâm ar y cwpwrdd wrth ochr ei wely), ac mae'n amlwg mai tynnu ar ei hôl hi yr ydw i – yr un gwallt brown, nyth brân, gan y ddwy ohonom; yr un taldra a'r un pantiau yn ein bochau wrth wenu. Byddaf yn aml yn dal Dad yn sbio arna i, ei feddwl ymhell a'i lygaid yn llawn – nes iddo sylwi fy mod wedi'i ddal yn syllu, yna bydd yn ymysgwyd a thynnu'i dafod arna i. Dros y blynyddoedd, felly, pan fyddaf yn meddwl am Mam, mae'r holl luniau ohoni wedi fy mherswadio mai rhyw fersiwn hŷn ohonof i dw i'n ei chofio yn fy nghodi a'm mwytho.

Cefais i fy magu gan Dad a Nain (ei fam o, yma yn Aberllechi), nes i Nain farw pan o'n i'n ddeuddeg oed; mae rhieni Mam yn dal i fyw yn Wrecsam, ac er eu bod yn sgwrsio ar y ffôn hefo ni bob wythnos, dim ond rhyw hanner dwsin o weithiau'r flwyddyn y byddaf yn eu gweld.

Gan fy mod i'n rhy brysur yn tyfu – a hefyd yn dipyn o hen fadam fach hunanol – ychydig iawn o feddwl a roddais i deimladau Dad druan. Dw i ond wedi dechrau ystyried maint ei golled yn ystod y blynyddoedd diwethaf – yr hiraeth ofnadwy y mae o wedi'i ddioddef ers bron i bymtheng mlynedd, a'r unigrwydd roedd o'n siŵr o fod yn ei deimlo wrth ysgwyddo'r cyfrifoldeb o edrych ar f'ôl i . . . heb sôn am yr euogrwydd a deimlai pan ddechreuodd ei ddolur wella ddigon iddo fedru meddwl am wneud rhywbeth ynglŷn â'r unigrwydd hwnnw.

Ychydig iawn a wyddwn i am hanes Anna, heblaw am y ffaith iddi gael ei geni a'i magu yn Aberllechi a'i bod wedi byw yng Nghaerdydd am rai blynyddoedd cyn dŵad yn ei hôl adra ac agor *Pandora's Books*. Doedd hi erioed wedi priodi, er ei bod, dw i'n siŵr, wedi cael sawl cynnig. Mae ganddi wyneb tlws mewn rhyw ffordd Nicole Kidman-aidd, ac mae rhywbeth breuddwydiol amdani: ddeugain mlynedd yn ôl, buasai rhywun wedi'i galw'n 'hipïaidd' ac yn wir, mae ei chwaeth gerddorol yn tanlinellu hynny. Do'n i erioed wedi clywed am y rhan fwyaf o'r artistiaid o'r chwedegau a'r saithdegau a chwaraeai yn y siop drwy'r dydd – enwau fel Melanie, Barclay James Harvest, Tim Buckley a Pentangle.

Roedd Dad wrth ei fodd pan glywodd un diwrnod, tua thair blynedd yn ôl, fod yna siop lyfrau ail-law am agor yn Aberllechi. Mae ein tŷ ni wedi cau efo llyfrau – digon i agor llyfrgell, dw i'n cofio Nain yn cwyno'n aml, ac mi fydda i'n ei chael hi'n anodd meddwl am Dad heb ei weld efo'i drwyn mewn llyfr. Daeth yn gwsmer da i Anna yn syth bìn, yna'n ffrind, ac yna yn . . .

Wel, yn *gariad* o ryw fath. Roedd yn amlwg fod y ddau'n hoff iawn o'i gilydd, ond roedd fel petai 'na rywbeth yn eu dal yn ôl, rhywsut, rhag mynd â'u perthynas ymhellach.

Ac roedd rhywbeth yn fy nal innau'n ôl, hefyd, rhag crybwyll y peth wrth Dad. Mae'n siŵr, mewn rhyw ffilm Americanaidd, y buasai'r ferch ragaeddfed wedi eistedd i lawr efo'i thad a thrafod y mater yn bwyllog ac yn gall, ond dydi bywyd go iawn ddim fel yna. Do'n i ddim isio *busnesu* – er ei fod o, i raddau, yn fusnes i mi, yn enwedig os mai ansicrwydd ynglŷn â sut y baswn i'n ymateb i'r syniad o gael Anna yn lys-fam i mi oedd y rhwystr.

Os oes rhywbeth ar fy meddwl, neu pan fyddaf yn teimlo'n nerfus neu'n ansicr o rywbeth, yna mi fydda i'n tueddu i wneud jôc o'r peth. Ceisiais, felly, wthio ychydig ar y ddau ohonyn nhw drwy eu pryfocio ynglŷn â'i gilydd – a thrio dangos, drwy gyfrwng fy jôcs bach tila, na fuasai gen i unrhyw wrthwynebiad tasa nhw'n awyddus i wneud y peth yn 'swyddogol'.

Ond ar wahân i wenu, rhowlio'u llygaid a dweud ambell i 'Ia, ia – hogan dda rŵan, Caren, argol rw't ti'n gês', doedd dim yn tycio efo'r un o'r ddau. Mi ddois i'n agos iawn fwy nag unwaith at eu hysgwyd yn galed a gweiddi, 'YLWCH – DOES DIM OTS GEN I! DW I DDIM YN MEINDIO O GWBWL!'

Do'n i ddim hyd yn oed yn gwbod os oedden nhw wedi cysgu efo'i gilydd. Does yna'r un plentyn yn leicio meddwl am eu rhieni yn . . . wel, yn ei ''neud o'. Mae o'n syniad ych-a-fi, am ryw reswm, er bod pawb yn fy mlwyddyn i ar dân isio'i ''neud o' eu hunain (a rhai yn brolio eu bod nhw wrthi fel cwningod ers blynyddoedd). Ond ro'n i, erbyn y pnawn Sadwrn hwnnw ar ôl cinio pen-blwydd Lois, bron yn gweddïo y basa Dad ac Anna'n cysgu efo'i gilydd – er lles hapusrwydd y ddau yn bennaf, ond hefyd er mwyn i mi gael gwybod lle yn union yr o'n i'n sefyll rhwng y ddau ohonyn nhw. Roedd o fel gwylio opera sebon deledu gydag awduron y sgript wedi llusgo'r busnes *will they – won't they* hwnnw rhwng dau gymeriad am rhy hir.

Ond wrth i mi dyfu'n hŷn, dechreuais sylweddoli efallai bod rheswm arall dros gyndynrwydd y ddau i selio'u perthynas, ac nad oedd y byd yn troi o 'nghwmpas i a neb arall wedi'r cwbl.

Mam.

A bod Dad yn dal i deimlo'i fod o'n briod efo Mam, ac y buasai canlyn ag Anna go iawn yn bradychu'r hyn oedd ganddo efo Mam, a'r cof oedd ganddo amdani.

Efallai bod Anna hefyd yn poeni ychydig am hyn: roedd hi'n anodd dweud, weithiau, efo Anna. Roedd rhywbeth enigmatig amdani, rhywsut, fel tasa hi ond yn fodlon dangos yr hyn oedd ar yr wyneb – dim mwy na dim llai. Roedd ganddi ffordd o gau'i hwyneb bob tro y byddwn i'n croesi rhyw linell neu'i gilydd, llinell nad oedd neb ond y hi yn gallu'i gweld, ac o godi wal uchel rhyngom ni oedd yn gallu diflannu'n sydyn pan fyddwn i'n troi'r stori.

Roedd y ddau'n mwynhau cwmni'i gilydd, roedd hynny'n amlwg. Deuai Anna acw'n aml gyda'r nos, a threuliai Dad fwy nag un noswaith yr wythnos yn y fflat oedd gan Anna uwchben *Pandora's Books.*

Noswaith, nid noson gyfan. Byddai'n cyrraedd yn ei ôl o gwmpas un ar ddeg bob tro, ac os oedden nhw wedi cael ychydig o rympi-pympi tra oedd o yno, yna chwarae teg iddyn nhw. Doedd hynny'n ddim o fy musnes i. Cyn belled ag eu bod nhw'n hapus. Duw a ŵyr, roedd Dad yn haeddu ychydig o hapusrwydd.

Dim ond un tro dw i'n eu cofio nhw'n ffraeo.

Ac roedd hynny oherwydd John Gawi.

iii

Y fi oedd wedi gwthio'r cwch i'r dŵr drwy holi Dad amdano, ar ôl i John Gawi fy nychryn y bore hwnnw tu allan i'r siop.

'Cofia di, dydi o ddim wastad wedi bod fel ag y mae o'r dyddia yma,' meddai Dad, a oedd yn ei gofio ers dyddiau'r ysgol, er bod John Gawi dair blynedd yn iau na fo. 'Mi gafodd o ryw frêcdown . . . O, pryd fasa hynny, dywad? Pan o'n i i ffwrdd yn y coleg, dw i ddim yn ama.'

Wrthi'n cael panad ar ôl i mi ddŵad adra o'r siop yr oedden ni, a dw i'n 'i gofio fo'n craffu arna i dros fwrdd y gegin.

'Pam wyt ti'n holi amdano fo, Caren?'

Dywedais fel yr oedd John Gawi'n aml yn syllu i mewn drwy'r ffenestr ar Anna, gan sylweddoli wrth deimlo fy nghalon yn suddo mai dyma'r tro cyntaf i Dad glywed am hyn: doedd Anna ddim wedi sôn yr un gair wrtho.

'Ac ers pryd mae o'n gneud hyn?' gofynnodd.

'Dwn i ddim. Ers cyn i Anna gynnig y job i mi.'

Roedd Dad yn gwgu erbyn hyn a cheisiais ysgafnhau rhywfaint ar y sefyllfa. 'Dydi o ddim yn gneud dim byd, Dad, 'mond sbio i mewn.'

'Rhyfadd, hefyd, nad ydi Anna wedi sôn amdano fo wrtha i.'

'Wel – dw i ddim yn meddwl 'i fod o'n poeni cymaint â hynny arni hi,' dywedais yn ffwrdd-â-hi. Codais i dollti panad arall. Do'n i ddim isio iddo fo synhwyro fy mod i'n dweud clwydda – na chwaith fod John Gawi wedi fy nychryn.

'Be ydi'i hanas o, beth bynnag?' gofynnais. 'Lle mae o'n byw?'

'Mmm? O – efo'i fam, ym Mhen-y-Garan,' atebodd, gan gyfeirio at y stad tai cyngor. 'Mi gymerodd 'i dad y goes pan oedd John yn fabi – methu diodda mwy ar y budreddi yn y tŷ, synnwn i ddim. Dydi'i fam o ddim y ddynas lana welodd creadigaeth erioed.'

Ond roedd o'n dal i bendroni am y peth, roedd hynny'n amlwg.

'Be ddigwyddodd iddo fo, felly?'

'Sori–?'

'Mi gafodd o frêcdown, meddach chi.'

'O. Dw i'm yn siŵr iawn, Caren, do'n i ddim o gwmpas ar y pryd. 'Mond clywad amdano fo wnes i, gan dy nain. Mi gollodd o 'i gariad mewn tân – rhyw hogan jipsiwn roedd o wedi mopio'i ben efo hi, yn ôl fel dw i'n ddallt.'

'Mewn *tân*?'

'Ia, y cradur. Nid jest y hi, chwaith – mi gafodd y teulu cyfan 'u lladd. Un o'r stôfs nwy rheini roedd gynnyn nhw yn y garafán wna'th ffrwydro, yn ôl y sôn. Mi fuodd John mewn cartra am hydoedd ar ôl hynny, a phan dda'th o allan . . . wel, rw't ti 'di gweld sut mae o. Fel 'na y bydd o am weddill 'i oes, decini.'

Bron yr o'n i'n gallu darllen meddwl Dad. Oedd John Gawi, rŵan, wedi mopio'i ben efo Anna?

'Mae o'n enw od, yn dydi?' dywedais, er mwyn mynd â'i sylw. 'Gawi.'

'John *Gary* ydi'i enw iawn o,' eglurodd Dad. 'John Gary Davies. Y fo oedd yn galw'i hun yn Gawi pan oedd o'n fach, am nad oedd o'n gallu deud "Gary" ar y pryd. Fydd o byth yn dŵad i mewn i'r siop, ddudist ti?'

Ysgydwais fy mhen gyda phendantrwydd nad o'n i'n ei deimlo'n llawn.

'Byth. A 'mond am ryw funud ne' ddau y bydd o'n sefyll y tu allan. Byth yn ystod yr ha', chwaith, 'mond yn y gaea.'

Nodiodd Dad, a llwyddais innau wedyn i droi'r stori. Ond y noson honno, ar ôl i Anna alw draw am swper ac i minnau fynd o'r ffordd er mwyn rhoi ychydig o lonydd iddyn nhw, clywais eu lleisiau'n dod trwy lawr fy llofft, yn uwch nag arfer o gryn dipyn.

Cywilydd o beth, falla, ond mi sleifiais hanner ffordd i lawr y grisiau'n droednoeth er mwyn clustfeinio.

'Dw i'm yn dallt,' clywais lais Dad yn ei ddweud drwy ddrws agored yr ystafell fyw. 'Soniaist ti'r un gair wrtha i amdano fo.'

'Bryn, dydi o ddim yn bwysig,' mynnodd Anna. Clywais hi'n ochneidio. 'Soniais i ddim amdano fo 'chos . . . wel, doedd o ddim *gwerth* sôn amdano fo, yn nag oedd?'

'Dw i ddim mor siŵr,' meddai Dad. 'Blydi hel, Anna, ella bod y boi'n beryg!'

'Nac 'di, siŵr . . .'

'Sut w't ti'n gwbod? Fedri di byth ddeud efo pobol fel 'na. Ac os ydi o wedi dechra ca'l rhyw fath o obsesiwn amdanat ti . . .'

'Dydi o ddim!' Roedd Anna'n amlwg wedi dechrau cael llond bol ar y sgwrs.

'Sut fedri di fod mor siŵr?'

Bu tawelwch am rai eiliadau. Yna meddai Dad: 'Mi ga i air efo fo pan wela i fo.'

'Na wnei, Bryn, wnei di ddim!'

'Pam?'

'Jest gad lonydd i betha, wnei di?'

'Be ti'n feddwl?'

'Yli, dydi o'n poeni dim arna i, felly pam . . .'

'Ond mi *ddyla* fo fod yn dy boeni di!'

'*Ffor ffyc's sec, tydi o ddim!* Ocê? Jest . . . gad lonydd iddo fo. Paid â'i dynnu fo yn dy ben, wir Dduw. Dydi o ddim fel tasa fo'n dŵad i mewn i'r siop ac yn fy haslo i. 'Mond sbio i mewn drw'r ffenast mae o, ac wedyn mae o'n mynd. A dydi o ddim hyd yn oed yn gneud hynny bob dydd.'

'Be am allan, ar y stryd?' gofynnodd Dad.

'Be ti'n feddwl?'

'Rw't ti'n siŵr o fod yn taro arno fo ar y stryd weithia. Be fydd o'n 'neud ar adega felly?'

'Dim byd . . .'

'Anna . . .'

'Na – wir yr. 'Mond troi'i ben oddi wrtha i a brysio yn 'i flaen. Ti'n gweld? Dydi o ddim yn fy haslo i o gwbwl.'

'Ond mae o'n dŵad ac yn sbio arnat ti drw'r ffenast ers i chdi agor y siop, ers blynyddoedd . . .'

'Yndi – a 'mhroblam *i* ydi hynny! Ond dydi o ddim *yn* broblam – a dw i'm isio iddo fo droi'n broblam chwaith, felly gad lonydd i betha. Ocê?' Tawelwch pwdlyd gan fy nhad. '*Ocê?*' mynnodd Anna.

'O – ocê, ocê.'

'Ti'n addo?'

'Addo be?'

'Peidio deud yr un gair wrtho fo? Byth?'

Rhaid fod Dad wedi nodio, oherwydd roedd llais Anna wedi meirioli rhywfaint pan siaradodd wedyn.

'Diolch. Reit – gawn ni siarad am rwbath arall rŵan, plîs?'

A dyna wnaethon nhw, a sleifiais innau'n ôl i fyny'r grisiau ac i'm llofft. Ond cefais drafferth cysgu y noson honno, gan ddeffro'n aml o freuddwydion cas nad oeddwn yn gallu eu cofio'n iawn – heblaw am eira, a thân.

A phobol yn sgrechian.

iv

Ond roedd hynny bron i ddwy flynedd yn ôl. Ni chlywais unrhyw sôn fod Dad wedi torri'i addewid a mynd i'r afael â John Gawi, a dysgais innau ei anwybyddu'n weddol drwy'r ddau aeaf dilynol, er i mi deimlo'r croen gŵydd yn cropian dros fy nghnawd bob tro y cawn gip ar ei gysgod yn ymddangos yn y ffenestr y tu ôl i mi.

Fel ag y gwnaeth o y dydd Sadwrn hwnnw ar ôl cinio pen-blwydd Lois. Ro'n i newydd ddal Anna'n eistedd wrth y til ac yn rhythu'n freuddwydiol drwy'r ffenestr, ei llygaid ar yr awyr ond â'i meddwl ymhell yn rhywle.

'Be sy?' gofynnais. 'Helô? Anna . . ?'

'Mmmm . . ? O! Sori . . .' meddai. Ac yna: 'Glaw. Ma' hi'n edrych fel glaw, yn dydi?'

'Dyna be ma' nhw'n 'i addo,' atebais.

Nodiodd Anna. 'Grêt.' A dyna pryd yr ymddangosodd John Gawi yr ochr arall i'r gwydr, fel petai wedi saethu i fyny o'r ddaear fel diafol mewn pantomeim. Roedd o ac Anna, felly, wyneb yn wyneb, fwy neu lai, gyda dim ond trwch gwydr tenau'r ffenestr rhyngddyn nhw.

Gwenodd John Gawi gan ddangos ei ddannedd uffernol. Pwyntiodd i fyny at yr awyr sawl gwaith, drosodd a throsodd, cyn chwerthin yn uchel, troi a mynd.

Pan drodd Anna yn ei hôl, roedd ei hwyneb yn wynnach nag erioed.

'Anna? W't ti'n ocê?'

Edrychodd arnaf fel taswn i'n hollol ddieithr iddi.

'Anna?'

Daeth ati'i hun, ac edrych o gwmpas y siop fel tasa hi newydd ddeffro ar ôl cerdded yn ei chwsg ac yn methu'n glir â dallt sut yr oedd hi wedi landio yma.

'Ti'n ocê?' gofynnais eto.

'Yndw. Yndw – sori, dwn i'm be dda'th drosta i rŵan.'

'Wel, ma' gweld y crîp yna yn y ffenast yn ddigon i . . .'

Torrodd ar fy nhraws.

'Awyr iach,' meddai gan godi. 'Ty'd – 'dan ni wedi bod yng nghanol y llyfra llychlyd 'ma yn rhy hir. 'Chydig o awyr iach fasa'n dda.'

– A dyna sut y daethom i fod yn rhannu mainc bren wlyb ger yr harbwr ar brynhawn oer o Ragfyr, yn ysmygu a gwylio'r gwylanod yn ffraeo'n swnllyd uwchben y llaid, ond yn siarad nemor ddim.

Dechreuodd fwrw glaw unwaith eto wrth i ni godi. Gwenodd Anna arnaf, a gwasgu 'mraich.

'Sori am gynna,' meddai. 'Dw i'n well rŵan.'

Daliodd ei hwyneb i fyny i'r glaw bob cam yn ôl i'r siop.

Anna

Mae Bryn am alw draw yma toc. Mi fydd o yma ymhen llai nag awr, a dw i'n gwbod y bydd yr awr honno'n carlamu heibio, oherwydd dw i ddim isio'i weld o heno 'ma.

Dim byd yn erbyn Bryn. Baswn i'n gallu gwneud y tro efo cael heno 'ma i mi fy hun, dyna'r cwbwl. Dw i'n gwybod, petawn i'n ei ffonio a dweud nad ydw i'n teimlo'n rhy dda, y basa fo'n llawn cydymdeimlad ac yn gadael llonydd i mi, ond dw i ddim eisiau gwneud hynny; dw i ddim eisiau dweud celwydd wrtho fo. Un peth ydi celu'r holl wir, peth arall ydi palu celwydd.

Dw i'n rhy aflonydd i fod yn gwmni da iawn iddo fo, dyna'r cyfan. Mae fy meddyliau dros y lle i gyd yn barod; dw i'n penderfynu ar un peth ond yn ei ddileu y funud nesaf, fel petawn i'n dadlau â mi fy hun drwy'r amser. Mae fy meddwl ar wib, a 'nghorff, hefyd, fel wimblad, yn fy nhywys o un ystafell i'r llall yn ddi-bwrpas ac yn methu'n lân â setlo'n unman. Does gen i ddim amynedd gyda'r teledu, a byddaf yn rhoi un CD ymlaen dim ond i'w newid am un arall cyn diwedd y gân gyntaf, a newid honno am un arall eto funudau'n ddiweddarach.

Y peth ydi, dw i eisiau llonydd, ond dim llonydd i *feddwl*. Hel meddyliau faswn i, a hynny drwy'r nos, taswn i yma ar fy mhen fy hun.

A fasan nhw ddim yn feddyliau braf iawn.

Dw i ar fy ail botel o win yn barod. Hwyrach mai dyma'r ateb, yfed ac yfed ac yfed nes 'mod i'n syrthio i drwmgwsg. Fyddai dim rhaid i mi feddwl, wedyn, na phoeni am fod yn gwmni da i rywun chwaith.

Ond alla i ddim bod yn siŵr o hynny. Synnwn i ddim na fasa fy meddwl twyllodrus yn hanner deffro tra bod gweddill fy nghorff yn cysgu'n swrth, ac yna'n creu breuddwydion fydd yn cael eu bwydo gan atgofion.

Breuddwydion cas, mewn geiriau eraill.

Ar ddigwyddiadau heddiw mae'r bai, wrth gwrs. Ar John Gawi, ia, i raddau, am ymddangos y tu allan i ffenestr y siop eto fyth – nid unwaith, ond dwywaith. Ond dw i'n siŵr y baswn i wedi gallu ymdopi â hynny'n ddigon hawdd. Wedi'r cwbl, dydi o ddim fel tasa ei weld o yno yn beth newydd, gwaetha'r modd. Er, mae dau ymddangosiad ar yr un diwrnod ychydig yn anarferol, mae'n rhaid dweud, ond dw i'n siŵr y baswn i wedi gallu gwthio hynny, hefyd, i gefn fy meddwl.

Yr hyn a wnaeth o oedd yn . . . o, be ydi'r gair? 'Crîpi' fasa Caren wedi'i alw fo (y greadures fach: does ganddi ddim syniad ynglŷn â'r hyn sydd yn 'crîpi' go iawn, a byddaf yn gweddïo'n aml na fydd ganddi well syniad fyth), ond roedd o'n fwy na hynny. Cythryblus, ia, dyna fo – *unsettling* yn Saesneg.

Yr holl bwyntio i fyny at yr awyr – dyna wnaeth fy siglo. Pwyntio, a chwerthin wrth wneud hynny, fel tasa fo'n gwybod rhywbeth na wyddwn i. Ac efallai'n wir y baswn i wedi gallu byw efo hynny, hefyd, hyd yn oed – y baswn i wedi penderfynu fod John wedi colli arni'n llwyr o'r diwedd – heblaw bod Caren, eiliadau ynghynt, wedi dweud wrtha i am yr hyn a ddigwyddodd neithiwr yn yr Hen Felin.

Hynny a'm hysgydwodd fwyaf: y ffaith fod Lois wedi gwneud iddi ofyn ei chwestiwn, ac ymateb Marc i hynny.

Fy ofn mwyaf oedd fod Marc wedi dweud y cyfan wrth ei deulu, ond, wrth bysgota ychydig gyda Caren allan ar y fainc ger yr harbwr, deallais – diolch, diolch i Dduw – nad oedd o wedi gwneud y ffasiwn beth. Gadewais iddi gredu mai John Gawi oedd wedi f'ypsetio fwyaf, ond wir, am rai munudau, teimlais fel pe bawn i ar fin llewygu.

Caren druan.

Marc druan, hefyd. Mae'r Lois yna'n prysur droi'n gymaint o fitsh â'i mam; mae'r ddwy yn rhy debyg i'w gilydd o lawer, yn gorfforol ac o ran cymeriad. Dw i erioed wedi hoffi'r ffordd y bydd Lois yn edrych arna i, bob tro y bydd hi'n galw heibio i'r siop i weld Caren. Rhyw sbio i lawr ei thrwyn arna i y bydd hi, a rhyw hanner gwên ddilornus ar ei hwyneb del – yn union fel yr oedd Gwennan yn arfer edrych arna i pan ddechreuodd Marc fynd allan efo hi.

Fel taswn i'n ddarn o faw ci.

Er fy mod yn teimlo dros Caren, ro'n i hefyd yn falch o gael y cadarnhad fod yna fwlch wedi dechrau tyfu rhyngddi hi a Lois. Ro'n i wedi amau, oherwydd pur anaml y bydd Lois yn galw heibio i'r siop ers rhai misoedd bellach, a neithiwr mi sylweddolodd Caren gymaint o fitsh ydi hi mewn gwirionedd. Chwarae teg, rŵan, dim ond hen astan fach filan fyddai wedi gwneud yr hyn a wnaeth hi – nid yn unig ypsetio'i thad yn fwriadol, ond cael ei ffrind gorau i wneud hynny drosti.

Be ddigwyddodd wedyn, 'sgwn i, yng nghartref Marc? Yn ôl Caren, roedd ei ymateb ef i gwestiwn a oedd – yng ngolwg pawb arall – yn un hynod o ddiniwed, dros ben llestri'n llwyr. Ond dw i'n gallu dallt pam fod Marc wedi . . . wedi llithro, fel petai. Duw a ŵyr, mae'n straen aruthrol ceisio ymddwyn fel petai dim byd yn bod bob tro y bydda i'n gweld rhyw bluen neu ddwy o eira.

Ac mae'r bygythiad o eira dros y Nadolig yn . . .

Na!

Dw i newydd ruthro draw at y ffenestr eto fyth, a gweld ei bod o hyd wedi cau efo'r un glaw mân sydd wedi bod yn disgyn yma drwy'r dydd. Glaw mân, bendigedig. Mae'r palmant yn sgleinio efo fo, a'r gwteri'n swnio fel gyddfau'n llawn fflem. A glaw maen nhw'n ei addo am ddyddiau i ddod.

Does dim sôn wedi bod am eira.

Hyd yma.

Gwydraid arall o win, dw i'n meddwl. A CD arall – Cat Stevens, *Teaser and the Firecat*.

Y drafferth ydi, fedra i ddim peidio â meddwl am Marc, a dw i'n ofni y bydd o ar fy meddwl i drwy'r gyda'r nos hefyd – sori, Bryn. Dw i bron â marw eisiau gwybod beth yn union ddigwyddodd neithiwr rhyngddo fo a Gwennan, ar ôl iddyn nhw fynd adref: roedd pawb wedi sylwi ar ei ymateb annisgwyl i'r cwestiwn, meddai Caren. Tybed a oedd Gwennan wedi ei holi'n dwll?

Ond mae'n siŵr fod rhywbeth fel hyn wedi digwydd droeon yng nghartref Marc dros y blynyddoedd. Wn i ddim sut mae'r lleill yn ymdopi, o un gaeaf i'r llall, a hwythau â theuluoedd ganddyn nhw: mae'n haws arna i, o beth myrdd. Dw i'n gallu mynd i andros o fflap bob tro y mae hi'n bwrw eira: does dim rhaid i mi ei guddio oddi wrth pawb drwy'r amser, ddydd a nos. Unwaith y bydda i yma, yn fy fflat efo'r drysau wedi'u cloi, does neb yn fy ngwylio'n rhuthro'n wyllt o ffenestr i ffenestr gan gymryd oes cyn mentro symud digon ar y llenni i mi fedru sbecian allan.

Does yna neb yn dyst i'r ofn dw i'n ei deimlo.

Er fy mod i'n gwybod drwy'r amser 'mod i'n hollol saff, na ddown nhw i mewn ataf i.

Tra bod Marc, ac Ows Bach . . .

Yn ôl â mi at y ffenestr unwaith eto, a chymryd cysur oddi wrth y glaw. Sipian y gwin yn awr yn hytrach na'i lowcio, a gwrando ar fy hoff gân oddi ar y CD hon: 'How Can I Tell You?' – a meddwl, rŵan, am ychydig, am Bryn.

Dw i erioed wedi chwerthin cymaint gyda neb arall, nac erioed wedi teimlo mor gyfforddus. Mi fedran ni eistedd yn sgwrsio am oriau cyn sylweddoli fod y noswaith wedi llithro oddi wrthym yn slei bach; ar adegau eraill, mi fedran ni eistedd neu orwedd mewn tawelwch llwyr heb i'r un ohonom deimlo'r rheidrwydd i'w dorri. Rydan ni'n wfftio at, ac ymddiddori yn, yr un pethau, a dydan ni erioed wedi ffraeo (ar wahân i un tro, ac roedd hynny oherwydd John Gawi), ac ar fy marw, dw i wirioneddol yn credu na wnawn ni ffraeo fyth.

Dylwn i orffen efo fo.

Ond fedra i ddim. Mae ceisio meddwl am fyw fy mywyd hebddo fo y tu hwnt i'm dychymyg i. Y fo a Caren: alla i ddim meddwl am fod heb yr un o'r ddau erbyn hyn.

A dw i'n *gwybod* ei fod yntau'n teimlo'r un fath â mi. Hefo'n gilydd rydan ni i fod; mae hi mor syml â hynny.

Ac mi rown i'r byd i gyd yn grwn petawn i'n gallu dweud 'ia' wrtho fo y tro nesaf y bydd o'n crybwyll y peth. Yn lle hynny, byddaf unwaith eto'n codi'r wal honno rhyngddon ni.

'Ond pam, Anna? Pam?'

'Plîs paid â gofyn, Bryn. Rydan ni'n grêt fel rydan ni.'

Ond dydan ni ddim yn 'grêt', nac ydan? Mae'n amhosib bod yn 'grêt' pan fo'r ddau ohonom eisiau rhywbeth mwy, pan fo'r ddau ohonom eisiau'r un peth – ond 'mod i'n methu deud 'ia' oherwydd fy mod i'n methu esbonio pam.

'How can I tell you that I love you, but the words just go away . . .'

John Gawi

Fydd hi'm yn hir, rŵan.

Ma' nhw i gyd yn meddwl 'u bod nhw mor glyfar a finna mor stiwpid, ond mi gân' nhw weld – y fi sy'n iawn. Dw i 'di dysgu lot o betha, 'dach chi'n gweld, er 'u bod nhw'n meddwl 'mod i'n rhy thic i ddysgu dim byd. Ma' hyd yn oed Mam yn meddwl hynny – ond ma' nhw i gyd yn mynd i ga'l ail, y cwbwl lot ohonyn nhw.

'Chos dw i'n gwbod mwy o lawar na nhw. Dyna i chi

un rheswm pam dw i ddim yn gallu stopio gwenu y dyddia yma. Mae o'n deimlad grêt, 'dach chi ddim yn meddwl? Mynd o gwmpas y lle'n gwbod rhwbath does 'na neb arall yn 'i wbod. Mi fydda i'n leicio'u gwatshiad nhw, bob un ohonyn nhw'n mynd o gwmpas 'u petha, 'u bywyda, ac yn meddwl 'u bod nhw'n gwbod bob dim, 'u bod nhw'n saff. *Bod 'u bywyda' bach neis neis perffaith nhw'n saff ond dydyn nhw ddim tasan nhw ond yn gwbod dydi 'u bywyda bach neis neis nhw ddim yn saff o gwbwl!* Mi fydda i'n leicio sbio ar 'u hen wyneba nhw, mor ffwcin smŷg, a meddwl: Ia, gwnewch yn fawr ohono fo, y bastads, gawn ni weld pwy fydd yn smŷg fora Bocsing De. Dw i'n teimlo fel ma'r ffarmwr yn teimlo wrth gerddad drwy'i ffarm ac yn sbio ar 'i warthag a'i ddefaid a'i foch ac yn meddwl, Ia, 'na chi, cariwch chi ymlaen i bori'n hapus, ond dw i'n gwbod pa rai ohonoch chi fydd ar 'ych ffordd i'r lladd-dy yn y bora.

O, hogia bach, yr wyboda'th 'ma sy gin i!

'Mond y fi sy'n gwbod am y llefydd gora i 'sgota am lysywod a lledod a hyrddynod a draenogod y môr, ac am fecryll yn yr ha'; am yr union le yn nhro'r afon lle ma'r eogiaid a'r brithyll yn aros i ga'l 'u gwynt atynt. Dw i'n gwbod lle ma' 'na deulu o foch daear yn byw, a dw i wedi dilyn llwynog a llwynogas i'w ffau i fyny yn y creigia. Ac weithia mi fydda i'n gallu dallt yr hyn ma'r adar yn 'i ddeud wrth 'i gilydd yn 'u caneuon, a be ma'r dail yn 'i sibrwd yn yr awel.

Dw i'n gwbod hefyd pwy sy'n dal yma o'n cwmpas ni, pwy sy wedi methu gada'l y lle, a phwy sy ddim isio gada'l. Dydyn nhw ddim yn leicio meddwl 'mod i'n gallu'u gweld nhw – o nac'dyn, 'dyn nhw ddim yn leicio hynny o gwbwl – a dyna pam y byddan nhw'n reit amal yn fy nilyn i o gwmpas y lle 'ma gan dynnu'r 'stumia mwya ofnadwy. Dw i'n gwbod pa rai ohonyn nhw sy ddim hyd yn oed yn gallu gada'l 'u tai, er bod 'u teuluoedd nhw wedi hen fynd o 'ma ers blynyddoedd. Ma' nhw'n gorfod rhannu'u tai rŵan efo pobol dydyn nhw ddim yn 'u 'nabod o gwbwl, pobol sy 'rioed wedi perthyn iddyn nhw a sy ddim yn gwbod eu bod nhw yno efo nhw. Ond fedran nhw 'neud dim byd ynglŷn â'r peth, 'mond sefyll wrth 'u gwelyau nhw noson ar ôl noson yn 'u gwatshiad yn cysgu.

Mi fydda i'n clywad y rheiny'n crio'n uchal wrth i mi gerddad heibio i ddrysa ffrynt 'u tai nhw. Weithia, pan fydda i wedi anghofio cymryd fy ffisig ne' pan fydd gen i ddim 'mynadd llyncu fy nhabledi, mi fydd 'u griddfan a'u hwylofain nhw'n waeth, yn uwch o lawer. Dyna pryd fydd y lleill – rheiny sy ddim yn leicio 'mod i'n gallu'u gweld nhw – yn gallu fy mrifo i. Fy nghicio i, rhai ohonyn nhw, fy mhinsio'n greulon efo'u bysadd main, 'sgyrnog, a 'nghripio i efo'u hewinedd. Ma' rhai ohonyn nhw hefyd yn trio fy maglu pan fydda i'n cerddad ar hyd y stryd, ne'n trio fy ngwthio i oddi ar y pafin pan fydda i'n cerddad drw'r stryd fawr. Dw i 'di trio deud wrthyn nhw am ada'l llonydd i mi, ond dydyn nhw'n cymryd dim sylw o gwbwl. Dyna pryd fydda i'n gorfod brysio adra a chymryd fy ffisig a 'nhabledi, 'mond er mwyn ca'l llonydd oddi wrthyn nhw.

Ydyn, ma' nhw'n gallu bod yn niwsans – ond eto, ma'n rhaid i mi ddeud 'y mod i'n leicio gallu'u gweld nhw, a gwbod fod neb arall yn gallu. Mae o i gyd yn rhan o'r wyboda'th 'ma sy gin i, 'dach chi'n gweld.

Y petha does 'na neb arall yn 'u gwbod.

'Mond y fi.

Dw i'n gwbod yn iawn y bydd hi'n bwrw eira cyn bo hir rŵan. Wyddoch chi be? Mi fydda i wrth 'y modd yn ista adra o flaen y teli yn gwatshiad y bobol 'ma sy'n trio deud wrthan ni eu bod nhw'n gallu proffwydo'r tywydd. Proffwydo, o ddiawl! Fasa'u hannar nhw ddim yn gallu proffwydo bod fory'n ddydd Mawrth pan fydd heddiw'n ddydd Llun. Dw i'n gallu *teimlo'r* tywydd, 'dach chi'n gweld – 'mond trw' fynd allan i'r ardd gefn, dal fy wynab i fyny a chau fy ll'gada. Wedyn, bydda i'n mynd yn ôl i mewn i'r tŷ ac yn deud wrth Mam, 'Peidiwch â gwrando arnyn nhw, Mam, dydyn nhw'm yn gwbod am be ma' nhw'n siarad. Ma' hi am fod yn sych fory tan tua chwartar wedi un, wedyn 'dan ni am ga'l 'chydig o law mân, ac mi barith hwnnw tan ugain munud i bump, ac ar ôl hynny mi fydd hi'n sych eto tan ar ôl amsar gwely.'

Ac mi fydd Mam yn dotio, 'chos 'dach chi'n gwbod pam?

Dw i yn llygad fy lle, bob tro.

A'r dyddia yma mi fydda i'n gorwadd ar y soffa yn rowlio chwerthin 'chos ma'r idiots yma i gyd yn sôn am law ac yn deud nad oes gynnon ni obaith caneri am Ddolig gwyn.

Ond dw i'n gwbod yn well. Mi wnes i drio rhoi rhyw awgrym o hynny y dwrnod o'r blaen i'r bitsh ffrîci honno sy'n cadw'r siop lyfra ail-law 'na wrth yr harbwr, drw' bwyntio i fyny at yr awyr a chwerthin. Sori, yndê, ond roedd yn rhaid i mi chwerthin, roedd 'i hwynab hi'n bictiwr. Ond 'na fo, doedd dim isio i Anna Pritch (hei, ma' hwnna'n odli efo bitsh, yn dydi? Anna Pritch y blydi bitsh) *'chos dyna be ydi hi a ma hi'n gwbod hynny hefyd a ma'r lleill yr hogia oedd efo hi i gyd yn fastads ond dim ots ma' nhw i gyd yn mynd i dalu ac i ffeindio allan fod 'u bywyda bach neis neis nhw ddim yn saff o gwbwl!* ddŵad yn ôl yma i Aberllechi o gwbwl, yn nag oedd, ond dyna fo, ma' hi yma rŵan. Ma' nhw i gyd yma rŵan ond y peth tew Stiw Powell hwnnw.

A 'dan ni i gyd yn gwbod be ddigwyddodd i hwnnw a'i deulu, yn dydan?

Ond ma' 'na reswm arall pam dw i ddim yn gallu stopio gwenu y dyddia yma.

Ma' Magda ar 'i ffordd yn ôl yma. Ma' hi'n dŵad yn ôl ata i o'r diwadd.

Ac mi fydd hi yma unrhyw ddwrnod rŵan. Ma' hi'n dŵad yn nes ac yn nes bob dydd.

Ma' nhw i gyd yn dŵad yn ôl. Ma' nhw wedi dechra dŵad yn barod; dw i 'di ca'l amball gip ar Jethro a Pietri Bach, ac ro'n i'n meddwl 'mod i 'di gweld Morgra hefyd, y diwrnod o'r blaen. Mi redais i adra a chuddio dan ddillad y gwely ar ôl iddi hi droi tuag ataf a gweld 'y mod i'n gallu'i gweld hi.

Ond dim ond Magda sy'n bwysig i mi.

3

Caren

i

Yn llyfrgell yr ysgol yr o'n i, yn manteisio ar ffliw Mrs Rogers Hanes i gychwyn ar rywfaint o waith cartref – traethawd, dw i'n cofio'n iawn, ar bwysigrwydd byd natur yng ngherddi R. Williams Parry – pan ddaeth Ifor Lloyd Williams i mewn.

Dim ond codi fy mhen am eiliad er mwyn gweld pwy oedd yna wnes i, ac roedd fy llygaid eisoes wedi crwydro'n ôl at *Cerddi'r Gaeaf* pan ddywedodd rhywbeth wrtha i am sbio eto. Ro'n i mewn pryd i ddal Ifor yn troi i ffwrdd oddi wrtha i a'i wyneb yn goch fel mefusan.

Gwthiais fy sbectol yn ôl i fyny 'nhrwyn a'i wylio'n hofran fel gwyfyn o gwmpas y silffoedd. Crwydrodd o un i'r llall gan gymryd arno graffu ar wahanol deitlau, ond roedd ei ben, bob rhyw bump eiliad, yn mynnu troi i'm cyfeiriad i. Wrth gwrs, bob tro y gwnâi hyn, roedd o'n fy ngweld i'n ei wylio, ac roedd hyn yn ei dro yn gwneud iddo gochi fwyfwy. Diflannodd y tu ôl i un o'r cypyrddau llyfrau, a chan mai un byr ydi Ifor, gallwn weld top ei ben cyrliog yn symud yn ôl ac ymlaen yr ochr arall yn ddibwrpas. Edrychai fel tasa 'na Siani flewog go fawr yn crwydro ar hyd top y cwpwrdd.

Daeth i'r golwg eto, ei lygaid arna i, a chochodd eto fyth. Cymerodd arno gymryd diddordeb anhygoel yng nghynnwys rhyw lyfr am wniadwaith, ond dawnsiai'i lygaid i'm cyfeiriad i bob gafael.

Be goblyn–?

Roedd rhyw hanner dwsin ohonom yn y llyfrgell ar y pryd ac edrychais o un i'r llall, ond roedd pawb yn rhy brysur un ai'n darllen neu, fel y ddwy ferch yn y gornel lenyddiaeth, yn pendroni dros Sudoku, i sylwi rhyw lawer ar Ifor. Ond eisteddai Miss Lewis Maths wrth y brif ddesg, ac roedd hofran rhyfedd Ifor wedi tynnu'i sylw hi oddi wrth ei gwaith marcio.

Edrychodd arna i a chodi'i haeliau. Codais innau f'ysgwyddau arni'n ôl, ac ysgydwodd Miss Lewis ei phen, ar goll yn lân.

'Ifor,' meddai.

Neidiodd Ifor a gollwng y llyfr gwniadwaith gyda digon o dwrw i ddenu sylw pawb arall. Gwyrodd a chodi'r llyfr, ei wyneb rŵan fel mefusan oedd wedi bod yn yr haul yn rhy hir.

'Un ai setla i lawr yn rhwla, ne' cer allan.'

Nodiodd Ifor. Gwthiodd y llyfr yn ei ôl ar y silff cyn troi a sbio o'i gwmpas yn wyllt fel petai'r llyfrgell dan ei sang. Yna cerddodd ar draws y llawr a disgyn yn glewt i gadair wrth fy mwrdd i, er bod digonedd o rai eraill yn wag.

Ochneidiodd Miss Lewis a dychwelyd at ei marcio. Ochneidio wnes inna hefyd: roedd gwersi rhydd yn bethau digon prin heb i mi orfod gwastraffu un, ac roedd yn amlwg nad oedd Ifor wedi dod yma i weithio. Eisteddai'n awr yn gwenu'n llywaeth arnaf dros y bwrdd.

'Be ti isio?' sibrydais.

Llithrodd ei wên a dechreuodd chwilio ar wyneb y

bwrdd am rywbeth i fynd â'i sylw. Pwyntiodd at f'enw ar glawr fy llyfr nodiadau.

'Taswn ni'n priodi, yndê, 'sa dim rhaid i chdi newid dy enw.'

'*Be?*'

'Sori . . .'

Edrychodd i ffwrdd gan gnoi'i wefus isaf.

'Ifor . . .' ochneidiais eto.

'Dydi hyn ddim yn hawdd, 'sti!' meddai'n reit uchel, a thros ei ysgwydd gwelais Miss Lewis yn syllu i'n cyfeiriad dros ei sbectol.

Agorais fy ffeil a thynnu tudalen lân ohoni. Arni, sgwennais: *Dydi BE ddim yn hawdd?*

Petrusodd Ifor, ac o dan fy nghwestiwn i sgwennodd:

Fasat ti'n leicio dŵad allan rhywbryd?

Rhythais ar y geiriau, yna ar Ifor. 'Be . . ?' meddai fy ngwefusau wrtho'n fud.

Sgwennodd Ifor: *Ddoi di allan efo fi, plîs?*

Edrychodd arnaf, ond yr unig beth y medrwn i 'i 'neud oedd ysgwyd fy mhen mewn anghredinedd.

Gwyrodd dros y papur eto.

O.

Yna:

Reit. OK.

Cododd a throi am y drws. Yna trodd yn ei ôl ac eistedd gyferbyn â mi eto. Plwciodd y feiro o'm bysedd a dechrau sgwennu ffwl sbîd.

Yli, Caren, mae o wedi cymryd lot o gyts i mi ofyn hyn i chdi 'chos dw i 'di bod isio gofyn ers pan roeddan ni ym mlwyddyn 7. Dw't ti ddim yn mynd allan efo neb arall, yn nag w't?

Gwthiodd y papur drosodd ataf. Darllenais ef, ac ysgwyd fy mhen eto – ond fel ateb y tro hwn. Cynigiodd y feiro i mi, ac unwaith eto dyma fi'n ysgwyd fy mhen. Syllodd arna i am dipyn, cyn sgwennu eto.

Dw't ti ddim yn gneud petha'n hawdd, yn nag w't?

Gwenais y tro hwn, a thros y bwrdd edrychodd arnaf yn ymbiliol a rhoi'i ddwylo efo'i gilydd fel tasa fo'n gweddïo. Erbyn hyn ro'n i wedi dechrau cochi; do'n i ddim wedi disgwyl hyn o gwbwl. Ro'n i wastad wedi leicio Ifor, o'n – ond do'n i erioed wedi meddwl amdano fo fel darpar gariad.

Sgwennodd eto.

PLÎS, Caren???!!!

Ac ar y papur, sgwennais i:

Ocê.

Rhythodd Ifor ar y dudalen. Gwenodd fel giât cyn plygu'r dudalen yn ofalus a'i rhoi y tu mewn i boced frest ei siaced.

Yna cododd a mynd allan o'r llyfrgell heb unwaith edrych yn ei ôl arna i dros ei ysgwydd.

Wel, meddyliais, ma' gen i gariad rŵan . . . dw i'n meddwl.

Ond do'n i ddim yn siŵr, a o'n i isio un chwaith.

ii

Welais i mo Ifor wedyn y diwrnod hwnnw, felly erbyn i mi gyrraedd adref o'r ysgol roedd fy meddyliau'n go gymysglyd, a dweud y lleiaf.

Tybed ai jôc oedd y cyfan? Fod Ifor a'i ffrindiau wedi

fy ngweld i yno yn y llyfrgell ac wedi meddwl: O, bechod, Caren Williams druan efo'i choesa fflamingo a'i sbectol anfarth, byth bron yn mynd allan efo neb, 'run o'r hogia'n 'i ffansïo hi . . . dos i godi'i chalon hi am gwpwl o funuda, Ifor, does dim rhaid i chdi'i feddwl o . . .

Cofiais fel yr oedd o wedi cadw'r dudalen yn ofalus yn ei boced. Er mwyn ei dangos i'r hogia wedyn, falla? A cha'l laff go iawn?

Ond na, penderfynais, nid un felly oedd Ifor. Doedd o ddim fel ei frawd a'i chwaer – dau efaill ym mlwyddyn 12 oedd yn enwog am fod yn ffroenuchel, sbeitlyd a thrahaus. Yn wir, anodd oedd credu fod Ifor yn perthyn iddyn nhw o gwbwl; roedd Buddug ac Owain yn dal a golygus, a phetai'r ysgol yn un Americanaidd, Owain fuasai'r 'jock' roedd y genod i gyd yn ei ffansïo a Buddug fuasai'r 'Homecoming Queen'. Tynnu ar ôl eu mam, Gina, yr oedden nhw, dynes o dras Eidalaidd gyda'i gwallt tywyll trwchus a'i chroen-lliw-haul. Roedd Ifor, ar y llaw arall, yn tynnu ar ôl ei dad, Owen, stwcyn bach gyda gwallt golau, cyrliog . . .

O, blydi hel, sylweddolais yn sydyn, dw i'n rhy dal iddo fo! Pam nad o'n i wedi ystyried hyn cyn rŵan? Cofiais, gan deimlo'n swp sâl, fel y bu'r papurau newydd a'r cylchgronau mwy sbeitlyd yn cael hwyl fawr am ben Nicole Kidman a Tom Cruise cyn iddyn nhw ysgaru, oherwydd ei bod hi gymaint talach na fo ac yn aml i'w gweld mewn lluniau yn gwyro drosto fel garan dros bengwin.

Felly y byddan ni, meddyliais. Fel polyn lein a pheg.

Ac efallai bod Ifor ei hun wedi sylweddoli hynny hefyd, ac mai dyna pam na welais i mohono fo wedyn am weddill y diwrnod; roedd o wedi cael cip arnaf yn llamu ar hyd un o'r coridorau, ben ac ysgwydd uwchben pawb arall, ac wedi sylweddoli y buasai'n rhaid iddo fo sefyll ar focs er mwyn gallu fy snogio.

Erbyn tuag wyth o'r gloch y noson honno, felly, ro'n i wedi fy mherswadio fy hun mai gwell fuasai anghofio'r cyfan a chymryd arnaf fod y bennod fach annisgwyl honno yn llyfrgell yr ysgol erioed wedi digwydd.

Ond fedrwn i ddim cau fy ngheg, chwaith.

'Mi ddigwyddodd rhwbath go od i mi yn 'rysgol heddiw,' dywedais wrth Dad.

'Wnest ti 'rioed 'neud rhywfaint o waith yno?'

'Ia, ia – reit dda, rŵan. Gwrandwch – tasach chi ddim yn mynd allan efo Anna yn barod, a tasach chi'n gofyn iddi hi fynd allan efo chi am y tro cynta a hitha'n deud ocê, be fasach chi'n 'i 'neud wedyn?'

'*Mynd* allan efo hi, yndê?'

'Na, na – cyn hynny.'

'Wel – trefnu efo hi pryd, a lle . . . a ballu, am wn i.'

'Mmmm, ia, yn hollol . . .'

Trio gweithio ar y traethawd R. Williams Parry hwnnw yr o'n i, a newydd ddarllen 'Y Llwynog' am y canfed tro, dw i'n siŵr, heb weld yr un gair, tra oedd Dad – syrpreis, syrpreis – yn lybindian ar y soffa efo'i drwyn mewn llyfr. Curais flaen fy meiro'n feddylgar ar glawr fy ffeil.

'Pam wyt ti'n holi?' gofynnodd.

Dywedais wrtho am Ifor ac fel y digwyddodd a darfu megis seren wib. 'Tasa fo'n unrhyw hogyn arall, mi faswn i'n meddwl mai jôc oedd y cyfan,' gorffennais.

'Ha blydi ha,' meddai Dad.

‘Yn hollol. Ond wnes i ’rioed feddwl mai un fel ’na ydi Ifor.’

‘Hogyn Ows Bach twrna ydi o, yndê?’

‘Ia. Y ’fenga,’ ychwanegais yn frysiog, rhag ofn iddo feddwl y basa gin i unrhyw ddiddordab yn yr Owain sbiwch-arna-i hwnnw.

‘W’t ti isio mynd allan efo fo?’

‘Ddim yn arbennig, nag oes.’

Edrychodd Dad arna i efo’i ben ychydig ar un ochr a gwên fechan ar ei wyneb. Teimlais fy hun yn cochi.

‘Ia, ocê – *do’n* i ddim. Dad, *nag o’n*! Onest. Doedd o ddim wedi croesi fy meddwl i nes iddo fo godi’r peth.’

‘Ond erbyn rŵan– ?’

‘Dw i ddim yn siŵr.’

Ond wrth gwrs, erbyn hynny ro’n i *yn* siŵr. Ro’n i wedi bod allan efo hogia cyn hynny – do’n i ddim yn *sweet sixteen and never been kissed* o bell ffordd – ond doedd yr un o’r ddau dro arall wedi para’n hwy nag ychydig o ddyddiau. I raddau, fy newis i oedd hynny: roedd y rhan fwya o hogia’r ysgol yn rhy anaeddfed, wastad yn giglan dros ryw *double entendres* yn y gwersi, ac wrth i mi dyfu’n hŷn roedd y dewis o hogia call yn mynd yn llai ac yn llai.

Ar y llaw arall, doedd yna chwaith ddim ciw anferth ohonyn nhw’n glafoerio dros y syniad o gael mynd allan efo fi. Rhaid cyfaddef, roedd diddordeb annisgwyl Ifor wedi deffro’r cyffro bach pleserus hwnnw yng ngwaelod fy mol, a theimlwn yn flin fel cacynen efo fo am – fel basa Williams Parry yn ei ddweud – gyrraedd, ac yna ffarwelio.

Sylweddolais fod Dad yn f’astudio’n ofalus.

'Dw i'n ocê, Dad, wir yr. Jyst . . . methu dallt, yn fwy na dim byd arall.'

Cytunodd Dad fod ymddygiad Ifor wedi bod yn od, a dweud y lleiaf. Dychwelodd at ei lyfr a dychwelais innau at Williams Parry. Ond dw i ddim yn meddwl fy mod i wedi sgwennu mwy na brawddeg neu ddwy. Doedd trafod y peth efo Dad ddim wedi gwneud i mi deimlo'n well; os rhywbeth, ro'n i'n teimlo'n waeth, yn sicr yn fwy piwis, ac wedi dechrau fy mherswadio fy hun fy mod i wedi cael fy mrifo wedi'r cwbwl. Penderfynais roi ram-dam go iawn i Ifor Bach y tro nesa i mi weld y mwngral.

Ymdrechais i'w wthio o'm meddwl drwy feddwl am Lois. Dyna un arall oedd wedi fy ngwylltio'n ddiweddar; pan welais i hi yn y cantîn amser cinio, ar ôl y busnes rhyfedd hwnnw efo Ifor yn y llyfrgell, ro'n i'n fwy blin nag erioed ac es i am y jygiwlar yn syth.

'Diolch am ddŵad draw i'r siop ddydd Sadwrn,' dywedais wrthi.

'Y?' Rhythodd arna i'n hurt. 'Ddois i ddim.'

Wrthi'n bwyta oren yn hynod sidêt roedd hi, y ffrwyth yn eistedd ar wely siâp seren perffaith o'r croen ac yn diflannu'n dwt, fesul segment, i mewn i'w cheg. Roedd hyn, am ryw reswm, yn fy ngwylltio fwyfwy; bob tro fydda i'n bwyta oren, mae'r sudd a'r hadau'n saethu i bob cyfeiriad

'Naddo, wn i! Y peth lleia 'sa chdi wedi gallu'i 'neud fasa piciad draw i ymddiheuro.'

Cododd ei haeliau. 'Ymddiheuro am be, felly?'

'Wel, am nos Wenar, yndê! Mi roist ti fi reit ar y sbot, Lois.'

''Mond jôc oedd hi,' meddai, ond symudodd rhywbeth y tu ôl i'w llygaid. Cefais gip sydyn arno cyn iddi sbio i ffwrdd wrth sugno sudd oren oddi ar ei bysedd.

'Dw i'm yn cofio gweld neb yn rholio chwerthin,' dywedais.

'Ia, wel – noson fel 'na oedd hi, yndê. Dydi mynd allan efo'r teulu i gyd byth yn *laugh a minute*.'

'Dyna pam ofynnist ti i mi ddŵad, ia? Er mwyn ca'l rhyw fath o *court jester* yno ar ych cyfar chi i gyd?'

Edrychodd arna i am eiliad cyn sbio i ffwrdd eto, y tro hwn yn ysgwyd ei phen ac yn ochneidio'n ddiamynedd fel tasa fy nghwestiwn i'n un rhy wirion i haeddu ateb.

'W't ti am 'i rhannu hi efo fi, 'ta?'

'Rhannu be, Caren?'

Gorffennodd ei horen a gollwng y croen i mewn i fag plastig. Damia hi, roedd hi'n gyfoglyd o dwt. Doedd ganddi ddim staen oren-melyn ar ei bysedd, na chwaith yr un strimyn o'r ffrwyth yn hongian rhwng ei dannedd. Ond roedd tinc diamynedd yn ei llais hi erbyn hyn.

'Y jôc, yndê. Ma' gin i hawl i ga'l gwbod, 'swn i'n deud, a finna wedi ca'l fy ngneud yn rhan ohoni hi.'

Safodd Lois a chydio yn ei bag.

'Dw i'm yn gwbod. Rhyw *thing* 'sgin Dad am eira, dyna'r cwbwl.'

'Sori, Lois, ond dydi hynna ddim yn ddigon da . . .'

'Tyff. Ti'n gwbod cymaint â fi.'

Cerddodd allan o'r cantîn, gan fy ngadael i yno efo fy mrechdana caws – yr ail dro y diwrnod hwnnw i rywun gerdded i ffwrdd oddi wrtha i, sylweddolais, a'm gadael mewn penbleth rhwystredig.

Welais i mo Lois nac Ifor am weddill y diwrnod. Roedd o fel tasa fo'n trio cuddio oddi wrtha i, meddyliais yn flin, ac roedd ffawd yn ei helpu, hefyd, drwy fy sodro'r prynhawn hwnnw mewn gwersi gwahanol i'w rai ef – Celf ac Ysgrythur – felly chefais i'r un cip arno o gwbwl. Chwiliais amdano wrth gerdded am adref ar ddiwedd y prynhawn, ac erbyn hynny ro'n i'n ddigon blin i feddwl, yn greulon, ei fod yn ddigon byr i fedru cuddio yng nghanol criw o fechgyn o flwyddyn saith.

Yna, pan o'n i wrthi'n cadw fy llyfrau, canodd y ffôn.

Ifor.

iii

Do'n i ddim yn siŵr i gychwyn os mai fo oedd yno. Clywais y llais yma oedd yn swnio fel tasa fo'n perthyn i ddyn oedd wedi meddwi'n rhacs gyrbibion. Pan ddeallais mai Ifor oedd o, llenwais fy llais i efo rhew.

'Ti'n ocê?' gofynnodd.

'Be?'

'Ti'n ocê?'

'Dw i ddim yn dy ddallt di.'

'W't . . . ti'n . . . ocê?'

'Yndw.'

Saib. Ochneidiais yn ddiamynedd. 'Dyna'r cwbwl w't ti'i isio, ia? Ffonio er mwyn tshecio ar 'yn iechyd i?'

'Nac, naci . . .' – a dechreuodd baldaruo am rywbeth neu'i gilydd. Ddalltis i'r un gair.

‘Ifor,’ torrais ar ei draws, ‘dw i ddim yn dallt gair rw’t ti’n ’i ddeud. Be ydi’r matar efo chdi? Dw i’n gobithio nad w’t ti’n trio byta a siarad efo fi ar yr un pryd.’

‘Byta!’ meddai’n chwerw. ‘Ha!’

Deallais, ymhen hir a hwyr, fod ei geg wedi chwyddo fel balŵn ar ôl sesiwn hir – a phoenus, pwysleisiodd droeon – yng nghadair y deintydd. Dyna lle’r oedd o wedi bod drwy’r prynhawn.

Gadewais i’r rhew ddadmar ychydig.

‘Wela i. Ro’n i’n meddwl . . .’

‘Meddwl be?’

‘Sori– ?’

‘Me-ddwl . . . be?’

‘Dim byd, dim ots. Be gest ti’i ’neud, felly?’

Camgymeriad oedd gofyn hyn. Cefais ddisgrifiadau hir a manwl, nes ’mod i’n gwingo, o arteithiau a fuasai’n dŵad â gwên i wynebau hogia’r *Spanish Inquisition*.

‘Ol-reit, ol-reit!’ crefais yn y diwedd. ‘Digon!’ Er hynny, sylweddolais, ro’n i’n wên o glust i glust. ‘Roeddat ti o ddifri’r bora ’ma, felly?’

Damia. Do’n i ddim wedi bwriadu gofyn hynna. Llithrodd allan bron heb i mi sylweddoli. O’n i wedi swnio fel hogan ddespret?

‘O ddifri? Arglwydd, o’n!’ dehonglais. ‘’Swn i ddim wedi dy ffonio di fel arall, yn na ’swn? Be w’t ti’n ’neud rŵan, Caren?’

‘Trio sgwennu traethawd o’n i.’ Dyma’r ail dro i’r boi ’ma ddŵad rhyngof i ac R. Williams Parry, meddyliais.

‘’Sgin ti ffansi dŵad draw?’

Credais am funud fy mod i wedi’i gam-ddallt o eto.

‘Gad i mi weld os dw i wedi dy glywad di’n iawn,’ dywedais. ‘W’t ti newydd ofyn i mi ddŵad draw i dy gartra di?’

Roedd Ifor wedi cymryd bron i bum mlynedd – os oedd o wedi dweud/sgwennu’r gwir yn y llyfrgell – i ofyn i mi fynd allan efo fo, a rŵan dyma fo’n fy ngwadd i’w dŷ cyn i ni fynd allan ar ddêt, hyd yn oed.

Bum munud yn ddiweddarach, rhoddais y ffôn i lawr a mynd trwodd i’r ystafell fyw.

‘Dad, dw i’n mynd allan,’ dywedais.

4

Caren

i

Mi gymerodd hi bum munud reit dda cyn i mi sylweddoli, ar ôl mynd allan o'r tŷ, ei bod hi wedi oeri cryn dipyn ers y prynhawn a bod yna hen niwl annifyr wedi dŵad i mewn o'r môr. Doedd o ddim yn un tew iawn, ond roedd yn ddigon i droi'r aer yn llaith a gwneud i mi ystyried troi'n ôl am adref i chwilio am sgarff.

Penderfynais 'mod i ar ormod o frys. Gormod o lawer, efallai: ro'n i'n brysio fel hogan fach yn ceisio cyrraedd y siop dda-da cyn iddi gau, a 'nghoesa, teimlais, yn mynd ffwl sbîd fel coesa rhywun yn un o'r hen, hen ffilmiau rheiny o ddyddiau'r Rhyfel Mawr.

Cŵl iawn, Caren.

Arafais fy nghamau a cheisio anwybyddu'r plwcio diamynedd yn fy nghoesa. O ystyried fy mod, dim ond diwrnod ynghynt, yn rhoi'r argraff i'r byd nad o'n i'n poeni'r un iot os o'n i'n mynd allan efo rhywun ne' beidio, dyma fi rŵan yn dangos cymaint o hunan-reolaeth â chi bach Iorci.

A hynny ar ôl un alwad ffôn.

Dylwn i fod wedi dweud rhywbeth fel, 'Ti'n gall? 'Dan ni ddim hyd yn oed yn mynd allan efo'n gilydd eto, a rŵan dyma chdi'n disgwl i mi ddŵad draw i dy gartra di?' Dyna be fasa rhywun cŵl wedi'i wneud, nid carlamu yno fel hyn â 'nhafod allan.

Ac Ifor Bach, o bawb. Doedd o ddim yn *oil painting*, o bell ffordd – ond wedyn, do'n inna ddim chwaith. Dychmygais Lois yn fy ngwylio'n mynd, ac yn ysgwyd ei phen melyn mewn dirmyg wrth sylwi fod hyd yn oed Ifor-iaid y byd yma'n troi'n hyncs pan fo rhywun yn despret.

Bygro chdi, Lois, meddyliais.

Ond efallai bod angen sbio fy mhen i, hefyd. Doedd hi ddim yn noson i grwydro'r strydoedd ac ychydig iawn o bobol eraill oedd o gwmpas, heblaw am ambell gar yn gyrru heibio a'i olwynion yn hisian ar wyneb gwlyb y ffordd. Gwnâi'r niwl i oleuadau'r coed Nadolig yn ffenestri'r tai edrych yn llipa, rhywsut, fel petai'r cyflenwad trydan wedi cael ei haneru.

Wrth nesáu at y siop, edrychais i fyny yn ôl f'arfer at ffenestr fflat Anna a gwelais bod y golau ymlaen y tu ôl i'w llenni.

Ond nid y fi oedd yr unig un i ddangos diddordeb yn ffenestr fflat Anna y noson honno.

Safais yn stond (a dim ond wedyn, wrth edrych yn ôl, y sylweddolais 'mod i wedi gwneud hyn). Roedd y niwl ychydig yn fwy trwchus yma, gan fod siop a fflat Anna yn nes at y môr, mae'n siŵr, ac yn wlypach hefyd. Teimlwn fel petai rhywun yn rhedeg bysedd oer dros fy nghorff.

Gyferbyn â'r siop, yr ochr arall i'r ffordd, mae yna olau stryd oren, a safai pwy-bynnag-oedd-o yr ochr arall i'r postyn – rhywun tal a thenau mewn côt *parka*, gyda'r hŵd wedi'i godi dros ei ben. Meddyliais i gychwyn mai

John Gawi oedd yno, ond na – roedd hwn yn dalach o gryn dipyn, ac ni fasa John Gawi yn John Gawi heb ei gôt laes a'i gap bach gwlân. Safai'r ffigwr yn hollol lonydd, ei ben i fyny ar ongl wrth iddo rythu ar ffenestr Anna.

Pwy ydi o? meddyliais.

Mae gan niwl ffordd go ryfedd o chwyddo synau, ac roedd sŵn fy nhraed i i'w clywed yn uchel iawn wrth i mi nesáu at y siop. Pan safais yn stond, felly, roedd y distawrwydd sydyn yr un mor drawiadol. Ond ni throdd y . . . y . . . y *ffigwr* hwn i edrych i'm cyfeiriad un waith, fel y basach chi wedi disgwyl i rywun cyffredin ei wneud.

Ac am ryw reswm, Duw a ŵyr pam, ro'n i'n ddiolchgar ofnadwy am hynny.

Do'n i ddim isio gweld yr wyneb oedd yn llechu yn y tywyllwch o dan ei hẁd. Mwy na hynny, do'n i ddim isio iddo fo fy ngweld i.

Ceisiais droi i ffwrdd rhag ofn iddo fo, rhywsut, fy *nheimlo'n* sbio arno fo, ond fedrwn i ddim; fedrwn i wneud dim byd ond sefyll yno'n craffu arno fo drwy'r niwl, a chrynu trwyddof wrth ei ddychmygu – unrhyw eiliad rŵan – yn troi'i ben yn araf i'm cyfeiriad a gwthio'i wyneb ymlaen allan o'r hẁd . . .

Yna trodd lorri fawr i mewn i'r stryd, ei goleuadau cryf a rhu uchel yr injan yn gwneud iddi edrych fel draig ffyrnig oedd wedi hedfan i lawr o ryw gwmwl. Gyrrodd tuag ataf ac yna heibio i mi, gan droi i'r chwith am y ffordd fawr yng ngwaelod y stryd. Gallwn deimlo'r gwynt oddi wrthi'n llyfu fy wyneb, ei hanadl yn drewi o ddîsel, ac wedi iddi fynd gwelais fod beth bynnag a fu'n rhythu i fyny ar ffenestr fflat Anna wedi mynd hefyd.

ii

Dw i ddim yn siŵr eto a oes yna ddigon yn fy mhen i – weithiau dw i'n bendant bod, ond droeon eraill dw i'n amau'n gry – ond mi faswn i wrth fy modd yn mynd i'r coleg i astudio'r Gyfraith. Mae hyn wastad wedi apelio ataf, does wybod pam yn union, ac ar ôl gweld y tu mewn i gartref Ifor ro'n i'n fwy penderfynol nag erioed.

Mae gen i frith gof o'r tŷ yn cael ei adeiladu, flynyddoedd yn ôl pan o'n i'n rhy ifanc i gymryd llawer o ddiddordeb mewn pethau felly. Dw i ddim yn or-hoff o dai modern, fel arfer, ond mae Llidiart, tŷ teulu Ifor . . . wel! Pump o stafelloedd gwely dwbwl, dwy o'r rheini'n *en suite*, dwy stafell ymolchi arall *a* lle chwech arall i lawr y grisiau, lolfa sy'n ddigon mawr i weiddi 'chi' arni, stafell fyw, stafell arall sy'n cael ei galw'n 'ystafell deulu', stydi, a chegin fasa'n gwneud i Nigella Lawson lafoerio. *A* phwll nofio allan yn y cefn, *a* gerddi eang.

Ydw, dw i am fynd i astudio'r Gyfraith. Saff i chi.

Dim ond ar ôl bod yn y tŷ am bron i hanner awr y dechreuais i sylwi ar ba mor ysblennydd oedd y lle, fodd bynnag. Y peth cyntaf a ddywedodd Gina, mam Ifor, wrtha i pan agorodd y drws i mi oedd, 'Caren – w't ti'n ol-reit?'

Nag o'n, do'n i ddim yn ol-reit. Roedd beth bynnag a welais y tu allan i siop Anna – *os* gwelais i unrhyw beth, oherwydd erbyn hynny ro'n i wedi dechrau amau – wedi f'ysgwyd yn o hegar, ac oni bai fy mod i'n nes at Llidiart nag adref, baswn i wedi troi yn f'ôl.

Ond fedrwn i ddim dweud hynny wrth Gina, yn na fedrwn? Cefais gip arna i fy hun yn y drych mawr ar fur y cyntedd: ro'n i'n wyn fel y galchen.

'Ydw, diolch,' oedd f'ateb. 'Dw i ddim cyn waethad ag Ifor, ma'n siŵr.'

Rholiodd Gina'i llygaid.

'Mi fasa rhywun yn meddwl 'i fod o wedi ca'l 'i gludo adra o ryw ryfal. Yma mae o, Caren.'

Agorodd un o'r drysau derw, drud a'm tywys i mewn, deallais wedyn, i'r 'ystafell deulu'. Y peth cyntaf i fynd â'm sylw oedd sgrin deledu anferth *yn* y wal, bron fel sgrin sinema. Dw i isio! meddyliais. Roedd y sgrin yn dangos rhaglen ar y sianel *National Geographic* am fywyd mewn riff cwrel, a chefais y teimlad rhyfedd fy mod yn syllu drwy wydr acwariwm.

Roedd yna soffa â'i chefn ataf, ond yn wynebu'r sgrin fawr hon, a phan ddywedodd Gina, 'Ifor, ma' Caren yma,' ymddangosodd pen Ifor dros gefn y soffa.

'Haia . . .'

'Haia . . .'

'Gymri di goffi, Caren?' gofynnodd Gina.

'Plîs. Gwyn a dau siwgwr, os ga i.'

'Mi ddo' i â nhw trwodd i chi rŵan.'

Aeth Gina allan. Erbyn hyn roedd Ifor wedi codi ar ei draed.

'Haia . . .'

'Haia . . .'

'Ti'n ocê?'

‘Yndw, diolch. W’t ti?’ Edrychodd Ifor arnaf. ‘Sori – w’t ti’n teimlo’n well, dyna o’n i’n ’i feddwl.’

Cododd ei law at ei geg. ‘Dw i’m yn gallu blasu dim byd ond gwaed. A dw i’n drewi o be-ydi’i-enw-fo, *Novacaine*, ia? Ac yn edrych fatha’r Eliffant Man . . .’ Craffodd arna i. ‘W’t *ti’n* ocê?’

‘Yndw, yndw . . .’

‘Rw’t ti’n wyn iawn.’

‘Ifor, dw i’n *ocê*. Ga i ista i lawr . . .?’

‘Sori, sori . . . cei siŵr . . .’

Eisteddais mewn cadair freichiau gan deimlo fel petai hi’n ceisio fy llyncu. Sgrialodd Ifor am y teclyn *remote* a diffodd y sain, gan ychwanegu at y teimlad ’mod wedi cerdded i mewn i ystafell yn y Sw Môr ar Ynys Môn.

Yn wir, roedd yr holl sefyllfa ychydig yn afreal, cymaint felly nes i mi deimlo braidd yn benysgafn. Hanner awr yn ôl, ro’n i gartref yn melltithio Ifor a rŵan dyma fi’n eistedd gyferbyn â fo gyda *Moray Eel* fawr yn sbio i lawr arnon ni. Roedd Gina wedi siarad hefo fi fel taswn i wedi bod yn galw yma’n rheolaidd ers blynyddoedd, ac ar y ffordd yma, y tu allan i siop Anna . . .

Ysgydwais fy mhen, gan drio gwthio’r darlun hwnnw o’m meddwl. Eisteddai Ifor ar flaen y soffa, yn gwenu’n llywaeth arnaf. Prin y gallwn weld unrhyw chwydd ar ei wyneb. Gwisgai jîns a chrys-T Franz Ferdinand, a chrys siec coch a du yn hongian yn agored drosto fel siaced. Ar y soffa wrth ei ochr roedd rhyw hanner dwsin o bamffledi gwyliau lliwgar, i gyd yn dangos ynysoedd gogoneddus eu golwg yn crasu dan haul tanbaid.

‘*Lignocaine* ydi o, gyda llaw,’ dywedais wrtho.

‘Y?’

‘Y stwff ’na ma’r deintyddion yn ’i ddefnyddio, *Lignocaine*. Dydyn nhw ddim wedi defnyddio *Novocaine* ers . . .’ Codais f’ysgwyddau.

‘Sut w’t ti’n gwbod rhwbath fel ’na?’

‘Dwn i’m. Wedi’i ddarllan o’n rhwla, m’wn.’

Syllodd arna i fel taswn i’n rhywbeth i ryfeddu ati.

‘Roedd dy fam yn fy nisgwl i,’ dywedais.

‘Be? O – oedd. Pam?’

‘Dim byd. Jyst . . .’ Ond jyst be? Do’n i ddim yn siŵr iawn. ‘Wel . . . dwn i’m . . . ’dan ni ddim wedi bod allan na dim byd eto, yn naddo, a . . . O, damia, dwn i’m, Ifor. Jyst – hyn. Dipyn bach yn swreal, rhywsut.’

‘Ond rydan ni *am* fynd allan efo’n gilydd, yn tydan? Dw’t ti ddim wedi newid dy feddwl?’

Do’n i ddim yn siŵr erbyn hyn, dyna oedd y gwir amdani, ond roedd ei wyneb yn llawn panig.

‘Yndan. Am wn i, yndê.’

‘Be ma’ hynna’n feddwl?’

Diolch byth, daeth Gina i mewn gyda’r coffi. ‘Sut w’t ti’n gweld y claf?’ gofynnodd i mi.

Gwgodd Ifor yn flin oherwydd bod Gina wedi torri ar draws ein sgwrs bwysig.

‘Tasat ti wedi edrych ar ôl dy ddannadd yn well, ’sa chdi ddim wedi gorfod cael tynnu dau ohonyn nhw heddiw.’

‘Mi wnes i!’ atebodd Ifor yn bigog, ac edrychodd Gina arno. ‘’Dach chi’n gwbod ’mod i wedi trio ’ngora,’ ychwanegodd, yn fwy pwyllog. ‘Doeddach chi’n sefyll uwch ’y mhen i bob tro o’n i’n ’u llnau nhw, am flynyddoedd?’

Nodiodd Gina. 'Dannadd 'run fath â rhei dy dad sy gen ti, gwaetha'r modd. Fyddi di'n ca'l traffarth efo dy ddannadd, Caren?'

'Ddim felly, na fydda,' atebais. 'Dw i'n reit lwcus.' Nodiais i gyfeiriad y pamffledi gwyliau. 'Trefnu'ch gwylia ha' 'dach chi?'

Gwenodd Gina ychydig yn dynn.

'Gwylia, ia. Ha' – naci. Reit, mi fydda i yn y stydi, Ifor.'

'Diolch am y coffi,' dywedais.

Gwenodd Gina eto, yr un wên fach dynn, a mynd allan. Edrychais ar Ifor.

'Sori – ddylwn i ddim fod wedi busnesu.'

'Ddim dy fai di ydi o. 'Mond . . . Dad, yndê. Isio mynd i ffwrdd dros y Dolig. A dydi Mam ddim.'

'O . . . reit.'

Gwnaeth Ifor sioe fawr o geisio yfed ei goffi drwy ochr ei geg.

'O, washi – gest ti bopo?'

Ond roedd o'n benderfynol o ddychwelyd at ein sgwrs wreiddiol.

'Be oeddat ti'n 'i feddwl gynna? Ydan ni'n . . . wel, yn mynd efo'n gilydd?'

Ochneidiais. Cofiais am y cyffro bach neis hwnnw a deimlais am funud yn y llyfrgell, yna eto heno 'ma pan ffoniodd o, ac fel yr o'n i'n teimlo wrth adael y tŷ ar fy ffordd yma.

Yna edrychais arno a gofyn cwestiwn pwysig i mi fy hun, cwestiwn y dylwn i fod wedi'i ofyn cyn rŵan.

O'n i'n 'i ffansïo fo?

Ro'n i yn 'i leicio fo, o'n, ond dydi hynny ddim yr un

peth, yn nac ydi? Dydi hynny ddim yn ddigon ar ei ben ei hun.

'Caren?'

Syllais arno am rai eiliadau eto.

'Gawn ni weld, ia? Sut yr eith petha.'

iii

Mi wnes i ddechra ymlacio rhywfaint wedyn, a chwarae teg i Ifor, er 'i fod o bron â marw isio ateb gwell gen i, wnaeth o ddim hefru ynglŷn â'r peth. Wrth i ni sgwrsio am yr ysgol a ballu, ac wedyn am ffilmiau a cherddoriaeth ar ôl i Ifor agor cwpwrdd anferth i ddangos llond y lle o DVDs a CDs – dw i isio! meddyliais eto – dechreuais sylweddoli fy mod i wirioneddol yn mwynhau siarad efo fo.

'Lle ma' dy frawd a dy chwaer?' gofynnais, ymhen hir a hwyr. Do'n i ddim wedi clywed yr un smic yn dod o weddill y tŷ – ond roedd o mor fawr, mi fasan nhw wedi gallu cynnal parti swnllyd yn eu stafelloedd a 'swn i ddim wedi bod yn ddim callach.

Erbyn hynny roeddan ni'n eistedd ochr-yn-ochr ar y soffa.

'Dwn i'm. Dw i'm yn poeni rhyw lawar, chwaith.' Cododd Ifor ei fraich a'i gosod am f'ysgwyddau. 'Cyn bellad â'u bod nhw'n cadw allan o'r fan 'ma.'

O gornel fy llygad gallwn weld nad oedd Ifor yn gyfforddus iawn. Oherwydd y gwahaniaeth rhyngom o ran taldra, roedd ei fraich chwith yn edrych fel petai yn trio estyn rhywbeth oddi ar silff uchel.

Gwyrais ymlaen er mwyn rhoi fy mỳg coffi ar y llawr. Fy mwriad oedd eistedd yn ôl efo 'nghorff yn is ar y soffa, er mwyn hwyluso pethau iddo, ond camddeallodd.

'Sori,' meddai, a thynnu'i fraich yn ôl, gan edrych arni fel petai ganddi ryw fywyd anhydrin ac annibynnol ei hun.

'Na, ma'n ocê . . .'

Setlais yn f'ôl gan hanner gorwedd ar y soffa a rhoi fy mhen i orffwys ar ei ysgwydd.

A rŵan, wrth gwrs, do'n i ddim yn gyfforddus, gyda fy nghefn yn y plyg rhwng cefn y soffa a'r clustog. Basa'n haws o beth myrdd tasan ni wedi gorwedd arni ochr-yn-ochr, wrth gwrs, ond gallai'r drws fod wedi agor unrhyw funud. Teimlais fraich Ifor yn llithro y tu ôl i mi unwaith eto a throais fy wyneb i fyny at ei un ef.

Modfedd yn unig oedd rhyngom, dw i'n siŵr.

'Ma' dy ll'gada di'n edrach yn anfarth drw'r gwydra 'ma,' meddai.

Agorais i hwy'n lletach fyth, a gwenodd. Yna roedd ei wefusau ar fy rhai i, a fy rhai innau ar ei rai ef, a'r hyn a wibiai drwy fy meddwl oedd, dw i'n dal ddim yn siŵr os ydw i'n ei ffansïo fo. Ond ro'n i'n falch o weld ei fod wedi gor-ddweud yn gynharach, pan soniodd nad oedd o'n gallu blasu unrhyw beth ond *novo(ligno)caine* a gwaed: go brin y buasai ein snog gyntaf wedi para cyhyd fel arall.

Sut siâp oedd arnon ni yno ar y soffa honno, Duw a ŵyr. Anobeithiol, mae'n siŵr. Roedd gen i gric yng nghefn fy ngwddw a phoen arall yn cychwyn yng ngwaelod fy nghefn, a sylwais fod fy mhennau gliniau'n ymwthio allan o'r soffa dipyn ymhellach na rhai Ifor.

Cododd ei ben a gwenu i lawr arnaf cyn dychwelyd am snog arall. Ac yna dechreuais biffian chwerthin, oherwydd ro'n i wedi meddwl mwya sydyn, tybed os oedd ei draed bach o'n cyrraedd y llawr o gwbwl – neu oedden nhw'n swingio'n rhydd rhyw fodfedd uwchben y carped?

Trodd y piffian chwerthin yn ffit go iawn o'r gigls. Cododd Ifor ei ben eilwaith.

'Be . . ?'

'Dim byd, dim byd. Sori . . .'

Cliriais fy ngwddw a cheisio sobri. I lawr â fo am y drydedd snog, ond pharodd hon ddim mwy na chwpwl o eiliadau cyn i mi ddechrau giglan eto.

'Caren . . !'

'*Sori!* Yli, dwn i ddim pam dw i'n chwerthin, ocê?' Gwingais ychydig gan drio lleddfu rhywfaint ar y boen yng ngwaelod fy nghefn. 'Reit . . .' Clirio fy ngwddw eto. 'Ocê . . . sori. Ty'd yma . . .'

Y fi a'i snogiodd o y tro hwn, a phan deimlais ragor o chwerthin yn bygwth codi y tu mewn i mi, snogiais o'n fwy ffyrnig.

Ond yna, o nunlle, fe'm gwelais fy hun unwaith eto'n sefyll y tu allan i siop Anna, yn rhythu ar y ffigwr mewn côt *Parka* a safai yn y niwl yn syllu i fyny at ei ffenestr. Ond y tro hwn fe'm clywodd, a dechreuodd ei ben droi yn araf tuag ataf, ac unrhyw eiliad rŵan byddwn yn gweld ei wyneb . . .

Gwthiais Ifor oddi wrthyf.

'Blydi hel, be rŵan . . ?'

Symudais nes 'mod i'n eistedd ar flaen y soffa. Roedd yr ystafell yn annioddefol o boeth yn fwya sydyn, ac yn troi, ac roedd gen i chwiban uchel yn sgrechian drwy fy mhen.

'Caren, ti'n ocê?' clywais Ifor yn gofyn o bell, bell. 'Caren . . ?'

iv

Wel, mi ges i orwedd ar y soffa yn y diwedd. Agorais fy llygaid i weld cynhadledd o Lloyd Williams-iaid yn syllu i lawr arna i. Roedden nhw fel graff, yn cychwyn efo Ifor, yna'i dad ychydig yn dalach na fo, wedyn Gina, wedyn Buddug ac yn gorffen efo Owain. Er gwaetha fy sefyllfa, teimlais y giglan afreolus hwnnw'n deffro unwaith eto.

'Sori . . .' dywedais.

Dechreuais eistedd i fyny, ond camodd Gina ymlaen a'm rhwystro.

'Wo, wo – ara deg, Caren. Roeddat ti allan ohoni am sbelan, ysti.'

'O'n i?'

'Bron i ddeng munud,' meddai tad Ifor. 'Mi dda'thon ni'n agos iawn at alw'r doctor ne' rywun.'

'Be wnest ti iddi hi, Ifor?' meddai Owain, ac wrth gwrs mi gochodd Ifor at ei glustiau.

'Dim byd, siŵr!'

'Dydi'r pyrf bach ddim ffit i ga'l 'i ada'l ar 'i ben 'i hun efo genod diniwad,' cyfrannodd Buddug.

'Cau hi!'

'Ia, 'na ddigon, Buddug,' meddai Gina. 'Sut w't ti'n teimlo, Caren?'

Meddyliais am y peth. 'Iawn, dw i'n meddwl.' Ceisiais godi ar fy eistedd eto, ond yn fwy pwyllog y tro hwn.

'Ma' hi'n dal yn welw iawn,' barnodd Owen Lloyd Williams.

'Ddim hannar mor welw ag yr oedd hi jyst cyn iddi golapsio,' meddai Ifor.

Ysgydwodd Buddug ei phen arnaf cyn mynd allan, fel taswn i a'm ciamocs wedi'i llusgo hi i ffwrdd oddi wrth rywbeth pwysig. Roedd Owain eisoes wedi colli diddordeb ynof ac yn gwylio gêm bêl-droed ar y teledu. Llwyddais i eistedd i fyny ar flaen y soffa. Cododd pwys y tu mewn i'm bol a theimlai fy nghroen yn oer a thamp, ond yna setlodd fy stumog a bron y gallwn deimlo'r lliw yn dychwelyd i'm hwyneb. Gwenais i fyny ar y tri phâr o lygaid oedd yn fy ngwylio'n bryderus.

'Wir. Dw i'n iawn rŵan, diolch. Sori am achosi cymint o ffŷs.'

Gwelais Ifor a'i rieni'n ymlacio.

'Paid â bod yn wirion. Cyn bellad â dy fod di'n iawn,' meddai Owen. 'Fasat ti'n leicio brandi ne' rwbath?'

'Na – wir. Dw i ddim 'run un rŵan.' Roedd o ac Ifor *yn* debyg ofnadwy i'w gilydd, meddyliais; roedden nhw fwy neu lai'r un taldra ond fod Owen Lloyd Williams ychydig yn lletach na'i fab, gyda'i wallt cyrliog wedi teneuo a britho. Safai ei wraig wrth ei ochr, yn dalach na fo o dipyn. Tybed a gawson nhw'r un trafferthion ag Ifor a finna wrth gusanu a chofleidio am y tro cyntaf? Edrychais oddi wrthyn nhw'n frysiog, rhag ofn i mi ddechrau giglan unwaith eto.

'Dw i'n meddwl ella y basa'n well taswn i'n mynd

adra, os nad oes ots gynnoch chi,' dywedais. 'Sori, Ifor . . .'

Edrychodd Ifor yn siomedig am eiliad, ond gwyddai mai y fi oedd yn iawn.

'Na, na – ma'n ocê, siŵr. Dw i'n teimlo'n annifyr am dy lusgo di yma yn y lle cynta.'

Difethodd hyn drwy daflu edrychiad i gyfeiriad ei rieni, a rhaid cyfaddef nad oedd o'n edrych o gwbwl fel rhywun a deimlai'n annifyr; oedd o'n falch wedi'r cwbwl fy mod i am fynd adref, tybed? Fedrwn i mo'i feio fo, chwarae teg. Be o'n i wedi'i 'neud, beth bynnag, ers i mi gyrraedd yma? Cymryd y mici ohono fo ac yntau mewn poen efo'i geg, cael ffitia o'r gigls wrth iddo fy snogio, ac yna coroni'r cyfan drwy lewygu ar y llawr o'i flaen.

Ia – mynd adra oedd y peth gorau.

Safais ychydig yn simsan a chydiodd Gina yn fy mraich.

'Ty'd, a' i â chdi adra yn y car.'

'Na, mi fydda i'n ocê, wir i chi . . .'

'Caren? Shysh. Dw't ti ddim yn meddwl am funud, gobeithio, y baswn i'n gada'l i chdi gerddad yr holl ffordd adra, a chditha newydd ga'l blacowt dan fy nho i? Estyn 'i chôt hi i mi, Ifor, 'nei di, yn lle sefyll yn fan 'na fel delw.'

Teimlwn yn well eto wrth i'r awyr iach fy nharo. Roedd blas y môr ar y niwl; doedd hyn yn ddim byd newydd, ond oddi tano fo heno 'ma roedd yna arogl arall, anghyffredin. Fel arogl llosgi, rhywsut.

'Cymerwch bwyll,' meddai tad Ifor wrth i ni gychwyn. Ond doedd o ddim yn sbio ar Gina a fi: craffu i fyny i'r awyr yr oedd o, fel tasa fo'n trio gweld trwy'r niwl at y sêr.

'Ma'n ddrwg gin i eto am greu traffarth i chi,' dywedais ar ôl i ni gychwyn.

'Caren, ma'n ol-reit,' atebodd Gina. 'Argol, ma'r petha 'ma'n digwydd i bawb ohonan ni.'

'Ddim yn rhy amal, diolch i'r drefn,' dywedais. 'Wel – byth, bron, i mi. Dw i'm yn cofio pryd y gwnes i lewygu fel 'na ddwutha.'

Do'n i ddim yn cofio, chwaith. Dw i erioed wedi bod yn un am lewygu. Ond gwyddwn mai gwastraff ar amser fyddai trio meddwl am reswm corfforol neu feddygol dros fy 'mlacowt', chwedl Gina, yn gynharach. Yr hyn a ddigwyddodd y tu allan i siop Anna oedd wedi f'ysgwyd – na, waeth i mi fod yn onest, ddim, wedi fy *nychryn* – dipyn yn fwy nag a sylweddolais hyd yn oed ar y pryd.

A rŵan dyma ni, yng nghar BMW moethus Gina, yn agosáu at siop Anna, ac yn troi i mewn i'r stryd fel ag y gwnaeth y lorri fawr honno'n gynharach. Daliais fy ngwynt cyn mentro sbio ar y golau stryd gyferbyn â'r siop.

Ffiw.

Doedd neb i'w weld yn llechu yno.

Setlais yn ôl yn fy sedd gan edrych draw at fflat Anna. Roedd y golau'n dal ymlaen y tu ôl i'r llenni . . . ond yna gwelais rywun yn dod allan drwy'r drws sydd wrth ochr ffenestr y siop, ac sy'n arwain at y grisiau i fyny i'r fflat. Roedd rhyw olwg slei, llechwraidd ar y person hwn wrth iddo gamu allan a cherdded i ffwrdd yn frysiog, a chefais gip sydyn hefyd ar wyneb Anna cyn iddi gau'r drws, yr un mor frysiog.

Teimlais fy stumog yn troi. Ro'n i'n 'nabod y dyn ddaeth allan o'r fflat.

Marc Richards oedd o.

Tad Lois.

Ows Bach

Ffrae efo Gina heno, pan gyrhaeddais adref. Ond ro'n i wedi gweld hon yn dod, o bell ac ers dyddiau. Chwarae teg, mae hi wedi sôn ers wythnosau gymaint y mae hi'n edrych ymlaen at y Nadolig eleni, at gael ei rhieni yma hefo ni unwaith eto. Ac at y parti y mae hi eisoes wedi dechrau ei drefnu ar gyfer Nos Galan.

A heno, dyma fi'n difetha'i chynlluniau'n llwyr drwy gyhoeddi ein bod ni fel teulu am dreulio'r Nadolig yn y Bahamas.

'*Fait accompli*,' meddai. 'Dyna be ydi hyn.'

Er iddi gael ei geni a'i magu ym Methesda, mae gan Gina ddigon o waed Eidalaidd i fedru colli'i thymer mewn ffordd sbectaciwlar dros ben, gan atgoffa rhywun am dymer merch Don Corleone yn y ffilm *The Godfather*; Duw a helpo unrhyw blât neu lestr sy'n digwydd bod wrth law. Gallwn weld yn awr, o'i gwên ddi-hiwmor, ei bod yn brwydro'n galed yn erbyn y tymer hwn.

'Ro'n i dan yr argraff 'yn bod ni wastad yn trafod petha yn y teulu yma,' meddai.

'Wel, ro'n i'n meddwl, unwaith y basat ti'n gweld lle 'dan ni'n mynd . . .' Cynigiais y pamffledi iddi. Roedden ni yn y gegin a throdd Gina oddi wrthyf yn ddramatig a mynd draw at y stôf. Sylwais yn nerfus fod yno datws a phys yn mudferwi. 'Gina, mi 'neith o fyd o les i ni 'i gyd . . .'

'Wneith o?'

'*Gwneith*. Rydan ni angan brêc . . .'

'Dw *i* ddim. Ddim o gwbwl, a deud y gwir.' Syllodd i lawr ar y llysiau cyn troi ataf yn wyllt. 'Ro'n i wedi edrych ymlaen at y Dolig 'leni, Ows! Roeddat ti'n gwbod hynny. A dw i 'di gneud yr holl drefniada 'ma, ac wedi deud wrth bawb . . . ma' nhw hefyd yn siŵr o fod wedi gneud 'u trefniada nhw erbyn rŵan. O'n cwmpas ni! Mam a Dad dros y Dolig, pawb arall ar gyfar y Flwyddyn Newydd . . . blydi hel, Ows, be ddiawl w't ti'n meddwl w't ti'n 'i *'neud*?'

Meddwl am fy nheulu, meddyliais, *a gneud fy ngora' i edrych ar ych holau chi*. Ond wrth gwrs, fedrwn i ddim dweud hynny. Yn hytrach, dywedais yn llipa:

'O, mae'n hen ddigon buan. Mae 'na bron i bythefnos tan y Dolig, tair wythnos tan Nos Galan . . .'

Fflachiodd ei llygaid tywyll i'm cyfeiriad.

'Pam, Ows?'

Fedra i ddim deud wrthat ti, Gina!

'Mi a'thon ni i ffwrdd dros y Dolig o'r blaen, Ows, dw't ti ddim yn cofio? Ddwy flynadd yn ôl, i'r Maldives.'

O, yndw, dw i'n cofio . . .

'. . . a wna'th yr un ohonan ni 'i fwynhau o ryw lawar. *Cymry* 'dan ni, Ows. Dydan ni ddim yn *leicio* bod oddi cartra dros y Dolig.'

. . . a dw i hefyd yn cofio'r hyn oedd yn aros amdana i pan ddychwelon ni adref: y newyddion am Stiw Powell a'i deulu . . .

'Fedra i ddim coelio dy fod wedi bwcio'r gwylia 'ma . . . dy fod di wedi mynd y tu ôl i 'nghefn i fel hyn.'

. . . a sylweddoli fod yna ddim dianc i fod . . .

'A chditha'n gwbod yn iawn 'mod i wedi gneud yr holl drefniada.'

. . . ac mai'r cwbl y medran ni sydd ar ôl ei wneud ydi gohirio.

Gohirio'r anochel . . .

Neidiais wrth i'r pamffledi daro'n galed yn erbyn fy wyneb: roedd Gina wedi'u taflu ataf cyn martsio allan o'r gegin. Codais innau fy llygaid i'r ffenestr dywyll, yn siŵr fod rhywun y tu allan yn fy ngwylio, ond yr unig berson a welwn oedd y fi fy hun yn sefyll yn unig yng nghanol y gegin.

Dw i bron â marw eisiau rhannu'r cyfan efo 'ngwraig, ond alla i ddim.

Ac mae hyn yn fy lladd yn ara deg.

Fel y dywed T. H. Parry-Williams yn un o'i gerddi, 'aeth pob rheol a rheswm yn yfflon rhacs' yn ddiweddar. Dechreuodd gyda hen deimlad bach annifyr fod rhywbeth yn bell o fod yn iawn. Dim byd mawr iawn ar y cychwyn, rhyw 'nigyl' yn fwy na dim byd arall, rhywbeth y medrwn, credwn, ei anwybyddu, ac ymhen diwrnod neu ddau, neu ar ôl noson iawn o gwsg, buasai wedi diflannu.

Ond wnaeth o ddim.

Tyfodd, yn hytrach. Dw i wedi fy nal fy hun droeon yn codi oddi wrth fy nesg – weithiau ar ganol sgwrs gyda chleient – a chroesi draw at y ffenestr er mwyn edrych i fyny i'r awyr. Dw i wedi dod yn agos droeon at yrru i mewn i geir eraill am yr un rheswm. Gartref, byddaf yn gwingo yn fy nghadair nes i mi gael y cyfle i wasgu'r botymau sy'n dod â rhagolygon y tywydd i fyny ar y sgrin deledu: petawn i'n cael fy ffordd fy hun, buasai'r tywydd ymlaen gen i 24-awr y dydd, saith niwrnod yr wythnos.

Ond does yna ddim sôn am eira.

Wedyn, dechreuais glywed oglau llosgi lle bynnag yr oeddwn yn mynd – allan ar y stryd, yn nhai pobol eraill, mewn siopau, yn y swyddfa a gartref. Erbyn rŵan, mae o yn fy ffroenau drwy'r amser, arogl pendant gyda rhyw felysrwydd cyfoglyd yn perthyn iddo.

Arogl sydd, damia fo, yn un cyfarwydd i mi.

Ac yn ddiweddar, dw i wedi dechrau credu fod rhywun, neu rywbeth, yn fy nilyn.

Eto, fedra i ddim bod yn sicr. Argraff ydi o, ond argraff bendant – cip o gornel fy llygad ar rywun yn diflannu y tu ôl i rywbeth neu rownd cornel; cysgodion sydd ryw fymryn yn dywyllach na'r tywyllwch sydd o'u cwmpas, neu gysgodion sy'n ymddangos, ond am eiliad, lle nad oes yna gysgodion i fod. Y teimlad cryf fod llygaid maleisus wedi'u hoelio ar gefn fy mhen, a bod rhywun – neu rywbeth – yn rhuthro amdanaf o'r tu ôl i mi. Ond pan fyddaf yn troi'n wyllt – fwy nag unwaith, mae'n rhaid i mi gyfaddef, gyda bloedd o fraw – does neb yno.

Ond y gwaethaf ohonyn nhw i gyd ydi'r sicrwydd ofnadwy a ddaw i mi o bryd i'w gilydd fod rhywun yn sefyll yn yr ardd y tu allan i'r tŷ, yn syllu ar y ffenestri.

Tan yn ddiweddar, pan oeddwn yn gallu cysgu, roedd yn deimlad digon cryf i'm deffro, gan fy halio o gwsg trwm fel tasa rhywun wedi taflu bwcedaid o ddŵr oer drostaf.

A dw i'n gwybod fod rhywbeth yno, yr ochr arall i'r ffenestri.

Byddaf yn rhythu ar y llenni am hydoedd, yn domen o chwys oer ac weithiau'n crynu, gan wybod yn iawn fod yn rhaid i mi, yn hwyr neu'n hwyrach, godi a'u hagor ac edrych allan drwy'r ffenestr – er mai dyna'r peth olaf un dw i eisiau ei wneud – a gweld beth bynnag sydd yno yr ochr arall i'r gwydr, efallai yng nghanol y cysgodion sy'n britho'r ardd neu efallai â'i wyneb reit yn erbyn y ffenestr. Yn y diwedd bydd fy nghoesau'n mynnu fy llusgo yno a byddaf yn gwasgu defnydd y llenni rhwng fy mysedd yn dynn, dynn cyn eu hagor o'r diwedd.

A does neb yno, neb na dim.

Ddim eto, beth bynnag.

Dduw mawr, helpa fi.

Plîs . . .

5

Anna a Marc

i

'W't ti 'di bod yn yfad?'

'Roedd yn rhaid i mi.'

Ar ei ffordd yno, galwodd Marc yn y Llong Fawr am beint, a'i fwriad oedd galw i mewn yno eto ar ei ffordd adref. Dyna oedd ei esgus dros fynd allan, sef bod awydd peint neu ddau arno, ac os na fyddai oglau cwrw arno . . .

'Sori am hyn, Marc. Ond dw i *yn* meddwl y dylan ni ga'l sgwrs. Chest ti ddim traffarth dŵad allan, gobeithio?'

Ysgydwodd ei ben. Doedd o byth bron yn mynd allan ar nos Lun, ond roedd yr awyrgylch gartref wedi gwneud pethau'n haws iddo. Deian oedd yr unig un a siaradai efo fo. Prin yr oedd Lois wedi edrych arno, ac roedd Gwennan ond yn siarad efo fo pan oedd yn rhaid iddi.

Ond ei fusnes ef oedd hynny: dim byd i'w wneud efo Anna o gwbwl.

'Gymri di wydraid o win?'

'Mi fasa'n well i mi aros efo cwrw, os oes gin ti beth.'

Edrychodd o gwmpas y fflat tra oedd hi yn y gegin. Clyd iawn mewn rhyw ffordd flêr, barnodd, efo llyfrau a chylchgronau ym mhobman, ffilmiau DVD a CDs a hyd yn oed hen recordiau feinyl dros y lle i gyd, a chlustogau o bob lliw a llun ar yr hen ddodrefn. Jimi Hendrix oedd ganddi ymlaen pan agorodd y drws iddo, ond newidiodd ef am ryw hogan yn sibrwd canu mewn llais crynedig i gyfeiliant un gitâr acwstig.

'Mi gei di ista, ysti. A thynnu dy gôt.'

Cymerodd y cwrw oddi arni. 'Dw i ddim yn bwriadu bod yma'n hir iawn.' Eisteddodd, heb dynnu'i gôt, mewn cadair freichiau feddal, hynafol.

Eisteddodd Anna ar y soffa â'i choesau wedi'u plygu oddi tani. Syllodd arno am rai eiliadau, yna meddai:

'Ma' nhw o gwmpas, Marc.'

Ag ebychiad diamynedd dododd ei wydryn ar y llawr cyn codi.

Roedd Anna'n hanner gwenu'n dawel wrth rowlio sigarét iddi'i hun: roedd hi wedi disgwyl hyn.

'Wa'th i ti heb, ysti,' meddai wrth i Marc gyrraedd y drws.

'Dydyn nhw ddim hyd yn oed yn *bygwth* eira. I ni na neb arall. Ma' hi'n niwl y tu allan, niwl a glaw mân, Anna. Does 'na ddim sôn am yr un bluan o eira.'

'Nag oes, wn i. Ond ma' nhw o gwmpas, 'run fath.'

'Bolocs, Anna!'

''Na chdi, 'ta. Nos da.'

Ond aeth o ddim. Safodd â'i law ar y drws am rai eiliadau, yna ebychodd eto a dychwelyd i'w gadair. Gwyliodd hi'n gorffen paratoi ei sigarét ac yna ei thanio. Roedd yn droednoeth, a gwisgai sgert laes gotwm, wyrddlas, a chrys-T oren: roedd croen ei breichiau, meddyliodd Marc, fel porslen. Sylweddolodd fod y fflat yn gynnes iawn. Tynnodd ei gôt a'i gadael yn flêr ar gefn ei gadair.

‘Sut w’t ti’n gwbod? W’t ti wedi . . . wedi gweld . . . rhwbath?’

Ysgydwodd ei phen.

‘’Sdim rhaid i mi ’u gweld nhw i wbod.’

Agorodd ei geg efo’r bwriad o wawdio hyn hefyd, ond gwyddai mor wag y buasai bob un gair yn swnio.

Dechreuodd Anna rowlio rhagor o sigaréts wrth siarad, gan osod bob un newydd yn yr hen dun baco wrth ei hochr. Dywedodd wrtho am John Gawi ac am ei ymweliadau diwethaf â’r siop, am fel yr oedd o wedi pwyntio i fyny i’r awyr a chwerthin.

‘A dyna’r cwbwl?’ meddai Marc. ‘Ma’r nytar hwnnw’n digwydd pwyntio at yr awyr, ac ma’ hynny’n ddigon i dy ddychryn di?’

Gwgodd arno.

‘Mae o’n fwy na hynny, Marc.’

‘Be, felly?’

‘Rhyw . . . deimlad ’sgin i . . .’

Ochneidiodd yn ddiamynedd a chodi’i wydryn oddi ar y carped.

‘Fod rhywun yn fy ngwylio i drw’r amsar,’ ychwanegodd Anna.

‘Ia – John Gawi.’

‘Rhywun arall.’

‘Pwy?’

Edrychodd arno, a daeth y gân olaf ar y CD i ben.

‘Ti’n gwbod pwy,’ meddai Anna.

ii

Roedd Anna wedi petruso cryn dipyn cyn penderfynu ffonio Marc. Wedi'r cwbl, nid oedd rheswm digonol ganddi dros wneud hynny, a heno, wrth sôn wrtho am John Gawi a'i theimladau amwys eraill – mor uffernol o amwys, a dweud y gwir – swniai'r holl beth yn druenus, fel panig hen ferch oedd yn ofni'i chysgod hi'i hun.

Roedd ffonio'r tŷ'n amhosibl, wrth gwrs; o adnabod ei lwc hi, Gwennan fuasai wedi ateb y ffôn, a gwyddai nad oedd hi'n ddigon o actores i fedru cymryd arni mai dim ond cwsmer oedd angen gwasanaeth plymiwr arni oedd hi. Ond roedd rhif ffôn symudol, hefyd, yn y *Yellow Pages*, a chafodd afael arno o'r diwedd am ychydig wedi tri y prynhawn hwnnw.

Doedd arno ddim eisiau dod draw heno; gwnaeth hynny'n berffaith glir – doedd arno ddim eisiau siarad efo hi dros y ffôn, hyd yn oed, teimlai Anna, a bron y gallai weld ei fawd yn hofran dros y botwm a fyddai'n diffodd y ffôn. Ond mynnodd hi eu bod yn cyfarfod – 'Mi ddo' i draw acw, Marc, i dy gartra di, os oes raid i mi,' bygythiodd, nes o'r diwedd cytunodd i'w gweld. Ar ôl rhoi ei ffôn hi i lawr, sylweddolodd mai dyna'r tro cyntaf iddyn nhw siarad efo'i gilydd ers ugain mlynedd.

Doedd o ddim wedi newid llawer, meddyliodd Anna yn awr, ar wahân i'r ffaith ei fod wedi colli'r rhan fwyaf o'i wallt a phlannu stŷd yng ngwaelod ei glust dde. Roedd o'n dal i wisgo botasau cowboi gyda'i jîns duon, ac mi fetia i gan punt, meddyliodd, fod tapiau neu ddisgiau Johnny Cash a Willie Nelson ganddo yn ei fan – chwaeth oedd wedi dod yn ffasiynol yn ddiweddar ond a oedd, ugain mlynedd yn ôl, yn destun sbort.

iii

Roedd geiriau Anna wedi'i ddychryn. Cyn iddi eu dweud, bu'n gobeithio – yn gweddïo – mai fo oedd yn dychmygu pethau, fod y straen o orfod byw ar ei nerfau drwy bob gaeaf wedi dechrau dweud arno.

Ond roedd y gobaith hwnnw, rŵan, wedi chwalu. Na, bydd yn onest, Marc, meddai wrtho'i hun; chwalwyd y gobaith bach, bregus hwnnw pan atebodd ei ffôn brynhawn heddiw a chlywed llais Anna.

'Shit,' meddai'n awr. 'Shit!'

Cododd a mynd at y ffenestr. Symudodd gornel o'r llenni ac edrych allan. Am eiliad, cyn i lorri fawr yrru heibio'n swnllyd, meddyliodd fod rhywun yn sefyll yr ochr arall i'r ffordd yn syllu i fyny 'nôl ato, ond ar ôl i'r lorri orffen mynd heibio gwelodd nad oedd neb yno wedi'r cwbl.

Dychmygu ydw i, meddyliodd. Gweld petha.

Ond ma' hyn yn digwydd yn rhy amal y dyddia yma.

'Dw i'n meddwl,' meddai Anna'n dawel, 'y dylat ti ystyriad mynd i ffwrdd i rwla eto, dros y Dolig.'

Gollyngodd y llenni a throi'n ôl ati. Blydi hel, ma' hon yn dal yn beth handi, meddyliodd, er gwaetha'r holl feddyliau uffernol eraill a wibiai drwy'i ben. Mae'r aeddfedrwydd y mae hi wedi'i fagu dros y ddau ddegawd diwetha'n ei siwtio hi, a'i chorff hi wedi llenwi yn y llefydd iawn.

Ond dyna fo, dydi hi ddim wedi cael plant, yn naddo?

'Fedra i ddim,' meddai wrthi. ''Dan ni wedi gneud cynllunia . . .'

Er hynny, roedd ei feddwl yn brysur yn dinistrio'r cynlluniau rheiny a chreu rhai newydd. Fflorida – mi aethon nhw i Fflorida ddwy flynedd yn ôl a chael amser gwych yno, pawb wedi mwynhau a Gwennan ac yntau wedi ailgynnau, am wythnos chwim, y gwreichionyn pwysig hwnnw oedd wedi bygwth diffodd yn gyfan gwbl. A rŵan, hwyrach y buasai trefnu gwyliau annisgwyl iddyn nhw i gyd yn syrpreis hyfryd a fuasai'n plesio pawb . . . Gwennan yn enwedig . . .

Edrychodd eto ar Anna.

'Ows Bach–?' gofynnodd.

Cododd Anna'i hysgwyddau. 'Dw i ddim wedi trio ca'l gafa'l arno fo eto.' Edrychodd i ffwrdd. 'Roedd yn haws gin i dy ffonio di, i ddechra.'

''Chos os ydi o, hefyd . . .' meddai Marc.

Nodiodd Anna. 'Wn i.'

'. . . yna rw't ti'n iawn. Ma' nhw yma . . .'

'Wn i!'

Sbeciodd allan drwy'r ffenestr eto. Neb.

'Be sy?' gofynnodd Anna.

'Dim byd. Meddwl ydw i.' Trodd yn ei ôl. 'Be wnei di? Ei di i ffwrdd i rwla?'

''Sgin i ddim plant, yn nag oes?'

'Ond mi fyddi ditha'n 'u gweld nhw hefyd, bob tro y bydd hi'n bwrw eira.'

Rhwbiodd Anna'i breichiau. Roedd ei chnawd gwyn, meddal yn groen gŵydd drosto i gyd, sylwodd Marc.

'O, bydda.'

Teimlodd Marc awydd cicio rhywbeth yn galed, drosodd a throsodd. 'Blydi hel, Anna! Pam? Does yna'r un sôn am eira! Dim bygythiad o gwbwl o Ddolig gwyn. Pam?'

Gorffennodd Anna ei gwin. Syllodd i mewn i waelod ei gwydryn cyn ateb.

'Ma' hi'n ugain mlynadd 'leni, Marc. Falla bod gan hynny rwbath i'w 'neud efo fo.'

iv

Yn y Llong Fawr cyn mynd adref, yfodd Marc ddau wisgi gyda'i beint: teimlai fod eu hangen arno. Gwyddai fod Anna yn iawn, ac roedd yn hen bryd rŵan iddo yntau gydnabod hynny a mynd i'r afael â'r cam nesaf, sef trefnu gwyliau arall yn Fflorida. Doedd arian, diolch byth, ddim yn broblem; roedd cyfrif ganddo yn y gymdeithas adeiladu, un na wyddai Gwennan amdano, a thros y blynyddoedd bu'n talu ychydig i mewn bob wythnos ar gyfer achlysuron fel hyn. *Emergency fund*, meddyliodd.

Tybed a ddylai fod wedi sôn wrth Anna am y cip a gafodd yn gynharach ar rywun yn sefyll wrth olau'r stryd, gyferbyn â'i fflat? Ond do'n i ddim yn siŵr! meddyliodd eto. Doedd neb yno pan aeth allan o'r fflat: y peth cyntaf a wnaeth ar ôl i Anna agor y drws iddo oedd edrych dros y ffordd. Daeth car heibio'r un pryd, gan oleuo'r palmant gyferbyn yn glir, a doedd yno'r un golwg o neb.

Fory, meddyliodd wrth gerdded adref, mi a' i draw i Gwalia Travel a gweld be sy gynnyn nhw i'w gynnig. Siawns na fedrwn ni fynd i rywle, rhywle poeth, fel y tro diwetha hwnnw. Ond roedd hi am fwrw eira ddwy flynedd yn ôl; roedd y proffwydi tywydd wedi gwneud môr a mynydd o'r peth ers wythnosau cyn y Nadolig, a'r idiots i gyd yn cynhyrfu'n lân dros y syniad o Ddolig gwyn fel tasa fo'n beth gwych. Ond ni syrthiodd yr un bluen yma yn Aberllechi, cofiodd. Pob man arall, bron, heblaw Aberllechi.

Ac mi sylweddolodd Stiw druan nad oedd symud o'ma i fyw yn ddigon da.

Crynodd.

Wel, wnân nhw mo fy nilyn i Fflorida, meddyliodd.

Y bastards.

Trodd yn sydyn gan deimlo bod rhywun yn cerdded reit y tu ôl iddo.

Neb.

Ond mi faswn i wedi gallu taeru . . .

Cerddodd yn ei flaen, ychydig yn gyflymach. Yna gwelodd fod rhywun yn cerdded drwy'r niwl tuag ato . . .

'Ti'n o lew?'

Sylweddolodd Marc ei fod wedi peidio ag anadlu am ychydig. Chwythodd allan cyn ateb.

'Tec . . . sut ma'i heno 'ma?'

'Sglyfath o noson,' meddai Tecwyn Bwtshiar wrtho.

'Yndê, hefyd? Nos dawch.'

'Ia, nos dawch.'

Cerddodd yn ei flaen, ond yna clywodd lais Tec eto, yn dweud 'Sut ma'i?'

Trodd Marc.

'Sori?'

Roedd Tecwyn yn sefyll yno ac yn rhythu arno. 'Argol, dw i'n colli arni, was.'

'Be?'

''Swn i 'di gallu taeru . . .' Ysgydwodd ei ben.

'Be?'

'Ro'n i'n meddwl yn siŵr fod 'na rywun yn cerddad reit y tu ôl i chdi gynna. Rhyw ddynas . . .'

Teimlodd Marc bryfaid cop yn carlamu dros ei gorff, eu traed yn oer fel lympiau o rew.

'Pwy?'

'Ia, wel – dyna'r peth, yndê,' meddai Tec. 'Neb. Doedd 'na neb yno. Y niwl 'ma sy'n chwara tricia efo rhywun. Neu, fel y deudais i, y fi sy 'di dechra colli arni. Nos dawch, unwaith eto.'

Cerddodd i ffwrdd a diflannu o'r golwg.

6

Caren

i

Ro'n i wedi meddwl y buasai gweddill yr wythnos yn crwbanu heibio. Ond gan nad o'n i'n edrych ymlaen yr un iot at orfod wynebu Anna yn y siop fore Sadwrn, rhuthrodd y dyddiau heibio bron fel tasan nhw'n oriau.

Nos Fawrth, cyhoeddodd Dad ei fod o ac Anna am fynd i Theatr Gwynedd nos Fercher, i weld rhywbeth gan Chekhov. 'Dw i'n cymryd nad w't ti isio dŵad efo ni?' meddai.

'Argol, nag oes. Ewch chi am fwyd wedyn?'

'Ma'n siŵr.'

'Da iawn.'

'Pam?'

'Y? O – dim byd.' Wedi meddwl yr o'n i y basa sgwrs dros bryd o fwyd yn gyfle da i Anna ddweud rhywbeth fel, 'O, gesia be – mi alwodd Marc Richards draw am banad y noson o'r blaen.'

'Dw't ti ddim isio'r tŷ i chdi dy hun am ryw reswm?' gofynnodd Dad.

'Nac 'dw, dw i ddim!'

A bod yn hollol onest, doedd y syniad o fanteisio ar ei absenoldeb drwy wahodd Ifor draw yma ddim wedi croesi fy meddwl. Er hynny, teimlais fy hun yn dechrau cochi.

‘Caren . . .’

‘Nag oes, Dad – onest.’

Bechod. Ro’n i’n teimlo dros Dad weithiau. Roedd o’n gneud ’i orau i fod yn un o’r rhieni cŵl rheiny, ond ar adegau roedd o’n anghofio hynny ac yn mynd braidd yn or-amddiffynnol ohona i. Doedd o ddim wrth ’i fodd efo Ifor, er ’i fod o’n trio cuddiad hynny, a gwyddwn y basa fo’n ddigon hapus tasa ’na ddim byd yn dŵad o’r peth.

Pur anaml y byddwn ni’n dau’n ffraeo go iawn. Pan fydd hynny’n digwydd, y fo ydi’r cyntaf i drwsio pethau – drwy adael i mi bwdu am tua diwrnod cyn ymddwyn fel tasa ’na’r un ffrae wedi digwydd erioed, nes o’r diwedd byddaf yn anghofio pam yr o’n i wedi pwdu yn y lle cyntaf. Roedd o ar un adeg – ymhell cyn i mi gael fy ngeni – wedi meddwl am fynd i ddysgu, ond go brin y buasai wedi para’n hwy na thymor neu ddau o flaen dosbarth o blant anhydrin. Mae o’n rhy *neis*.

Ac wrth i mi feddwl hynny, dechreuais feddwl eto, tybed a oedd o’n rhy neis i Anna? Dw i wedi darllan digonedd o lythyron mewn cylchgronau sy’n honni fod dynion neis yn amal yn rhy boring yn nhyb eu cariadon, ac erthyglau’n dwyn teitlau fel, *Why Do Women Love Bastards?* neu *Nice Guys Come Last*. Gan fod fy mhrofiad i o hogia neis *ac* o hen ddiawliaid yn un cyfyng iawn, doedd gen i’r un clem a oedden nhw’n dweud y gwir ai peidio.

Oedd Anna, felly, wedi dechrau syrffedu efo Dad? Ddigon i droi at ryw gyn-iob fel tad Lois?

Na. Allwn i ddim gweld hynny.

Ond eto . . .

Anna oedd yn gyrru nos Fercher, a galwodd i gasglu Dad am ychydig wedi chwech. Dyma'r tro cynta i mi ei gweld ers y cip sydyn hwnnw ges i arni nos Lun, wrth iddi gau drws y fflat ar ôl tad Lois.

Ro'n i'n teimlo'n nerfus iawn wrth aros iddi gyrraedd, a braidd yn bigog efo Dad am ei fod yn tin-droi yn lle bod yn barod wrth y drws. Penderfynodd ar y munud olaf fod angen cawod arno.

'Dad, mi fydd hi yma unrhyw funud rŵan.'

'Dim ots, yn nac 'di? Mi geith hi banad tra ma' hi'n gwitshiad. Fydda i ddim chwinciad, beth bynnag.'

Ac wrth gwrs, mi landiodd Anna pan oedd Dad ond newydd gamu i mewn i'r gawod. 'O – *gimme*!' meddai pan gynigiais goffi iddi, gan grafangu am y mỳg fel tasa hi wedi bod yn croesi'r Sahara. 'Aaaaaaa–! Na welliant, ches i'm cyfla i 'neud un cyn dŵad allan.'

Pam? bu bron iawn i mi ofyn. Ddaru Marc Richards alw heibio eto?

'Sut w't ti, beth bynnag?' gofynnodd.

Codais f'ysgwyddau. 'Iawn.'

'Bob dim yn ocê yn yr ysgol?'

'Hynci-dori.'

Damia fi! Un o hoff ddywediadau Anna oedd hwn, teitl rhyw hen, hen, *hen* record gan David Bowie.

'A chditha?' gofynnais.

Nodiodd wrth sipian ei choffi. 'Iawn, 'sti. Fel ma' petha, yndê.'

Gwisgai sgert ddenim laes gyda botasau swêd, a thop du dan gôt tri-chwarter gyda hẁd, a chariai fag cynfas dros ei hysgwydd.

'Dim byd newydd i'w riportio, felly?' dywedais.

'Dw i 'di ca'l pedwar bocsiad arall i mewn,' atebodd, gan gyfeirio at ragor o lyfrau. 'Ella y cawn ni gyfla i fynd trwyddyn nhw efo'n gilydd ddydd Sadwrn. Ond paid â deud gair wrth Bryn,' meddai gan wenu, ac mi ddois yn agos iawn at ei tharo, 'ne' mi fydd o acw yn prowla cyn i mi allu mynd i'r afa'l efo nhw fy hun.'

Blydi hel, roedd hon mor wyneb-galad! Mae'n rhaid gen i fy mod i wedi rhythu arni hi, oherwydd llithrodd ei gwên rhyw fymryn.

'Ti'n siŵr dy fod yn ocê?' meddai.

'Mi welis i Lois heddiw,' dywedais.

Pam ddywedais i hyn, Duw a ŵyr. Celwydd oedd o, i bob pwrpas. Ro'n i wedi gweld Lois, o'n, ond do'n i ddim wedi siarad efo hi.

'O, ia?'

Oedd yna gysgod bychan o euogrwydd yn ei llygaid?

'Ma' hi'n poeni am 'i thad,' rhaffais. 'Mae o wedi dechra ymddwyn yn od, mynd allan bob nos ac yn aros allan tan berfeddion. Ma' hi'n ama 'i fod o'n ca'l affêr.'

Cododd Anna'i haeliau. 'Mi fasa Gwennan yn 'i groeshoelio fo tasa hi'n ama' hynny.'

'Ond efo pwy, 'sgin Lois ddim syniad,' ychwanegais.

Ia, wn i – bitsh. Ond efallai bod yna ddwy ohonon ni yn y gegin y noson honno.

'Lois sy'n dychmygu petha, ma'n siŵr,' meddai Anna. Oedd hi'n craffu arna i dros ei choffi, fel tasa hi'n chwilio fy llygaid am rywbeth?

'Ma'n siŵr,' cytunais. 'Mi fasa angan dynas go ddespret i ga'l affer efo tad Lois, dw't ti'm yn meddwl?'

'Wel, dydi dynion pen moel 'rioed wedi apelio rhyw lawar ata i, beth bynnag,' atebodd Anna, ac ar hyn daeth

Dad i mewn i'r gegin, ei wallt fel nyth brân, fel arfer. 'Fel ti'n gweld,' ychwanegodd Anna, gan fynd ato a rhedeg ei llaw drwy'r nyth yna plannu cusan ar ei foch.

'Y?' meddai Dad.

'Dim byd, dim byd – *girl talk*,' meddai Anna. 'Reit – ty'd. Dw i'm isio gorfod dringo dros goesa' pobol erill yn y t'wllwch wrth drio ca'l hyd i sêt.'

Ceisiais ddal ei llygaid wrth iddynt adael, ond methais. Ar wahân i fflytran ei bysedd arnaf wrth yrru i ffwrdd, nid edrychodd Anna i'm cyfeiriad wedyn.

ii

Ro'n i'n methu'n lân â setlo ar ôl iddyn nhw fynd. Yn fy llofft, eisteddais wrth fy nghyfrifiadur a mynd i mewn i un o'm ffeiliau lluniau. Cliciais ar y lluniau o 'nghinio pen-blwydd i, 'nôl ym mis Medi.

Y llun cyntaf i ymddangos ar y sgrin oedd un a dynnodd Dad o Lois a fi, yn eistedd ochr yn ochr, ein pennau'n gam ac yn cyffwrdd â'i gilydd; roedd fy sbectol yn sgleinio nes yr edrychai fel tasa gen i ddau chwilolau yn saethu o'm llygaid. Roedden ni'n edrych fel ffrindiau mawr – ac mae'n siŵr ein bod ni'n fêts, hefyd, bedwar mis yn ôl; dw i ddim yn meddwl fod yr un ohonan ni wedi dychmygu mai'r noson honno fyddai un o'n nosweithiau olaf fel ffrindiau agos.

Llun o Dad ac Anna oedd y nesaf, hefo Anna'n cymryd arni chwyrnu tra oedd hi'n llindagu Dad, ac yntau'n eistedd yno efo'i dafod allan a'i lygaid yn neidio o'i ben. Cosb Dad am wneud rhyw sylw ynglŷn â chracio lens y camera drwy drio tynnu llun o Anna oedd hyn, os dw i'n cofio'n iawn. Yn y llun nesaf – a hwn oedd fy ffefryn tan yr wythnos yma – roedd pen Anna'n gorffwys ar ysgwydd Dad, y ddau ohonyn nhw'n gwenu fel giatiau ac yn edrych yn hapus. Cawsom fis Medi cynnes iawn, ac roedd trwyn Dad wedi llosgi: edrychai ysgwyddau Anna, hefyd, yn goch, a dw i'n cofio bod ei chroen yn o dyner y noson honno.

Cliciais fy ffordd allan o'r ffeil a diffodd y cyfrifiadur. Mae gen i focs esgidiau yng ngwaelod fy wardrob, ac yn hwnnw byddaf yn cadw fy mhethau pwysig. Estynnais ef ac eistedd ar y gwely efo'r bocs ar fy nglin.

Ymysg yr holl drysorau preifat sy gen i, mae nifer o lythyron a sawl tystysgrif. Dad oedd yn gyfrifol am y rhain i gyd, a dw i'n cofio'n iawn sut a phryd y cyrhaeddodd y llythyr a'r dystysgrif gyntaf. Yn nhŷ Nain yr oeddan ni, a dw i'n cofio Nain yn dweud wrth Dad, 'Rw't ti'n cofio bod fory'n ddwrnod go arbennig, gobeithio, Bryn?'

Edrychodd Dad arni'n hurt.

'Fory? Y . . . dydd Iau ydi fory, yndê? Be sy mor arbennig am hynny?'

'Ma' rhywun yn saith oed fory.'

''Rioed! Pwy, felly?'

'Dad!' protestiais, heb fod yn siŵr iawn os oedd o'n tynnu 'nghoes i neu beidio.

'W't ti'n gwbod pwy, Caren?'

'Fi!'

Tarodd ei law yn erbyn ei dalcen. 'Bobol ar y ddaear! 'Dach chi'n iawn, Nain – ma' hi *yn* ben-blwydd ar rywun arbennig iawn fory.'

Drannoeth, gyda'r cardiau eraill a ddaeth drwy'r drws, roedd yna amlen fawr, frown a swyddogol ei golwg efo f'enw i wedi'i deipio arni. Ynddi roedd tystysgrif o ryw fath, a llythyr go bwysig. Dyma fo:

1, Heol Sbesial,
Pwysigle,
Sir Arbennig.

Annwyl Miss Williams,

Rydym newydd gael ar ddeall eich bod yn Berson Arbennig. Pam na chawsom wybod amdanoch cyn hyn, does wybod, ond dyna ni – blerwch ofnadwy oedd hynny ar ran trigolion Aberllechi. Mae'n bleser mawr gennym, felly, ar ran y Gymdeithas, eich croesawu i'n plith fel PERSON ARBENNIG swyddogol. Ar wahân i'r dystysgrif amgaeedig, sy'n dystysgif ARBENNIG iawn, mae gennych bob hawl o hyn ymlaen i ychwanegu P.A. ar ôl eich enw – Person Arbennig.

Efallai y bydd o ddiddordeb gennych wybod fod eich cyd-aelodau'n cynnwys enwogion megis Clint Eastwood, Dafydd Iwan, Harry Potter, Dafydd Wigley a'r foneddiges Magi Williams.

Llongyfarchiadau ar eich seithfed pen-blwydd, a chroeso eto i'n plith.

Yr eiddoch yn gywir,
Mr B. Pwysigyn
(Cadeirydd Cymdeithas y Bobol Arbennig)

Nain oedd 'y foneddiges Magi Williams', a Dad, wrth gwrs, oedd gwir awdur y llythyr. Mae'r dystysgrif yn dipyn o sioe, efo Cymdeithas y Bobol Arbennig yn fawr arni mewn sgript Gothig. Cafodd ei gosod mewn ffrâm ar wal fy stafell am flwyddyn gyfan, pan ddaeth un arall yn ei lle yn dweud fy mod bellach yn 'P.A.I.' (Person Arbennig Iawn), ac un arall flwyddyn ar ôl hynny yn dweud fy mod i erbyn hynny wedi fy nyrchafu i fod yn 'Berson Hynod Arbennig'. Daeth un bob blwyddyn wedyn nes erbyn hyn dw i'n dechrau ofni y bydd Dad yn rhedeg allan o ansoddeiriau cyn bo hir. Ydi, mae o'n dal i anfon llythyr a thystysgrif bob pen-blwydd, er fy mod i bellach yn un ar bymtheg oed.

A dw i ddim isio iddo fo roi'r gorau iddi.

Byth.

Teimlais y dagrau'n cronni yn fy llygaid, a gwyddwn – petawn i'n darganfod fod Anna'n cael hanci-panci efo tad Lois y tu ôl i gefn Dad y baswn i'n ei leinio hi'n iawn.

iv

Cyrhaeddodd y ddau adref am ychydig cyn un ar ddeg, a phan welais Anna'n dod am y drws efo Dad, gwyddwn na fedrwn i aros yn yr un ystafell â hi'n hir iawn.

Ond pan ddaethant i mewn i'r tŷ, gwelais yn syth fod rhywbeth wedi digwydd. Roedd wynebau'r ddau'n wyn fel sialc, ac roedd Anna'n crynu fel deilen ac o fewn dim i feichio crio.

7

Anna a Bryn

'Be ydi'r ots am y tywydd?' gofynnodd Bryn.

'Sori?'

Pwniodd hi'n chwareus yn ei hystlys â blaen ei fys, rhywbeth a wnâi'r ddau i'w gilydd yn aml; heno, fodd bynnag, roedd yn gwneud i Anna deimlo fel chwyrnu arno.

'Rw't ti'n sbio i fyny i'r awyr fel tasat ti'n disgw'l gweld rhyfeddoda yno,' meddai Bryn yn chwareus.

'O . . . ddim isio iddi fwrw eira ydw i, dyna'r cwbwl.' Tanosodiad y ganrif os y bu un erioed, meddyliodd Anna. 'Dydan ni ddim isio'r sglyfath hwnnw, yn nag ydan? Ma'n gas gin i fel ma'r wlad 'ma'n dŵad i ryw ffwl-stop bob tro 'dan ni ond yn ca'l rhyw fodfadd o eira.'

Digon rŵan, Anna: rw't ti'n dechra parablu unwaith eto. Doedd hynny ddim fel Anna o gwbl, ond heno roedd hi ar bigau'r drain. Roedd hi wedi siarad a siarad am ddim byd o bwys ar y daith i'r theatr, ac yn awr ar y ffordd adref, gwyddai fod Bryn wedi synhwyro fod rhywbeth o'i le. Fel arfer, byddai'r ddau'n ddigon bodlon a chysurus yn nhawelwch cwmni'i gilydd. Ond heno . . .

'Ydyn nhw'n *gaddo* eira, felly?'

'Nac ydyn, hyd y gwn i. Ond dydi hynny ddim yn golygu llawar, yn nac 'di? Ti'n gwbod fel ma' nhw, y tywydd ar un sianel yn deud un peth a'r sianel arall yn deud rhwbath cwbwl wahanol.'

Anna – cau hi!

Doedden nhw ddim yn bell o adref erbyn hyn, a'r awyr glir uwch eu pennau wedi'i britho gyda sêr. Roeddynt wedi hen drafod y ddrama, yn y bar ar ôl y perfformiad ac wedyn yn y car am hanner cyntaf eu siwrnai. Malu awyr yr o'n i, meddyliodd Anna; ychydig iawn a sylwais i ar y ddrama. Dw i ddim yn meddwl y baswn i wedi sylwi hyd yn oed tasa'r cast wedi dechrau lladd ei gilydd ar y llwyfan.

Rhywbeth tebyg oedd yn mynd trwy feddwl Bryn. Doedd yntau ddim wedi gallu canolbwyntio rhyw lawer, chwaith. A bod yn onest, go brin y buasai wedi trafferthu mynd i'r theatr petai ar ei ben ei hun; doedd o ddim yn or-hoff o ddramâu Rwseg wedi'u cyfieithu i'r Gymraeg. Anna a grybwyllodd y peth gyntaf, rai wythnosau'n ôl, ac roedd yn braf cael ambell noson allan efo'i gilydd. Ac mae'n siŵr y dylwn i wneud ymdrech i gefnogi'r theatr Gymraeg, meddyliodd . . .

Yna clywodd Anna'n ebychu.

'Mmm . . ?' meddai. Trodd ei ben a gweld fod ei llygaid wedi'u hoelio ar y ffordd o'u blaen.

Trodd yn ei ôl . . .

. . . a gwelodd fod plentyn yn sefyll reit ar ganol y ffordd, tua dau ganllath o'u blaenau. Edrychai fel petai'n syllu i'w cyfeiriad, er bod goleuadau cryfion y car yn siŵr o fod yn ei ddallu.

'Argol . . . be gythral ma' hwn yn 'i 'neud . . ? Anna!'

Yn hytrach nag arafu, sathrodd Anna ar y sbardun, gan ei wasgu nes ei fod yn cyffwrdd â'r carped ar lawr y car.

'*Anna* –!'

Saethodd y car yn ei flaen fel bwled. Roedd gwefusau Anna wedi diflannu i mewn i'w gilydd a'i llygaid yn fawr yn ei phen.

Tyfodd y plentyn yn y goleuadau wrth i'r car ruthro amdano – plentyn gyda gwallt tywyll ac wedi'i wisgo, gallai Bryn fod wedi taeru, mewn pyjamas.

Ac roedd Anna fel . . .

Fel petai hi'n benderfynol o yrru drosto.

'*Anna*–!' gwaeddodd Bryn eto, a'r tro hwn, heb feddwl, cydiodd yn y llyw a'i droi, ond roedd yn rhy hwyr. Diflannodd y plentyn dan foned y car a chaeodd Bryn ei lygaid, gan ddisgwyl clywed y sŵn ofnadwy wrth i'r olwynion yrru drosto. Sglefriodd y car yn ôl ac ymlaen ar draws y ffordd wrth i Anna geisio'i reoli. Tynnodd ei throed oddi ar y sbardun a gwasgu i lawr ar y brêc. O'r diwedd arhosodd y car. Diolch byth fod y ffordd yn dawel yr adeg yma o'r nos, meddyliodd Bryn, ne' mi fasan ni a phwy bynnag arall fyddai'n digwydd dŵad i'n cyfarfod ni yn gelain erbyn hyn.

'*Anna*–?'

Ond doedd Anna ddim yn ei glywed. Eisteddai'n stiff fel procer efo'i dwylo wedi'u rhewi ar yr olwyn lywio, ei llygaid yn fawr a chrwn ac yn syllu'n syth o'i blaen fel petai'r plentyn mewn pyjamas yn dal i sefyll yno.

Y plentyn . . .

Gan hanner griddfan, agorodd Bryn ei ddrws a sgrialu allan o'r car.

Doedd dim golwg o'r plentyn yn unman.

Edrychodd Bryn i bob cyfeiriad, ond roedd y ffordd yn hollol wag. Yna daeth car arall heibio'r tro, y gyrrwr yn arafu wrth iddo weld car Anna o'i flaen ar ochr y ffordd gyda drws Bryn yn llydan agored; gwyliodd Bryn y ddau berson yn y car yn edrych yn chwilfrydig arno ef ac yna ar Anna cyn dweud rhywbeth wrth ei gilydd, chwerthin a gyrru i ffwrdd yn eu blaenau – wedi penderfynu mai cwpwl sy newydd ffraeo 'dan ni, mae'n siŵr, meddyliodd.

Ond roedd o'n falch fod y car wedi dod heibio, oherwydd roedd ei oleuadau wedi cadarnhau fod y ffordd yn wag, nad oedd yna gorff bychan wedi'i wasgu'n waedlyd i mewn i'r tarmac fel draenog marw.

Daeth yr hen gân honno gan Bryn Fôn a'r grŵp Crysbas i'w ben – 'Draenog marw ar y ffordd, ac mae'n drewi i'r uchel nefoedd' – a theimlai fel bloeddio chwerthin dros y lle. Daeth gigl fach sterical o'i fol, i fyny'i wddf ac allan rhwng ei wefusau ac fe'i clywodd ei hun yn canu 'Plentyn marw ar y ffordd . . .'

Yna sobrodd yn sydyn. Roedd rhywun arall yn chwerthin, hefyd – fel petaen nhw wedi mwynhau'r jôc ddi-chwaeth, dila.

Edrychodd Bryn yn wyllt i bob cyfeiriad. Roedd y chwerthin wedi dod o'r awyr, o nunlle ac eto o bobman, ac o'r tywyllwch a orweddai dros y caeau y ddwy ochr i'r ffordd.

Chwerthin plentyn.

Yna daeth rhes o geir eraill heibio, yn union fel petai rhywbeth wedi eu rhwystro rhag dod tan rŵan, pob un yn arafu a phawb oedd ynddynt yn craffu'n chwilfrydig ar Bryn ac yna ar Anna yn ei char. Wedi i'r olaf ohonynt ruo i ffwrdd i'r nos, dychwelodd y tawelwch o'i gwmpas a theimlai'r nos yn anadlu'n oer drosto. Doedd dim i'w glywed erbyn hyn ond sŵn injan car Anna'n canu grwndi wrth ochr y ffordd.

Dychwelodd Bryn ato a gwthio'i ben a'i ysgwyddau i mewn drwy'r drws agored. Eisteddai Anna gyda'i dwylo'n dal i wasgu'r olwyn lywio'n dynn: gallai Bryn weld esgyrn ei migyrnau'n wyn drwy'i chroen.

'Anna –?'

Heb edrych arno, meddai Anna: 'Doedd 'na neb yno, yn nag oedd?'

'Does 'na ddim byd i'w weld, beth bynnag.'

Nodiodd Anna'n araf.

'Nac oes.'

Edrychodd i lawr ar ei dwylo. Agorodd ei llaw chwith ac yna'r un dde, gan wneud ymdrech ymwybodol i ymlacio bob bys fesul un. Gwasgodd ei dwylo ynghau a'u hail-agor, drosodd a throsodd, er mwyn cael ei gwaed i lifo drwyddynt unwaith eto.

Trodd ac edrych arno.

'Ty'd i mewn, Bryn. Awn ni adra.'

Ufuddhaodd Bryn. Roedd yna arogl llosgi yn yr aer, sylwodd: rhaid fod olwynion Anna wedi crafu cryn dipyn ar wyneb y ffordd wrth iddi frecio.

'Be uffarn oedd hynna i gyd?' gofynnodd. 'Welist ti fo, yn do? Yr hogyn bach 'na . . . *roedd* o yno, yn doedd? Anna!'

Caeodd Anna'i llygaid am eiliad neu ddau fel petai cur pen ganddi.

'Doedd 'na neb yno, Bryn. Neb . . . iawn?'

'Be–? Ond . . . *mi welis i fo*! A . . . a mi welis i chdi'n rhoi dy droed i lawr, fel tasat ti'n bendarfynol o'i ladd o, Anna, fel tasat ti'n 'i gasáu o . . .'

‘Ond doedd ’na neb yno! Yn nag oedd?’

‘Doeddat ti ddim i wbod hynny . . .’

‘O’n!’ gwaeddodd Anna ar ei draws. Yna, yn dawelach, ‘O’n, Bryn.’

‘*Sut–?*’

Ochneidiodd Anna.

‘’Chos mae o ’di digwydd i mi o’r blaen, Bryn. Fwy nag unwaith.’

8

Caren

i

Siaradodd y ddau efo'i gilydd, y nos Fercher honno, fel taswn i ddim ar gyfyl y gegin efo nhw; fel taswn i'n ryw weinyddes ddibwys oedd ond yno i dollti coffi a mwy o goffi i mewn i'w mygiau. Eisteddai Anna yn ei chwman uwchben ei mỳg hi, efo'i dwylo wedi'u lapio'n dynn amdano fel tasa hi'n trio sugno bob mymryn o wres ohono fo. Roedd Dad, ar y llaw arall, fel pipi-down – i fyny ac i lawr o'i gadair ac yn pendilio'n ôl ac ymlaen o gwmpas y bwrdd.

'Ond dw i ddim yn *dallt*, Anna!'

'W't ti'n meddwl 'mod i?'

Gwrthododd sbio ar Dad wrth ddweud hyn, ac ella oherwydd fy mod i'n dal i deimlo'n biwis tuag ati hi er gwaetha'r ffordd roedd hi'n edrych, mi glywais i lais bach yn sibrwd yn fy meddwl, *Yndw, dw i yn meddwl dy fod ti'n dallt, fel ma'n digwydd.*

'Ond roedd o *yno* . . .'

'Nag oedd, Bryn. Ddim go iawn.'

'Mi *welis* i fo! Yn hollol glir . . . mi welist titha fo hefyd.'

'Wn i, wn i . . .'

Swniai Anna mor flinedig, fel rhywun fyddai'n rhoi'r byd am gael gorffwys ei phen ar ei breichiau a chysgu'n sownd yno wrth y bwrdd. Ond doedd Dad ddim am adael iddi wneud y ffasiwn beth.

'Felly – roedd o yno. Yn doedd?'

Ddywedodd Anna ddim. Ochneidiodd Dad a gwthio'i fysedd drwy'i wallt. Roedd o wedi dechrau cael ei liw yn ôl erbyn rŵan, ond roedd wyneb Anna cyn wynned ag erioed yng ngoleuni didrugaredd y gegin. Cododd Dad a dechrau pendilio unwaith eto.

'Ma'n rhaid 'i fod o wedi dŵad o rwla . . . ac ma'n rhaid 'i fod o wedi mynd i rwla hefyd. Ysti – dydi o ddim yn . . . yr holl beth . . . dydi o'n gneud dim synnwyr o gwbwl. Plentyn o'i oed o, allan yn 'i byjamas 'radag yna o'r nos, a hitha'n gefn gaea . . . ac rw't ti wedi'i weld o yna o'r blaen, medda chdi?'

Gwyliais Anna'n cau ei llygaid yn dynn.

'Dyna be ddudist ti gynna, yn y car,' meddai Dad. Arhosodd am ryw fath o ymateb pellach oddi wrth Anna, ond daliodd hi i eistedd yno efo'i llygaid ynghau. Daeth hynny o amynedd roedd gan Dad ar ôl i ben.

'Ma' hyn yn hurt bost – dw i'n mynd i ffonio'r heddlu.'

Cychwynnodd am y ffôn a neidiodd Anna'n effro.

'*Na*, Bryn!'

'Pam?'

'Does 'na'm pwynt, yn nag oes. Doedd 'na ddim byd yno.'

Siaradodd Dad yn or-bwyllog. 'Ma'n rhaid i ni 'i riportio fo. Dw i'n gwbod be welis i, Anna. Rw't titha'n gwbod hefyd . . .'

'Nag w't, dyna'r peth! Dw't ti *ddim* yn gwbod be welist ti.'

Taswn i ddim wedi digwydd bod yn ei gwylio'n ofalus, mi faswn i wedi'i golli fo. Wrth iddi ddweud y geiriau yna, mi ges i gip sydyn arno fo – 'mond am eiliad, ond roedd yno yn bendant: yr un olwg yn union â'r un welais i ar wyneb tad Lois y nos Wener cynt yn yr Hen Felin.

A'r tro hwn, mi ddalltais i be oedd wedi'i achosi.

Ofn.

Eisteddodd Dad yn ei ôl wrth y bwrdd. Roedd golwg wedi ymlâdd arno yntau, hefyd, erbyn hyn.

'Does 'na ddim ffasiwn betha ag ysbrydion yn bod,' meddai. '*Does 'na ddim.*'

Syllodd Anna arno am ychydig cyn gosod ei llaw ar ei law ef a chlymu eu bysedd efo'i gilydd.

Doedd yr un o'r ddau wedi hyd yn oed sbio arna i.

ii

Tywynnodd yr haul am weddill yr wythnos honno, heb unrhyw sôn o gwbwl am yr holl law roedd y proffwydi tywydd ar y teledu wedi'i addo. Haul isel y gaeaf, yn sgleinio'n gryf ond â nemor ddim gwres iddo fo.

'Ddim fel y bydd hi yn Fflorida,' tra-la-laodd Lois.

'Nac yn y blydi Bahamas, chwaith,' ochneidiodd Ifor.

Anodd oedd dweud pa un o'r ddau oedd yn mynd ar fy nerfau fwyaf. Ifor am wneud dim byd ond grwgnach – mi faswn i, wrth gwrs, wedi bod wrth fy modd yn cael mynd i'r Bahamas – neu Lois am fynd ymlaen ac ymlaen am Fflorida drwy'r amser. O, roedd hi'n caru pawb a phopeth fwyaf sydyn ac yn gwenu'n rhadlon ar y byd efo'i dannedd gwyn, perffaith.

'Dw i'n cymryd, felly, fod dy dad yn hen foi iawn wedi'r cwbwl?' holais yn bitshi wrthi amser cinio ddydd Iau.

Yn hytrach na'm hosgoi, roedd Lois wedi aros amdana i fel yr arferai ei wneud tan y misoedd diweddar.

'O, yndi. Ond mae o wastad wedi bod yn ocê, go iawn.'

Roedd hi wedi tynnu'i siaced a rowlio'i llawes i fyny'i braich. Craffodd rŵan ar ei chroen, yn amlwg yn dychmygu sut y byddai'n edrych ar ôl bod yn crasu dan haul Fflorida am rai dyddiau.

'Lle'n union 'dach chi am fynd, felly? Orlando?'

'Na, ddim y tro 'ma. Caren, faint ydi'n oed i? Y? Braidd yn hen i fod isio mynd i Disneyworld, ti'm yn meddwl? Na – Kissimmee 'leni.'

'Lle?'

'Caren, Caren . . .' Ysgydwodd ei phen yn drist, ond gwyddwn yn iawn nad oedd hithau, chwaith, wedi clywed am y lle cyn yr wythnos honno.

'Fydd o ddim braidd yn . . . bisâr? Byta dy dwrci Dolig ar lan y môr mewn haul tanbaid?'

'Fyddan ni ddim yn byta twrci, siŵr.' Chwarddodd. 'Caren druan – 'sgin ti ddim syniad, yn nag oes?'

'Wel, ma' Fflorida wastad wedi fy nharo i fel lle taci iawn,' chwyrnais. 'Ddim fel . . . fel y Bahamas, er enghraifft.'

'W't ti 'di bod yno erioed?'

'Y . . . naddo, ond . . .'

'Be am y Bahamas?'

‘Ti’n gwbod yn iawn ’mod i ’rioed wedi bod yn fanno chwaith.’

‘Ga i awgrymu’n garedig, felly, dy fod yn ymatal rhag pasio unrhyw farn nes dy fod yn gwbod am be rw’t ti’n siarad?’

Grrrr . . .

iii

‘Be ydi’r matar efo pawb? Be sy’n bod efo aros adra yn Aberllechi?’

Y fi ddywedodd hyn, ac ar y pryd ro’n i ar fy nglinia’n sgriwio canghennau plastig, gwyrdd i mewn i fonyn plastig, gwyrdd ein coeden Nadolig. Eleni, am y tro cyntaf erioed, teimlai un o’m hoff dasgau fel strach diangen. Gan amlaf, byddaf yn edrych ymlaen at y ddefod arbennig yma – at ddringo i fyny i’r atig a phasio’r darnau i lawr at Dad fesul un, ac yna’r bocsys cardbord lliwgar a’r bagiau Woolworths sy’n cynnwys y peli gwydr, bregus a’r addurniadau eraill; at fynd i’r afael efo’r cwbwl lot wedyn yng nghornel yr ystafell fyw a chreu campwaith Nadoligaidd, artistig y basa Tracey Emin yn falch ohoni, ac at wylio’r pentwr anrhegion wrth droed y campwaith yn tyfu fesul diwrnod.

Ond roedd rhywbeth ar goll eleni.

Roedd y cyffro wedi mynd.

Ol-reit, ro’n i flwyddyn yn hŷn, yn un ar bymtheg oed, ac roedd yn hollol naturiol fod y cyffro bach arbennig hwn yn pallu rhywfaint wrth i’r blynyddoedd fynd heibio. Ond dw i wastad wedi leicio'r Dolig, a'r holl bethau sy'n digwydd o'i gwmpas o, dim ots pa mor naff maen nhw'n ymddangos drwy weddill y flwyddyn. Dw i hyd yn oed yn mwynhau clywed Slade yn ffrwydro allan drwy ddrysau bron bob un siop, a'r seremoni fechan o fynd drwy'r rhifyn tew o'r *Radio Times* gan dynnu cylchoedd coch o amgylch y rhaglenni a'r ffilmiau yr hoffwn eu gwylio. Dw i'n hoffi clywed canu carolau ar y radio ac, weithiau, y tu allan i'r tŷ pan fydd criw yn dod heibio yn hel pres ar gyfer rhywbeth neu'i gilydd, a sefyll yno ar y rhiniog yn gwenu'n llywaeth arnyn nhw nes iddyn nhw ddod at ddiwedd eu carol. Dw i'n hoffi derbyn cardiau drwy'r post, a hyd yn oed sgwennu rhai, a thynnu cracyrs dros weddillion y twrci efo Dad (ac, yn ddiweddar, Anna), a dwn i ddim faint o'r pethau bach gwirion a phwysig eraill sy'n gwneud yr holl beth yn arbennig.

Ond doedd gen i ddim pwt o amynedd efo'r un ohonyn nhw eleni, ac roedd hyn ynddo'i hun yn fy ngwneud yn flin. Ro'n i wedi edrych ymlaen at gael edrych ymlaen, ond roedd bywyd fel petai'n gwneud ati i'm rhwystro.

Bywyd – a phobol. Ro'n i'n gweld bai ar bawb, er bod hyn efallai yn annheg. Ar Lois i ddechrau, am swancio o gwmpas y lle fel tasa hi'n Paris Hilton neu ryw het gyffelyb, fel tasa hi wedi hen arfer jetio i ffwrdd i lefydd paradwysaidd a lliwgar gan ein gadael ni, y bobol bach cyffredin, yma yn ein cynefin bach llwyd. Ar Ifor, hefyd, am wneud rhywbeth tebyg, er nad oedden ni wedi dechrau 'mynd' efo'n gilydd go iawn, er ei fod o'n trio rhoi'r argraff nad oedd yr un owns o awydd mynd arno (ho! – ro'n i'n gallu gweld drwy hynny), er 'mod i'n gwybod fod y gwyliau yn y Bahamas ar y gweill ers cyn i mi fynd draw i'w gartref y noson honno.

Ac ar Dad ac Anna am . . .

Wel, y nhw, decini, yn fwy na Lois ac Ifor efo'i gilydd, oedd wedi taflu cysgod dros bob dim. Mi welon nhw *rywbeth* ar eu ffordd adra o Fangor, does dim dwywaith am hynny. Roedd eu stori'n ddigon crîpi ynddi'i hun, ond yn fwy crîpi fyth oedd yr effaith a gafodd be-bynnag-oedd-o arnyn nhw.

Fy hun, do'n i ddim yn gwybod be i'w feddwl. Do'n i ddim yno, felly roedd yn ddigon hawdd i mi gynnig pob mathau o esboniadau – pethau fel y nos yn chwarae triciau, neu'r gwynt yn chwythu drwy ganghennau coed gan greu cysgodion ar y ffordd, neu oleuadau'r car yn gwneud i gwningen neu ysgyfarnog edrych yn fwy, ac yn fwy dynol, nag yr oedden nhw mewn gwirionedd.

Ond doedd yr un ohonyn nhw'n tycio rhyw lawer efo Dad. Roedd o wedi gweld plentyn mewn pyjamas ar y ffordd fawr, a dyna ddiwedd arni. 'Mi fydda i'n 'nabod cwningan pan fydda i'n gweld un, Caren,' meddai. 'A phyjamas cyffredin oedd gan hwn amdano, nid rhai fel sy gan yr Hogia Bach Coll rheiny yn *Peter Pan*. Felly plîs paid â sôn wrtha i am gwningod.'

Daeth geiriau Anna'n ôl i mi droeon, gan amlaf yn hwyr yn y nos a minnau yn y gwely yn gwrando ar synau'r tŷ yn setlo: *Dw't ti ddim yn gwbod be welist ti.* Ro'n i'n meddwl yn aml am y frawddeg fach yma. Wyth gair, dyna'r cwbwl. Roedd modd ei dweud mewn wyth gwahanol ffordd, gan roi'r pwyslais ar bob un gair gwahanol yn ei dro.

A dim ots pa air oedd yn cael ei bwysleisio, roedd hi'n dal yn frawddeg . . . wel, crîpi. Bob un tro, hefyd, awgrymai'n gryf fod Anna'n gwybod llawer iawn mwy am be-bynnag-oedd-o nag yr oedd Dad.

Ond gwrthodai ddweud, ac roedd hyn yn gyrru Dad yn honco blonc. 'Ma' pobol y lle 'ma'n meddwl 'mod i'n ddigon o ffrîc fel ma' hi, heb iddyn nhw glywad 'mod i'n gweld ysbrydion hefyd,' meddai.

'Does 'na ddim ffasiwn betha!' mynnai Dad.

Edrychodd Anna fel petai hi am ddadlau, ond yn hytrach ysgydwodd ei phen a throi i ffwrdd, cystal â dweud nad oedd unrhyw bwrpas mewn trio dadlau efo dyn mor bengaled. Drannoeth, aeth Dad y tu ôl i'w chefn a ffonio'r heddlu. Na, doedd dim sôn o gwbwl fod yna blentyn wedi cael ei daro gan gar ar y ffordd fawr, nos Fercher na'r un noson arall. Amser cinio, cyfaddefodd wrtha i, ei fod wedi gyrru yno er mwyn gweld y lle yng ngolau dydd; doedd yna'r un tŷ yn agos at y darn arbennig hwnnw o'r ffordd, felly go brin fod plentyn lleol wedi crwydro yno yn ei gwsg.

Aeth yn ffrae rhwng Dad ac Anna dros y ffôn. Dad oedd wedi'i ffonio hi, felly dim ond ei ochr ef o'r sgwrs o'n i'n ei chlywed. Pethau fel:

'Dw't ti ddim o ddifri . . ?'

Yna, 'Anna, ty'd rŵan. Ma' hyn yn hurt bost . . .'

Wedyn, Dad yn ochneidio cyn gofyn: 'Am faint o amsar w't ti'n sôn?'

Ac yna: 'Ond be am ddwrnod Dolig?'

Ac yn olaf, 'Ocê, ocê – os mai dyna be w't ti isio. Jyst un peth – plîs, pan w't ti'n barod, ga i wbod gen ti?'

Ac o roi'r cwbwl at ei gilydd, gan gynnwys iselder

ysbryd Dad ar ôl iddo roi'r ffôn yn ôl i lawr, deallais fod Anna wedi dweud y basa'n well ganddi pe baen nhw ddim yn gweld ei gilydd am ychydig.

Holais Dad yn ddiweddarach, ac o'n, ro'n i'n iawn.

'Ma' hi isio brêc,' meddai. 'Isio *space* . . .' Tynnodd wyneb wrth ddweud y gair.

'Be amdana i?'

Edrychodd arnaf, a deall. 'Damia. Ia – y siop, yndê? Ddudodd hi ddim byd.'

'A wnaethoch chitha' ddim meddwl gofyn.'

'Naddo. Sori.' Trodd at y ffôn. 'Mi ofynna i iddi hi rŵan . . .'

'Na – gadwch iddi ga'l 'i *space*,' dywedais. 'Mi geith hi fy ffonio i os nad ydi hi isio i mi fynd i mewn ddydd Sadwrn.'

Ond wnaeth hi ddim.

9

Anna ac Ows Bach

Mae o'n gwneud hyn yn fwriadol, meddyliodd Anna, yn y gobaith y bydda i'n rhoi'r ffidil yn y to a mynd adref.

Eisteddai ar soffa gyfforddus y tu mewn i ddrws swyddfa fawr, cynllun agored Lloyd Williams, Hopkins & Griffiths.

'Ty'd draw tua dau,' ochneidiodd Ows Bach i lawr y ffôn y diwrnod cynt. 'Ond dallta, alla i ddim rhoi llawar iawn o amsar i ti. Dw i at 'y nghorn gwddw mewn gwaith fel ma' hi.'

Roedd hi bellach bron yn hanner awr wedi dau, a doedd drws swyddfa'r dyn ei hun heb agor eto.

Hawdd y gallai Anna gredu Ows Bach pan ddywedodd ei fod yn brysur. Roedd y ffôn yn canu bron yn ddi-baid, a phan nad oedden nhw'n ateb y ffôn, roedd pob un o'r chwe ysgrifenyddes yn teipio ffwl sbîd. Mi faswn i wedi drysu ymhen munudau taswn i'n gorfod gweithio mewn swyddfa fel hon, meddyliodd Anna; dw i ddim yn gwerthfawrogi digon y tawelwch sydd yn *Pandora's Books* nes dŵad ar draws rhywle fel hyn.

Canodd ffôn arall eto, ond y tro hwn gwelodd Anna un o'r merched yn edrych i'w chyfeiriad cyn nodio a rhoi'r ffôn i lawr.

'Ma' Mr Lloyd Williams yn rhydd rŵan, Miss Pritchard.'

'Diolch . . .' Llwyddodd Anna i ymatal rhag ychwanegu ' . . . byth' wrth godi a cherdded at y drws caeedig. Roedd y ferch yn aros amdani, ac agorodd y drws ag osgo fach flodeuog; bron yr oedd Anna'n disgwyl iddi ganu 'Ta-raaa!' wrth wneud.

'Miss Pritchard,' cyhoeddodd y ferch wrth i Anna gamu i mewn heibio iddi. 'Coffi, Mr Lloyd Williams?'

'Na, dim diolch, Branwen, fyddan ni ddim yn hir.'

Eisteddai Ows Bach y tu ôl i ddesg anferth gyda chyfrifiadur a phentwr o ffeiliau arni. Pwyntiodd at gadair wag gyferbyn ag ef.

'Steddwch, Miss Pritchard.'

Roedd yn ei galw'n 'Miss Pritchard' er mwyn Branwen, sylweddolodd Anna, oherwydd unwaith iddi gau'r drws ar ei hôl, meddai Ows Bach: 'Be uffarn w't ti isio, Anna?'

Atebodd Anna gyda'i chwestiwn ei hun. 'Fasa'n well gen ti taswn i wedi dŵad draw i'r tŷ?'

Syllodd Ows Bach arni am rai eiliadau, yna ysgydwodd ei ben. 'Plîs – stedda, 'nei di?'

Ufuddhaodd Anna. Sylwodd ar Ows yn ymlacio rhyw fymryn wrth iddi eistedd. Dydi o ddim yn leicio gorfod edrych i fyny ar bobol, sylweddolodd. Sylwodd hefyd fod arogl braidd yn gyfoglyd yn y swyddfa, a gwelodd fod sawl un o'r pacedi bach *Glade* rheiny mewn gwahanol fannau yn yr ystafell.

'Rw't ti'n gwbod pam dw i yma, Ows,' dywedodd Anna.

Cododd Ows ei aeliau. 'Ydw i?'

Pwyntiodd Anna at y ffresnydd aer ar sil y ffenestr,

yna at un arall mewn plwg yn y mur, ac at drydydd ar ben y cwpwrdd ffeiliau.

‘’Swn i ddim yn synnu tasa gen ti un yn nrôr dy ddesg hefyd. Trio ca’l gwared ar yr ogla llosgi w’t ti?’

Gwelodd gysgod yn rhedeg dros wyneb Ows.

‘Wa’th i ti heb,’ aeth yn ei blaen. ‘Hyd yn oed tasat ti’n symud dy ddesg a’i gosod hi mewn siop floda, mi fydd o’n dal yn dy ffroena di.’

‘Ia, ocê, Anna . . .’

‘Ogla fel porc yn llosgi, yndê? Wyddost ti be? Mi ddarllenis i erthygl un tro, am ganibaliaid yng nghanolbarth Affrica erstalwm. Roedden nhw’n arfer galw dynion gwyn yn Foch Hir, am mai ogla tebyg i ogla porc . . .’

‘*Digon*, Anna!’

Ochneidiodd Ows a rhedeg ei fysedd drwy’i wallt cyrliog. Yna cododd a mynd at y ffenestr. Craffodd allan.

‘Yndw, dw i yn clywad ogla llosgi,’ meddai heb edrych arni. ‘Drw’r amsar, nes ’i fod o’n troi fy stumog i. Weithia’n wan, wan . . . ond droeon eraill mae o’n gneud i mi gyfogi. A wyddost ti be? Does ’na neb arall yn ’i glywad o.’

‘Oes,’ meddai Anna. ‘Fi – a Marc.’

Nodiodd Ows.

‘Maen nhw yma eto, yn dydyn?’

Trodd, a gwelodd Anna’r ofn ar ei wyneb.

‘Yndyn, Ows.’

Caeodd Ows ei lygaid am eiliad yna dychwelodd i’w gadair. Plethodd ei fysedd fel petai ar fin gweddïo.

'Dw i'n mynd i ffwrdd,' meddai. 'Pawb ohonan ni, i'r Bahamas.'

Ochneidiodd Anna mewn rhyddhad. 'Call iawn. Ma' Marc yn pasa mynd i rwla, hefyd.'

'Be amdanat ti?'

Ysgydwodd Anna'i phen.

'Dw't ti ddim am *aros* yma–?'

''Sgin i ddim llawar o ddewis, yn nag oes, Ows? Fedra i ddim fforddio piciad yn ôl ac ymlaen i'r Bahamas, na nunlla arall chwaith.'

'Na, ond mi fedri di fynd i . . .'

'Lle? Rhwla yn y wlad yma? Dyna be wna'th Stiw Powell – symud o Aberllechi a meddwl y basa fo a'i deulu'n saff. Symud i rwla oedd byth, bron, yn cael eira o gwbwl, a lle'r oedd y siawns o ga'l Dolig gwyn yn is na'r siawns o ennill y loteri. Ond ma' pobol *yn* ennill y loteri, Ows, yn dydyn? Ac mi gafodd Stiw 'i Ddolig gwyn, tra oeddat ti a Marc i ffwrdd yn yr haul.'

Roedd Ows yn eistedd ac yn edrych i lawr ar ei fysedd wrth i Anna siarad, gan ei hatgoffa o hogyn bach drwg yn cael row.

'Roeddan ni i gyd yn meddwl y basa fo'n saff, yn doeddan?' meddai'n dawel. 'Yn meddwl y basa symud yn ddigon pell o'r fan 'ma yn ddigon.' Cododd ei ben ac edrych i fyw llygaid Anna. 'Be yn union ddigwyddodd iddyn nhw, w't ti'n gwbod?'

'Nac 'dw. Rhwbath uffernol. Dw i'm *isio* gwbod, Ows.'

'Trawiada ar y galon, un ar ôl y llall.' Cododd eto a chroesi at y ffenestr. 'Dyna be sy o'n blaena ni, ti'n meddwl?'

‘Ella. Ond does dim ots amdanon ni, yn nac oes?’

Roedd ei llais yn galed ac yn llawn chwerwder. Trodd Ows ac edrych arni eto. Syllai i lawr ar flaenau’r botasau swêd a wisgai dan ei sgert laes.

‘*Ma*’ ots amdanon ni, Anna,’ meddai Ows. ‘Ma’n rhaid i ni fod yma er mwyn edrych ar ’u hola nhw. Y plant.’

‘A be wedyn?’ gofynnodd Anna.

‘Wedyn–?’

‘Ar ôl i chdi a Marc fynd.’

‘Paid, Anna! Dw i’n trio peidio meddwl am hynna! Ma’ Marc hefyd, mi fentra i ddeud . . .’

‘Ond mi ddylach chi!’ meddai Anna ar ei draws. ‘Does yna’r un ohonan ni’n mynd i fyw am byth; mi ddylach chi fod yn meddwl amdano fo. Fyddan nhw ddim yn *blant* yn hir iawn eto. Ma’ dy efeilliaid di bron yn ddeunaw rŵan, ydw i’n iawn?’

‘Fis Ebrill nesa,’ cytunodd Ows.

‘A dydi Ifor ddim yn bell y tu ôl iddyn nhw, ’run oed â hogan Marc. Fedrwch chi ddim edrych ar ’u hola nhw am byth . . .’

‘*Dw i’n gwbod!*’

Sylweddolodd Ows ei fod wedi codi’i lais a thaflodd edrychiad nerfus i gyfeiriad y drws.

‘Dw’t ti ddim yn meddwl ’mod i’n sylweddoli hynny, Anna?’ meddai, yn fwy tawel. ‘Dw i’n gwbod, yn hwyr ne’n hwyrach, ’u bod nhw am droi rownd un diwrnod a deud ’u bod nhw isio mynd i ffwrdd i sgio ne’ rwbath. A be uffarn dw i i fod i’w ddeud wedyn?’

Syllodd Anna’n ôl arno: doedd ganddi ddim ateb i’w gynnig.

'A dw i'n gwbod hefyd na fydda i ddim o gwmpas am byth. Ol-reit – ella, os byddan nhw'n uffernol o lwcus, welan nhw'r un Dolig gwyn ar hyd 'u hoes. Ond, fwy na thebyg . . .' Dychwelodd eto i'w gadair, gan symud fel hen, hen ddyn. 'Dw i ddim yn gwbod be i'w 'neud, Anna. W't ti? Plîs deud wrtha i, os oes gen ti ryw syniad.'

'Dim ond un peth y gallwch chi'i 'neud, hyd y gwela i,' meddai Anna. Dechreuodd Ows Bach ysgwyd ei ben. 'Deud wrthyn nhw, Ows. Deud wrth Gina, ac wrth y plant.'

'Na . . .'

Gwyrodd Anna ymlaen.

'Mae'n *rhaid* i chi, Ows – y chdi a Marc. Fedrwch chi ddim cario 'mlaen fel hyn, o un gaea i'r llall. Ma'r ddau ohonoch chi'n byw ar 'ych nerfa. *Ac ma'n rhaid i'r plant ga'l gwbod.*'

'Fedra i ddim deud wrthyn nhw!'

'Blydi hel, Ows – y nhw ydi'r targed! Ma' gynnyn nhw hawl i ga'l gwbod. Meddylia am be ddigwyddodd i blant Stiw Powell, 'nei di? *Deud wrthyn nhw*. O leia wedyn mi fedran nhw edrych ar 'u hola'u hunain pan na fyddi di o gwmpas.'

'Ma'n ddigon hawdd i chdi siarad, Anna!' cyfarthodd Ows. ''Sgin ti ddim plant!'

Gwgodd Anna arno, gan deimlo fod Ows newydd roddi slap iddi ar draws ei hwyneb.

'Sori, ond mae o'n wir, yn dydi?' meddai Ows. 'Ac ydi – mae o *yn* ddigon hawdd i chdi ista'n fan'na'n beirniadu Marc a fi. W't ti'n credu am eiliad 'mod i ddim isio deud wrthyn nhw?' Chwarddodd yn chwerw. 'Anna – 'swn i'n rhoi'r byd i gyd am fedru deud wrthyn nhw. Ac wrth Gina hefyd. *Ond fedra i ddim.* Fedra i ddim deud wrthyn nhw fod 'u tad nhw'n rhannol gyfrifol am farwolaeth teulu cyfan. Ac yn sicr fedra i ddim deud 'mod i, fyth ers hynny, wedi byw dan felltith rhyw hen jipsan, ac yn ofni fy nghysgod oherwydd 'u bod nhw i gyd yn dŵad yn ôl o'r bedd bob tro ma' hi'n bygwth bwrw eira! Mi fasan nhw i gyd yn meddwl 'mod i'n drysu, a ddim yn gwbod pwy i'w ffonio yn gynta – yr heddlu, ynteu'r seilam!'

Sylweddolodd ei fod wedi codi ar ei draed unwaith eto, a'i fod wedi gwyro ymlaen dros ei ddesg er mwyn gweiddi ar Anna. Daeth cnoc ysgafn ar y drws ac ymddangosodd wyneb pryderus Branwen heibio iddo.

'Ydi pob dim yn iawn, Mr Lloyd Williams?'

Bu bron i Ows chwerthin yn wallgof wrth glywed y cwestiwn hwn. 'Ydi, Branwen, diolch,' meddai. 'Ma' pob dim yn tshampion. Diolch.'

Doedd Branwen yn amlwg ddim yn ei gredu, ond diflannodd yn ei hôl i'r brif swyddfa gan gau'r drws yn dawel.

Edrychodd Ows ar Anna. 'Be amdanat ti, Anna?' meddai. 'W't ti am ddeud wrth Bryn?'

Edrychodd Anna i ffwrdd.

'Na, ro'n i'n ama,' meddai Ows. 'O'r gora, dw i ddim yn gwbod be ydi'r sefyllfa rhyngoch chi'ch dau, a dydi o'n ddim o fy musnas i. Ond yn 'y marn i, ma' Bryn a chdi yn gweddu i'r dim i'ch gilydd, a dw i'n siŵr mai'r unig beth sy'n 'ych rhwystro chi rhag priodi ydi'r ffaith fod plentyn gan Bryn. Ac y basa Caren, wedyn, yn blentyn i chditha hefyd. Ddim trw' waed, dw i'n gwbod, ond eto . . . Ydw i'n iawn?'

Gwrthododd Anna ag edrych arno, ond gwelodd Ows ddeigryn mawr yn llifo i lawr ei boch.

'Y chdi oedd yr unig un ohonan ni i gymryd y peth o ddifri, Anna,' meddai, ei lais bellach yn llawn tristwch. 'Wel – y chdi a Stiw, i radda. Dyna pam nad w't ti erioed wedi setlo, yndê? Erioed wedi ca'l plentyn. Roedd Marc a finna – wel, wna'thon ni ddim gwrando, yn naddo? Yli be wna'thon ni. Aros yma, priodi a cha'l plant. *'U herio nhw* – dyna be wna'thon ni'n dau, yndê? Rydan ni wedi'u herio nhw ers ugain mlynadd. A wyddost ti be? Dw i am 'u herio nhw am ugain mlynadd arall, os medra i. Ac am ugain arall wedyn hefyd.'

Cododd Anna a brysio am y drws, ei llygaid yn llawn dagrau.

'Dyna'r unig beth y galla i 'i 'neud, Anna,' meddai Ows o'r tu ôl iddi. ''U herio nhw. Chaiff y diawliaid ddim cyffwrdd yn 'y mhlant i. Dw i'n gwbod 'u bod nhw yma, 'u bod nhw wedi dechra hel o gwmpas y lle 'ma; dw i wedi'u teimlo nhw, 'u hogleuo nhw a'u gweld nhw hefyd, weithia. Amball gip . . . Anna, os w't ti isio pres, i fynd i ffwrdd i rwla . . ?'

Trodd Anna ac edrych arno. Ysgydwodd ei phen.

'Rw't ti'n ddewr uffernol,' meddai Ows. 'Ond ella 'i bod yn haws i rywun fod yn ddewr os ydyn nhw ar 'u pennau'u hunain.'

'Rw't titha ar dy ben dy hun hefyd, Ows,' llwyddodd Anna i'w ddweud.

Edrychodd Ows arni, yna nodiodd. Caeodd Anna'r drws arno, un ffigwr bach unig y tu ôl i'w ddesg anferth.

10

Dwy fam

i

Yr eironi oedd bod y ddwy wedi gadael eu cartrefi y prynhawn Gwener hwnnw efo'r bwriad o gadw'n heini.

O fod yn *iach*.

Fel arall, roedden nhw'n dra gwahanol i'w gilydd. Roedd un yn olau a'r llall yn dywyll; un yn gwenu bob tro y meddyliai am ei gŵr, a'r llall yn ceisio peidio â meddwl am ei gŵr hi. Roedd un yn dri deg naw oed a heb fod yn edrych ymlaen o gwbl at ei phen-blwydd nesaf, diolch yn fawr, a'r llall wedi hen ddringo'r gamfa arbennig honno ac yn ei chysuro'i hun fod ganddi saith mlynedd arall i fynd cyn y garreg filltir (anferth!) nesaf.

Roedden nhw'n nabod ei gilydd, oedden, ond doedden nhw ddim yn ffrindiau, fel y cyfryw: ambell 'Helô' wrth basio'i gilydd ar y stryd, neu wrth daro ar ei gilydd mewn archfarchnad. Troi o fewn cylchoedd gwahanol roedden nhw. Roedd un yn hoffi mynd allan ar dripiau hwyliog gyda chriw o ferched tebyg iddi hi'i hun, gwylio operâu sebon a rhaglenni ysgafn ar y teledu, darllen llyfrau ffeithiol gan bobol a gafodd gam pan oedden nhw'n blant, gwrando ar Robbie Williams, a mwynhau canu gwlad a *line dancing*. Roedd y llall yn fwy hoff o aros gartref yn darllen nofelau Ian McEwan, Anne Tyler a Hariku Murakami, gwrando ar gerddoriaeth glasurol a gwylio dim ond ambell ffilm neu raglen ddogfen ar y teledu.

Ond roedd y ddwy yn famau; roedden nhw hefyd, y prynhawn hwnnw, ill dwy yn meddwl am fel y byddent, ymhen ychydig ddyddiau, yn treulio'r Nadolig ymhell i ffwrdd o Aberllechi.

ii

Gadawodd Gwennan y tŷ am chwarter wedi dau, wedi'i gwisgo mewn siwt loncian pinc a gwyn a oedd, credai, yn gweddu iddi i'r dim, a'i gwallt golau wedi'i glymu'n ôl mewn cynffon ceffyl hir. Roedd bron i flwyddyn bellach ers iddi lwyddo (ar ôl sawl ymdrech) i roi'r gorau i'r sigaréts, ac er ei bod weithiau bron â marw o eisiau smôc, deuai'r troeon rheiny'n llai a llai aml yn awr. Dechreuodd redeg tua'r un adeg – ia, y hi, nad oedd wedi rhedeg ers iddi ffarwelio â'i gwersi ymarfer corff yn yr ysgol dair blynedd ar hugain yn ôl. Bellach, edrychai ymlaen at gael mynd ar ei phen ei hun drwy'r parc, i fyny'r rhiw a arweiniai o'r harbwr ac ar hyd y lonydd gwledig, gwrychog a ddeuai â hi yn y pen draw at geg y briffordd; arferai aros yno a chael ei gwynt yn ôl cyn troi am adref.

Gwnâi hyn fel arfer ar brynhawn Sadwrn, ond roedd ganddi ddiwrnod rhydd o'r swyddfa cyfrifwyr lle y bu'n gweithio fel ysgrifenyddes ers iddi ymadael â'r ysgol. Treuliodd y bore'n smwddio a phacio dillad haf ar gyfer eu gwyliau, dillad nad oedd hi wedi meddwl y byddai angen sbio arnynt am saith mis arall. Ond roedd Marc –

a gwenodd Gwennan wrth feddwl amdano – wedi cyrraedd adref y diwrnod o'r blaen gyda choblyn o syrpreis iddyn nhw i gyd. Roedd hyd yn oed Lois – a oedd yn isel ei hysbryd, am ryw reswm, yn gwrthod bwyta ac yn methu â chysgu – wedi gwenu a'i gusanu!

Fe wnâi bron i bythefnos yn yr haul fyd o les iddyn nhw i gyd – iddi hi a Marc yn enwedig. Roedd rhyw bellter rhyfedd wedi tyfu rhyngddynt yn ddiweddar, ac oni bai fod Marc gartref bron bob noson buasai Gwennan wedi ofni ei fod yn gweld dynes arall.

Gwnâi'r gwyliau les i Deian hefyd – roedd o wedi dechrau cerdded yn ei gwsg. Neu wedi ailddechrau: gwnâi hyn yn aml pan oedd yn blentyn bach, a bu'n rhaid i Marc roddi giât fawr ar ben y grisiau rhag ofn i Deian faglu'n bendramwnwgl i lawr ryw noson. Neithiwr, deffrodd Gwennan a Marc i'w weld yn sefyll wrth droed eu gwely, yn rhythu arnynt ond yn amlwg yn gweld dim, ac yn mwmblan rhyw eiriau rhyfedd. Aeth y ddau ohonyn nhw â Deian yn ôl i'w wely. Roedd ei ystafell yn oer aruthrol, fel petai'r ffenestri i gyd yn agored led y pen. Ond doedden nhw ddim, ac roedd y gwresogydd yn dal yn gynnes. Wrth i Deian setlo'n ôl i gwsg naturiol, dechreuodd yr ystafell gynhesu unwaith eto. Rhyw nam ar y gwres canolog, oedd barn Marc: roedd am fynd i'r afael â'r broblem heno 'ma.

Ni fyddai'n rhaid iddyn nhw boeni am wres canolog ymhen ychydig o ddyddiau, fodd bynnag. Tybed a fydd hi'n rhy boeth i mi redeg yn Fflorida? meddyliodd Gwennan wrth fynd drwy'r parc. Hawdd iawn oedd iddi'i dychmygu'i hun yn codi ben bore cyn i'r gwres gychwyn go iawn ac yn loncian dan gysgod coed palmwydd i lawr i'r traeth, ac yna dros dywod gwyn ger fôr glaswyrdd, neb ond y hi ac ambell i belican . . . ac, efallai, George Clooney. Onid oedd tŷ ganddo yn Fflorida? Mwynhaodd Gwennan ffantasi fechan, wrth fustachu i fyny'r rhiw, am Clooney yn rhedeg i'w chyfarfod ar hyd y traeth efo'i wên lydan, wen yn ei dallu, am ei freichiau cryf yn cydio amdani, ei chodi a'i dodi'n ofalus i lawr ar y tywod . . .

Callia! meddai wrthi'i hun, allan yn y wlad rŵan ac yng nghysgod y gwrychoedd uchel, anhydrin a moel, a rhyw arogl anghyffredin yn yr aer fel tasa rhywun yn ca'l barbeciw yn rhywle cyfagos. Fel tasa gan George Clooney unrhyw ddiddordeb mewn ysgrifenyddes fach ddi-nod fel y chdi, un sydd â'i dyddiau gorau ymhell y tu ôl iddi er gwaetha dy ymdrechion i gael rhyw adlais bychan ohonyn nhw'n ôl.

Ond dw i *yn* edrych yn dda yn fy siwt jogio pinc-a-gwyn . . .

Gwennan! Anghofia am Clooney, 'nei di? Canolbwyntia ar y lle – Fflorida. Meddylia am yr haul ar dy groen, am y tywod rhwng bysedd dy draed, am y môr cynnes yn golchi fel felfed dros d'ysgwyddau, am yfed margaritas yng ngolau'r machlud . . .

. . . ac yna cafodd yr argraff bendant fod rhywbeth yn ei dilyn.

Nid o'r tu ôl iddi, fodd bynnag. Na, roedd beth bynnag oedd yno'n cyd-redeg efo hi, ond yr ochr arall i'r gwrych trwchus a blêr a redai ar hyd ochr y lôn fach wledig hon. Meddyliodd Gwennan i ddechrau mai ci defaid o un o'r ffermydd lleol oedd yno.

Na, Gwennan – ma' hwn yn rhedeg ar ddwy goes, nid pedair.

Gallai ei weld o gornel ei llygad chwith, cipolygon sydyn drwy ambell fwlch bychan rhwng brigau pigog y gwrych – gwrych oedd yn rhy drwchus iddi fedru gweld trwyddo'n glir, ac yn rhy uchel iddi fedru gweld drosto.

Brysiodd ychydig ar ei chamau, gan glywed dim ond sŵn ei hesgidiau rhedeg *Nike* yn taro yn erbyn wyneb y lôn, *slap-slap, slap-slap* . . . Cafodd gip arall arno o gornel ei llygad – cysgod tywyll yn llamu'n ddidrafferth, bron fel tasa fo'n ei sbeitio. Erbyn rŵan roedd Gwennan yn rhedeg nerth ei thraed. Doedd hi erioed wedi carlamu fel hyn o'r blaen a dechreuodd deimlo hen bigyn bach poenus yn brathu'i hochr ond *dw i ddim isio aros ac edrych pwy sy 'na 'cos dw i ddim yn meddwl 'mod i isio gweld a dw i 'di dŵad yn rhy bell rŵan i droi rownd a mynd yn ôl a dw i ddim isio hyd yn oed arafu ddigon er mwyn troi*, meddyliodd.

Gallai weld ceg y lôn o'i blaen, a'r ffordd fawr. Gallai weld loriau a cheir yn gwibio heibio ac roedden nhw mor *normal*, diolch byth. Mentrodd edrych eto i'r chwith, a hei! – doedd dim byd yno, dim byd i'w weld drwy'r drain a'r brigau duon. Dechreuodd feddwl mai dychmygu'r cyfan wnaeth hi – pan sylweddolodd fod rhywun y tu ôl iddi'n awr ac mai'r peth olaf un y dylai ei wneud oedd ymlacio ac arafu. Bron na allai deimlo'i fysedd hir, yn plwcio'i chynffon ceffyl yn chwareus wrth iddi redeg, rhedeg, rhedeg yn ei blaen am y ffordd fawr . . .

iii

Teimlai Gina awydd sgrechian, awydd rhuthro o ystafell i ystafell a gwagio'r cesys dillad dros ganllaw'r grisiau nes fod pob un dilledyn yn hedfan i lawr i'r cyntedd.

Pam na fedrai ei phlant bacio'u dillad eu hunain, go damia nhw? Roedd y tri ohonyn nhw'n ddigon hen. Buddug fyddai'r waethaf, gwyddai, yn mynd drwy'r bag wedyn gyda chrib mân ac yn troi'i thrwyn ar bron popeth roedd ei mam wedi'i olchi a'i smwddio a'i bacio'n ofalus.

A dydi o ddim fel taswn i isio mynd yn y lle cyntaf!

Bu Gina'n ceisio ymresymu â'i hun ers i Ows ddod adref y noson honno gyda'i 'syrpreis'; oedd hi'n anniolchgar? Wedi'r cwbl, buasai naw deg naw pwynt naw y cant o bobol yn dotio at y cyfle i gael treulio'r Nadolig yn y Bahamas. Yn wir, buasai'r rhan fwyaf yn falch o gael y cyfle i anghofio'n gyfan gwbl am y Nadolig – am y ffars fasnachol flynyddol, am y gorwario a'r gorfwyta a'r goryfed a'r gor-bopeth arall. Straen oedd yr ŵyl i nifer fawr o bobol bellach, ac roedd o'n llusgo ymlaen mor wirion o hir: bron na allai rhywun *glywed* yr ochenaid fawr o ryddhad a siglai'r wlad ar yr ail o Ionawr bob blwyddyn.

Buasai'r rhan fwyaf, felly, wrth eu boddau petaen nhw'n cael gorwedd ar draeth melyn neu ar wely cyfforddus wrth bwll nofio glas, yn hytrach na chwysu uwch ben homar o dwrci a'r holl lysiau ac yn mynd yn fwy a mwy blin oherwydd mai'r unig ddihangfa oedd yr ystafell fyw lle'r oedd y teledu yn chwydu un rhaglen wael ar ôl y llall dros yr aelwyd.

Beth, felly, oedd yn bod arni hi?

Hunanoldeb, cyfaddefodd. Roedd hi wedi gwneud ei chynlluniau ar gyfer y Nadolig, a dyna ben arni. Un felly y bu hi erioed, gwyddai: unwaith yr oedd hi wedi penderfynu ar rywbeth, anodd iawn oedd ei chael i newid ei meddwl. Wedi'r cwbl, doedd hi ddim wedi edrych ymlaen cymaint â hynny at gael ei rhieni draw, na chwaith at orfod cynnal parti Nos Galan: yn wir, doedd hi ddim wedi anfon hanner y gwahoddiadau eto, er iddi roi'r argraff i Ows fod yn rhaid iddi rŵan ffonio dwsinau o bobol a chanslo.

Ond go damia fo, dylai Ows fod wedi o leiaf trafod y peth efo hi yn gyntaf, yn lle cymryd arno'i hun i benderfynu popeth.

Ac i goroni'r cyfan, roedd yr hanner awr ddiwethaf a dreuliodd o flaen y drych wedi dangos iddi'n glir nad oedd y rhan fwyaf o'i dillad haf neisiaf yn ei ffitio prin chwe mis ar ôl iddi eu prynu.

Ildiodd. 'Aaaaarrrggghhh–!' bloeddiodd dros y tŷ, cyn dringo i mewn i'w thracsiwt, cipio allweddi'r BMW a gyrru i ffwrdd am y gampfa.

Roedd ganddynt aelodaeth teulu yng nghampfa Moelwyn Manor, gwesty mawr oedd dair milltir y tu allan i Aberllechi. Penderfynodd Gina y byddai heddiw'n treulio amser ar bob un wan jac o'r peiriannau arteithio oedd yn aros amdani yn y gampfa – y beic, y peiriant rhwyfo, y peiriant cerdded, y stepar uffernol hwnnw oedd fel dringo'r Wyddfa mewn botasau deifio dur, y meinciau codi pwysau ac, yn olaf, fel gwobr, y pwll nofio.

Nid y byddai hynny'n gwneud unrhyw wahaniaeth i'r bloneg a welodd yn y drych yn gynharach, meddyliodd, ond o leiaf byddai'n gwneud iddi hi deimlo rhyw fymryn yn well.

Roedd cael bod allan o'r tŷ yn gwneud hynny. Doedd hi ddim yn teimlo'n gyfforddus yno'r dyddiau hyn, am ryw reswm, yn enwedig pan oedd hi yno ar ei phen ei hun. Teimlai fel petai rhywun yn ei gwylio drwy'r amser. Oedd Ows wedi gosod camerâu dirgel yma ac acw, heb ddweud wrthi? Wel, nac oedd, wrth reswm, ond felly y teimlai i Gina. Edrychai i fyny'n aml i gyfeiriad y drysau agored rhwng ystafelloedd, wedi cael yr argraff gref fod rhywun newydd sleifio heibio, ond wrth gwrs doedd neb yno. A'r un peth wedyn, allan yn yr ardd – rhyw deimlad fod rhywun yn cuddio yno ac yn rhythu i mewn arni drwy'r ffenestri.

Straen. Straen y Nadolig, mae'n siŵr.

Roedd y plant, hefyd, wedi dechrau ei deimlo, ond roedden nhw wrth gwrs dan straen ychwanegol gyda'u cyrsiau lefel A. Deffrodd Gina echnos i glywed Buddug yn gweiddi o'i hystafell, yn argyhoeddedig ei bod wedi agor ei llygaid a gweld wyneb rhywun yn hofran dim ond modfedd neu ddwy uwchben ei hwyneb hi.

Wyneb dynes ganol oed, yn gwgu'n ffiaidd arni.

Breuddwyd cas, wrth gwrs.

Ond roedd Owain hefyd yn amlwg yn cael trafferth cysgu; cerddai o gwmpas y lle fel sombi, ei wyneb yn wyn ac yn edrych yn wan fel cath, ond yn flin fel tincar ac yn arthio bob tro y mentrai Gina ofyn beth oedd yn bod.

Ac Ifor . . .

Gwenodd Gina am y tro cyntaf ers iddi eistedd yn y car. Roedd Ifor, chwarae teg iddo, yn tshampion, ond roedd ei feddwl yntau yn rhywle arall y dyddiau yma. Neu, yn hytrach, ar *rywun* arall.

Mae fy hogyn bach i'n tyfu i fyny, gwaetha'r modd, meddyliodd Gina. Ond roedd Caren i'w gweld yn hogan ddigon dymunol, yn hogan gall. A doedd hi ddim yn gwybod lle i'w rhoi'i hun y noson o'r blaen ar ôl llewygu. Mi aeth yn reit wyn eilwaith, cofiodd Gina'n awr, yma yn y car wrth i mi fynd â hi adref; ro'n i'n ofni am eiliad ei bod am chwydu dros y seddi a'r carped . . .

Nefi wen, be *oedd* yr oglau ofnadwy yna? Rhyw hen arogl melys, cryf a chyfoglyd, fel tasa rhywun wedi bod yn bwyta rhywbeth yn y car . . . bwyta beth? Roedd yn ei hatgoffa o rywbeth . . .

Porc! Dyna fo. Roedd yn ei hatgoffa o'r diwrnod hwnnw pan aethant i gyd i ŵyl ganoloesol yn Rhuthun; cafodd mochyn ei rostio ar sbit yn y sgwâr, ac roedd arogl y porc wedi dod â dŵr i ddannedd y pump ohonynt.

Ond codi pwys wnâi'r arogl hwn, ac roedd yn llenwi'r car, er gwaetha'r ffaith fod Gina wedi agor ei ffenestr i'r hanner ers meitin.

Gyrrodd allan o Aberllechi. Roedd y ffordd fawr o'i blaen a rhoes ei throed i lawr; agorodd ffenestr arall gan obeithio y byddai'r gwynt a ruai drwy'r car yn disbyddu'r drewdod.

Ond na – mynd yn waeth yr oedd o, os rhywbeth. Fel petai yna blatiad o borc poeth ar y sedd wrth ei hochr.

Fel petai yna rywun oedd ond newydd fwyta platiad o'r fath yn . . .

. . . yn eistedd reit y tu ôl i mi yn y sedd gefn ac yn anadlu drosta i!

Teimlodd Gina'i stumog yn troi ac yna'n codi y tu mewn iddi. Wrth i'r chwd ffrwydro allan o'i cheg, cafodd gip sydyn o gornel ei llygad ar rywun yno y tu ôl iddi, yn y car, yn y sedd gefn – cip sydyn ar wyneb gwyn, ofnadwy . . .

. . . a'r un eiliad cafodd gip arall ar rywbeth pinc a gwyn yn rhuthro allan i'r ffordd reit o flaen y car. Sathrodd ar y brêc a throi'r olwyn yn wyllt wrth chwydu, ond roedd yn rhy hwyr . . . tarodd ochr y car yn erbyn y ffigwr pinc a gwyn ac yna roedd y BMW yn sglefrio'n wyllt oddi ar y ffordd ac am y gwrych ac i mewn i'r ffos. Cododd y bag gwynt i fyny allan o'r olwyn lywio fel balŵn galed . . .

. . . a throdd y prynhawn Gwener braf o Ragfyr yn nos dywyll i'r ddwy fam.

11

Bryn

Oes 'na rywun fasa'n leicio prynu capel?

* * *

Mae'n gas gen i feddwl am y dydd pan fydda i'n gorfod ysgwyd llaw â phwy bynnag brynith yr hen gapal Seion 'ma. Bydd yn rhaid i mi droi i ffwrdd er mwyn cuddio'r deigryn fydd, dw i'n gwybod, yn sgleinio yn fy llygad.

Mae'n rhyfedd, ond dw i ddim yn berson crefyddol o gwbl. Dw i'n amau'n gryf nad oes yna rhyw nefoedd neu uffern yn aros amdanom tu hwnt i'r bedd neu'r amlosgfa. Fwy na thebyg, yr unig beth a wnawn fydd – fel y dywedodd T.H. Parry-Williams – 'llithro i'r llonyddwch mawr yn ôl'.

Wedi dweud hynny, buasai fy nghael fy hun mewn rhyw fath o nefoedd yn syrpreis bach neis, felly dw i *yn* ceisio byw bywyd gweddol Gristnogol drwy drin pobol eraill fel y baswn i'n hoffi cael fy nhrin ganddyn nhw.

Ac wrth gwrs, roedd pob mathau o bethau'n mynd trwy fy meddwl pan gollais i Delyth. Ro'n i'n crefu am allu meddwl amdani hi yn y nefoedd hon, ond eto'n methu'n lân â chredu y buasai unrhyw Dduw'n ddigon creulon, yn ddigon sbeitlyd, â'i chipio oddi arnaf yn y lle cyntaf.

'Ma' Mam wedi mynd at Iesu Grist.'

Roedd fy mam yn gallu dweud y frawddeg yma wrth Caren ag argyhoeddiad na fedrwn i mo'i roi yn fy llais. Rhyw sbio'n gam arna i a wnâi Caren, er ei bod mor ifanc. Un tro, meddai wrthyf: 'Ma' hi'n hir iawn efo fo. Pryd fydd hi'n dŵad yn 'i hôl?'

Sut mae egluro 'byth' i blentyn ifanc? Tasa argyhoeddiad fy mam gen i, hwyrach y basa'r cyfan wedi bod yn haws. Ond doedd o ddim, er gwaetha'r holl oriau a dreuliais rhwng furiau'r hen gapel hwn yn ystod fy mlynyddoedd cynnar.

Neu, efallai, o'u herwydd. Cael fy ngorfodi i ddŵad yma yr o'n i, gan amlaf – heblaw am adeg y Nadolig, wrth gwrs. Roedd Dad yn flaenor ac ysgrifennydd yma, ac felly, pob Sul, byddwn innau yma hefyd, yn eistedd ar fy mhen fy hun yn sedd rhif 9 drwy gydol oedfaon y bore hefo lleisiau dyn a ŵyr faint o bregethwyr yn gwenynu dros fy mhen, yn cyfri'r munudau tan y cawn, o'r flwyddyn yr oeddwn yn ddeuddeg oed ymlaen, godi a mynd o gwmpas i hel y casgliad mewn blwch pren, gloyw a edrychai fel padell ffrio gyda handlen oedd yn wirion o hir.

I'r Ysgol Sul, wedyn, am ddau o'r gloch y prynhawn. Dw i'n cofio f'athrawon i gyd: Mrs Ifas fach, Mrs Ellis, Miss Williams (a drodd un wythnos yn Mrs Hughes), a Mr Ellis. Arferai cariad, ac wedyn gŵr, Mrs Hughes adael bagiad o *Quality Street* i ni'r plant ar y sedd gefn, ger y drws, bob dydd Sul; hyd yn oed pan na fedrai fod yno'i hun, roedd y bag, drwy wyrth, wastad yn ymddangos.

Ond pur anaml yr oeddwn yn gorfod dod yma gyda'r nos ar y Sul. Dim ond o gwmpas y Nadolig. Yn ystod yr wythnos – ar nos Lun, gan amlaf, dw i'n siŵr – roedd yna gyfarfod y plant. Y *Band of Hope*.

A phob Nadolig, wrth gwrs, roedd yna barti, efo J.W. Jones yr organydd mewn gwisg Siôn Corn, yn ymddangos wrth i bawb ganu 'Pwy sy'n dŵad dros y bryn?'

O'n i'n casáu gorfod dŵad yma bob Sul? Ar y pryd, ac wrth i mi dyfu'n hŷn, ro'n i'n meddwl yn siŵr fy mod i ac yn cynddeirio bob tro y clywn guriad cadarn Dad ar ddrws fy llofft.

Brenin mawr, roedd popeth mor *boring*, fel y basa Caren a'i ffrindiau'n ei ddweud. Yr un peth, bob bore Sul: emyn, darlleniad, emyn, gweddi hir, emyn, pregeth, emyn, cyhoeddiadau a'r casgliad, emyn, gweddi fer . . . ac o'u rhestru fel hyn mae'n edrych fel coblyn o lwyth i gael ei wasgu i mewn i awr, ond i hogyn ar drothwy'i arddegau, teimlai'r awr honno fel bore cyfan.

Yn ddeunaw oed, cefais fy medyddio yma, o dan y pulpud mewn dŵr rhynllyd ar fore braf o Awst. Welodd neb yr un ysbryd glân yn codi ohonof fel colomen, ond dw'n dal i deimlo ias hyd heddiw bob tro dw i'n meddwl am y bedydd. Nid yr ias dw i'i fod i'w theimlo, chwaith, ond un mwy annifyr. Teimlai'r holl beth bron fel dienyddiad. Dyna lle'r o'n i, mewn sedd wrth ochr y pulpud, ar fy mhen fy hun eto ac wedi fy ngwisgo mewn trowsus a chrys gwyn, a'r gweinidog mewn casog ddu, sinistr. Pan ddaeth yr amser, dringais i fyny'r grisiau i'r pulpud fel petawn i'n dringo at y crocbren, a chamu i mewn i'r dŵr i fyny at fy nghluniau, a theimlo'r llaw yn cydio â chefn fy ngholer a blaen fy melt, a chyda'r gynulleidfa i gyd yn canu 'Dilyn Iesu', i lawr â mi dan y dŵr.

Ddiwedd yr haf hwnnw, es i ffwrdd i'r coleg a phur anaml wedyn y tywyllais borth capel, heblaw am ddydd fy mhriodas yng nghapel Delyth yn Wrecsam. Gwych, ar y pryd, oedd cael canu'n iach i'r oriau syrffedus rheiny, a gwnes hynny'n llawen gyda difaterwch dyn ifanc.

Rŵan, hoffwn pe bawn i'n gallu cael ambell un ohonyn nhw'n ôl. Nid i gyd, o bell ffordd – argol fawr, dydw i, hyd yn oed, ddim cymaint o ramantydd masocistaidd â hynny.

Ond – yn rhy hwyr – dw i wedi dod i sylweddoli mor werthfawr yr oedden nhw mewn gwirionedd. Nid cymaint yn ysbrydol, efallai, ond o edrych yn ôl, dw i'n barod i daeru fod yr addysg wythnosol a gefais yma'n fwy amhrisiadwy o beth myrdd na'r un beunyddiol a gefais yn yr ysgol.

Neu, efallai, dw i wedi syrthio i mewn i fagl y rhamantydd ac yn cysylltu oriau'r capel â'm plentyndod, a'r dyddiau pan oeddwn yn saff.

Ta waeth. Gan fod yr allweddi yng ngofal fy nghwmni i, byddaf yn sleifio yma ar ambell i brynhawn, a chrwydro drwy'r festri llychlyd gyda'i chwpwrdd gwydr yn llawn o dyllau pry' a hen esboniadau na fydd neb eto'n breuddwydio am eu darllen, drwy'r drws trwm ac i lawr grisiau'r pulpud, heibio i'r Sêt Fawr nes cyrraedd sedd rhif 9 unwaith eto.

Ac weithiau byddaf yn llwyddo i gael rhyw friwsionyn bychan o un o'r oriau coll rheiny'n ôl a chofio'r amser pan na chyrhaeddai fy nhraed y llawr, pan oedd yn rhaid i mi sefyll er mwyn i'm talcen fedru gorffwys ar y silff fechan, gul o'm blaen wrth weddïo.

Wrth synhwyro arogl pren y seddi gallaf gofio wynebau'r blaenoriaid i gyd oedd yn fy wynebu yn ystod pob emyn. Gallaf weld pen cyrliog, llwyd J.W. Jones wrth yr organ; gallaf glywed unwaith eto lais crynedig Ruth Tomos, ddwy sedd y tu ôl i mi, yn llusgo canu allan o diwn. Gallaf glywed tipian amyneddgar ac undonog y cloc mawr ar y mur a sŵn dannedd Aubrey Parri yn crinshian *mint imperials*; gallaf deimlo unwaith eto'r gwres o'r peipiau dan ein sedd yn cynhesu blaenau fy nhraed drwy ledr f'esgidiau gorau, a phren y sedd ei hun yn oer, i ddechrau, ar gefnau fy nghoesau ond byth yn hir iawn cyn cynhesu'n anghyfforddus (doeddan ni ddim yn ddigon posh na digon pwysig i gael un o'r clustogau hirion rheiny) ac yn glynu am eiliad i'm croen pan, o'r diwedd, daeth yr amser i sefyll ar gyfer yr emyn olaf.

* * *

1838.

Dyna pryd y cafodd Seion y Bedyddwyr ei adeiladu, neu ei sefydlu. Nid yw'n gapel mawr: lle i ryw dri chant i eistedd yn (weddol) gyfforddus, ac mae'n siŵr fod yna adegau pan oedd tri chant a mwy o ben-olau'n troi'n ddideimlad ar wynebau pren y seddau.

Dw i ddim yn cofio'r dyddiau hynny, wrth gwrs. Lleihau a chrebachu a wnâi'r aelodaeth yn fy nyddiau i: erbyn i mi adael y coleg, roedd prin hanner dwsin yn mynychu'r lle.

Caewyd ef ddwy flynedd yn ôl. Mae'n lwcus, yn wir, na chafodd ei ddymchwel: dyna beth oedd tynged dau o gapeli eraill y dref, a heddiw mae hynny sydd ar ôl o'r ffyddloniaid, yn Fedyddwyr, yn Fethodistiaid, yn Wesleaid neu'n Annibyns, yn ymgynnull dan do digymeriad adeilad newydd sbon sy'n meddwl ei fod yntau hefyd yn gapel.

A rŵan, mae capel Seion ar werth.

Am £95,000.00

* * *

Oes 'na rywun fasa'n leicio prynu capel?

12

Caren

i

Gwawriodd bore Sadwrn – Noswyl y Nadolig – yn braf a chlir. Dw i'n gwybod hynny oherwydd mi welais i'r blwmin peth yn digwydd.

Mi ges i'r un hen freuddwyd cas hwnnw eto, coeliwch neu beidio, am fflamau cochion a mwg du a phobol yn sgrechian, fel hwnnw ges i ddechrau'r wythnos ar ôl i Dad ddweud yr hanes am John Gawi'n colli'i gariad pan aeth ei charafán ar dân.

Do'n i ddim yn un am freuddwydio, fel arfer. Wel, hyd y gwyddwn i, beth bynnag. Dw i wastad wedi bod yn un dda am fynd allan fel cannwyll a chysgu wedyn fel twrch; weithiau, prin y byddaf yn symud yn fy nghwsg, ac ychydig iawn o waith tacluso sydd ar fy ngwely y bore wedyn.

Roedd i mi gael breuddwyd cas, felly, yn ddigwyddiad gwerth ei nodi. I mi gael yr un breuddwyd ddwywaith o fewn yr un wythnos . . . wel, dechreuais feddwl fy mod yn dipyn o ffrîc, a bod yn onest.

Gorweddais yno nes i'r sgrechfeydd a synau'r fflamau lithro o'm meddwl. Yna cofiais ei bod o'r diwedd yn ddydd Sadwrn a dechreuais feddwl am blydi Anna eto fyth. Roeddwn i a Dad wedi bod ar bigau'r drain y noson cynt yn disgwyl i Anna ffonio, ond wnaeth hi ddim. Byddai'n rhaid i mi fynd i'r gwaith y bore hwnnw, felly, fel tasa popeth yn hynci-dori rhyngddi hi a Dad. Amhosib wedyn oedd troi drosodd a mynd yn ôl i gysgu. Cydiais yn fy llyfr, ond rhoddais y ffidil yn y to ar ôl ychydig. Codais, a mynd i lawr i'r gegin i ddechrau lladd amser nes y byddai'n bryd i mi gychwyn am siop Anna.

Teimlais yr oerni'n pinsio fy nhrwyn o'r eiliad y camodd Dad a minnau allan o'r tŷ, er bod yr awyr yn las a'r haul yn ddigon i ddallu rhywun.

'Mwynhewch 'ych parti Dolig,' dywedais wrtho.

Tynnodd Dad ystumiau. Arferai edrych ymlaen at ginio Dolig blynyddol ei gwmni, ond roedd Anna, tybiais, wedi ei ddifetha iddo eleni.

'W't ti'n siŵr nad w't ti isio lifft?'

Do'n i ddim yn siŵr iawn sut i'w ateb. Oedd o tybed yn gobeithio y baswn i'n dweud 'oes', er mwyn iddo gael esgus i weld Anna? Neu oedd o'n gobeithio am 'Nag oes, dim diolch' rhag ofn iddo orfod ei gweld?

Dewisais yr ail ateb, ac os oedd Dad yn siomedig yna llwyddodd i'w guddio. Gadawodd am y swyddfa, a cherddais innau draw i'r siop gyda'm tu mewn yn troi fel tasa gen i arholiad nad o'n i wedi paratoi o gwbwl ar ei gyfer.

Roedd Anna'n aros amdanaf, y teciall wedi'i ferwi a llais Vashti Bunyan yn canu ar y peiriant CD. Gwenodd Anna arnaf wrth i mi gamu i mewn; gwên fach dynn, ddewr.

'Haia . . .'

'Haia.'

Es i heibio iddi ac am y cefn i dynnu fy nghôt, yn ymwybodol o'i llygaid arnaf. Gwenodd eto wrth i mi ddod yn ôl, ond mae'n rhaid i mi fod yn deg, roedd golwg ofnadwy arni, fel tasa hi heb gysgu'r un winc ers nosweithiau lawer.

'W't ti'n ocê?' gofynnodd gan gnoi gewin ei bys bach.

'Yndw, diolch,' atebais. 'W't ti?'

Petrusodd, yna ysgydwodd ei phen. 'Dw i'n bell o fod yn ocê, Caren.'

'Dydi'r byd yma'n fach? Ma' Dad yn bell o fod yn ocê, hefyd,' dywedais.

Gwelais fflach o rywbeth yn ei llygaid, ond do'n i ddim yn meddwl, rhywsut, mai tymer oedd o.

'Fel hyn w't ti am fod drw'r dydd, ia?'

'Sut w't ti'n disgwl i mi fod?'

'Ella y basa'n well tasa chdi'n mynd adra, felly.'

Edrychais arni, cyn troi a nôl fy nghôt cyn i honno gael y cyfle i setlo'n iawn ar y peg. Ond wrth i mi gydio ynddi, clywais Anna'n dweud:

'O, blydi hel, Caren, na – paid â mynd. Plîs.'

Arhosais am rai eiliadau (ew! – dramatig, yn do'n i?) cyn troi ac edrych arni eto.

'Plîs. Ma' hyn yn . . .' Ochneidiodd. ''Dan ni'n ormod o fêts i fod fel hyn, yn dydan? Plîs dweda ein bod ni, Caren.'

'Ro'n i wastad wedi meddwl ein bod ni,' atebais yn ofalus.

Gallwn weld ei meddwl yn carlamu ac, am unwaith, roedd ei hwyneb yn dangos hynny'n glir; do'n i erioed wedi gweld Anna fel hyn o'r blaen. Miss Difynegiant, dyna pwy oedd hi fel arfer.

Ond heddiw roedd y mwgwd wedi llithro. Teimlais fy hun yn meirioli tuag ati.

'Anna, be sy?'

'O'r arglwydd . . !'

Trodd oddi wrthyf, yn amlwg yn ysu am sigarét arall, ond doedd hi byth yn smygu yn y siop. Yn lle tanio un, rhoes y teciall ymlaen i ferwi eto ac ysgwyd coffi i mewn i'n mygiau.

'Fedra i ddim deud wrthat ti,' meddai â'i chefn ataf.

'Ond ma' 'na rwbath yn bod?'

Chwarddodd – cyfarthiad uchel heb yr un owns o hiwmor ynddo. Yna trodd ac edrych arnaf.

'Plîs coelia un peth, Caren,' meddai. 'Ma' gin i feddwl y byd o Bryn, 'sti.'

'Ma' gin ti ffordd ryfadd iawn o ddangos hynny!' dywedais.

Eiliadau'n ôl, ro'n i wedi dechrau teimlo drosti, ond cyn gynted ag y dywedodd Anna hyn, efo'i hwynab mor ddwys, a'r dagrau'n cronni yn ei llygaid, ro'n i'n teimlo awydd rhoi slap iddi.

Wel, chwarae teg! Os oedd cymaint o feddwl â hynny ganddi o Dad, yna pam oedd hi wedi'i drin fel baw dros y dyddiau diwethaf?

'Yli, Anna,' dywedais, 'os w't ti isio gorffan efo Dad, yna pam na 'nei di ddeud hynny wrtho fo, yn blwmp ac yn blaen, yn lle defnyddio rhyw esgus tila?'

'Sori–?'

'Isio *space*! Dyna be ddudist ti wrtho fo dros y ffôn y noson o'r blaen, yndê?'

Ochneidiodd Anna. Trodd ac arllwys y dŵr berwedig i mewn i'r mygiau. 'Dw't ti ddim yn dallt, Caren . . .'

'Dw i'n dallt dy fod ti wedi brifo Dad!' harthiais. 'A ma' jyst gada'l iddo fo . . . ddisgwl . . . yn y gobaith y byddi di un diwrnod yn newid dy feddwl . . . dydi hynna ddim ond yn mynd i'w frifo fo'n waeth, yn nac ydi? Pwy ddiawl w't ti'n meddwl w't ti, Anna?'

Trodd yn ei hôl ataf, a'r tro hwn roedd y dagrau'n powlio i lawr ei hwyneb.

'W't ti'n meddwl am un funud 'mod i *isio'i* frifo fo? Yr unig ddyn sy wedi golygu unrhyw beth i mi – erioed?'

'Pam w't ti'n *gneud* hyn, 'ta? Dw i jyst ddim yn dallt . . .' – a sylweddolais fy mod i newydd gadarnhau'r hyn a ddywedodd hi amdanaf eiliadau ynghynt. Ond doedd yna ddim arwydd o fuddugoliaeth ar wyneb Anna. Os rhywbeth, edrychai'n fwy digalon, yn fwy anobeithiol, nag erioed.

'Nag w't, wn i, Caren,' meddai'n dawel.

'Wnei di plîs egluro wrtha i, 'ta?'

Ysgydwodd ei phen. 'Dydi petha ddim mor . . . ddim mor ddu a gwyn â hynny. O'r arglwydd!' meddai eto, gan wthio heibio i mi a mynd i sefyll o flaen y ffenestr. Syllodd allan ar y ceir yn gyrru heibio. 'Ddylwn i ddim fod wedi dŵad yn ôl yma . . .'

'Be?' Do'n i ddim yn siŵr a o'n i wedi'i chlywed yn iawn.

'Dim byd.'

Trodd ataf eto â golwg feddylgar ar ei hwyneb y tro hwn, fel tasa hi'n trio penderfynu rhywbeth.

'Gorffan efo Bryn,' meddai'n araf, 'ydi'r peth dwutha dw i isio'i 'neud. Plîs coelia hynny, Caren. Ond ma'n rhaid i mi ga'l . . .' Ciledrychodd arnaf, a deallais innau.

'Paid â deud wrtha i. Ma'n rhaid i chdi ga'l dy *space*.' Deuthum yn agos at boeri'r gair.

Ond ysgwyd ei phen wnaeth Anna, ychydig yn rhwystredig.

'Mae'n o'n fwy na hynny. Ma'n rhaid i mi ga'l y dyddia nesa 'ma allan o'r ffordd. Dw i'm yn disgwl i chi ddallt, chdi a dy dad. Ond fedra i ddim egluro, Caren. Fedra i ddim.'

Dychwelodd at y teciall a'r mygiau, a dilynais i hi.

'Be ti'n feddwl – y dyddia nesa? Tan pryd?'

Cododd ei hysgwyddau. 'Dydd Llun?'

Meddyliais. 'Bocsing De?' Nodiodd. 'W't ti am fynd i ffwrdd i rwla?'

Gwibiodd gwên fach sarrug a sydyn dros ei hwyneb.

'Na, dw i ddim am fynd i nunlla.'

'Oes 'na rywun yn dŵad atat ti, 'ta?'

Caeodd ei llygaid am eiliad, fel tasa rhyw boen chwim wedi saethu drwy'i phen.

'Plîs, Caren, jyst paid â gofyn, ocê?'

Erbyn hyn roedd pob mathau o bethau'n gwibio drwy fy meddwl innau. Y mwyaf ohonyn nhw oedd tad Lois. Ond roedd hwnnw'n mynd i ffwrdd i Fflorida. Yn doedd?

'Dw i am ofyn un peth,' dywedais. 'Oes a wnelo hyn unrhyw beth â Marc Richards? Tad Lois?'

Rhythodd Anna arnaf, yna gwnaeth ddwy falŵn o'i bochau cyn chwythu allan. Edrychodd i lawr ar y ddau goffi yn oeri'n braf yn y mygiau, cyn edrych yn ôl arna i. Ond ddywedodd hi ddim byd.

'Mi welis i fo'n dŵad allan o dy fflat di nos Fawrth,' dywedais. 'Ro'n i'n digwydd pasio – yng nghar mam Ifor – ac mi welis i fo, Anna.'

Roedd hi'n nodio cyn i mi orffen siarad.

'Ro'n i'n ama dy fod ti . . . ella wedi clywad rhwbath, fod rhywun wedi deud wrthat ti. Wnes i'm meddwl dy fod di wedi'i weld o dy hun. Ac rw't ti'n meddwl fy mod i . . . efo Marc?'

Nodiais. Dechreuodd Anna gnoi'i gewin eto, ond doedd dim ohono ar ôl.

'Dydw i ddim, Caren,' meddai. 'Ar fy marw. Oedd, mi roedd o yma, ond . . .'

Yna neidiodd y ddwy ohonom wrth i ddrws y siop agor yn sydyn.

Ifor oedd yno.

Yn wyn fel y galchan.

ii

Cafwyd rhyw bum munud go flêr wedyn – neu felly mae o wedi aros yn fy nghof, beth bynnag – efo'r tri ohonom yn siarad ar draws ein gilydd. Roedd Anna a fi yn gofyn cwestiynau ac Ifor yn crwydro dros y lle i gyd wrth drio'u hateb, yn bennaf oherwydd ei fod wedi blino cymaint ac yn methu'n glir â chael ei feddwl i weithio'n iawn. Roedd ei lygaid yn goch ac yn boenus yr olwg a gallwn weld ei fod yn agos iawn at feichio crio.

Unwaith yr oeddem wedi lled-ddallt be oedd wedi digwydd, trodd Anna ataf. 'Dw i'n gorfod mynd.'

'Be? I ble?'

Roedd hi wrth y drws erbyn hyn, yn ei agor.

'Anna – be w't ti isio i mi'i 'neud?'

'Be . . ?'

‘Wel – y siop, yndê?’

Ysgydwodd ei phen yn ddiamynedd, fel taswn i wedi crybwyll rhyw fater cwbwl amherthnasol.

‘Be bynnag rw’t ti isio. Cau, os leici di. Sori – ma’n rhaid i mi fynd.’

Allan â hi, a chlywais ei thraed yn carlamu i fyny’r grisiau i’w fflat.

‘Stedda i lawr,’ gorchmynnais. Roedd Ifor yn siglo ar ei draed fel bwgan brain oedd wedi’i osod yn simsan yn y ddaear. Gwthiais gadair yn erbyn cefn ei goesau ac eisteddodd arni’n sydyn ac ychydig yn hurt. Clywais sŵn traed Anna’n dod yn ôl i lawr y grisiau, a chefais gip arni drwy’r ffenestr yn ei chôt fawr *Afghan* yn mynd i mewn i’w char a gyrru i ffwrdd.

‘Ti isio panad?’

Dechreuodd Ifor ysgwyd ei ben, ond newidiodd ei feddwl a nodio. Roedd y paneidiau a baratôdd Anna’n gynharach wedi hen oeri. ‘Aros yn fan’na.’ Es i â’r mygiau trwodd i’r cefn i’w golchi.

‘Mi ges i uffarn o ffrae efo Dad,’ meddai Ifor pan ddois yn ôl ato. ‘Y fo a’r boi arall hwnnw. Tad Lois Richards.’

‘Gwitshia, gwitshia . . .’

Tra o’n i’n disgwyl i’r teciall ferwi eto, es i at y drws a throi’r arwydd i *Ar Gau* cyn mynd ati i wneud coffi i’r ddau ohonom. Trio cael pethau’n glir yn fy meddwl yr o’n i, a do’n i ddim eisiau i Ifor ychwanegu mwy at ei stori nes i mi deimlo’n weddol saff fy mod i wedi dallt y rhan gyntaf ohoni.

Rhoddais lwythi o siwgwr iddo yn ei goffi – mae o i fod i ’neud lles i rywun sy ’di bod trw’r felin, yn ôl fel dw i'n dallt – cyn eistedd gyferbyn ag Ifor. Cymerodd sip o'i goffi a thynnu wyneb.

'Ma' hwn yn felys uffernol.'

'Yfa fo a bydda ddiolchgar. Mi 'neith les i chdi. Ocê – deuda wrtha i eto. Mi fydd dy fam yn ocê, yn bydd?'

'Yn y pen draw, bydd. Unwaith y byddan nhw wedi ailosod 'i thrwyn hi, ac unwaith y bydd y cleisia wedi mynd.' Ysgydwodd ei ben. 'Ro'n i wastad wedi meddwl mai petha meddal, neis oedd yr *air bags* 'ma.'

'Mi fasa hi mewn gwaeth stad o lawer hebddo fo, Ifor,' dywedais. Roedd y bag gwynt wedi torri trwyn Gina Lloyd Williams pan ffrwydrodd allan o'r olwyn lywio a rhoi coblyn o swadan iddi yn ei hwyneb. 'Sut ma' mam Lois?'

'Wedi torri'i chlun a'i garddwrn, un wrth i Mam yrru i mewn iddi a'r llall wrth iddi landio ar y ffordd. Ac ma' hitha wedi cleisio'n o hegar hefyd.'

'Roeddan nhw'n uffernol o lwcus,' sylwais.

Nodiodd Ifor. Roedd o wedi bod yn yr ysbyty tan berfeddion, ac wedi methu cysgu ar ôl cyrraedd adref: roedden nhw i gyd, meddai, wedi bod ar eu traed fwy neu lai drwy'r nos.

'Roedd hi'n edrych yn uffernol, 'sti, Caren,' meddai mewn llais crynedig. 'Doedd hi ddim yn edrych fel Mam o gwbwl, yn gorwadd yno. Prin yr o'n i'n 'i nabod hi.'

Codais a phenlinio wrth ei gadair a rhoi fy mraich amdano. Cofleidiad flêr, anghyfforddus arall – ai fel hyn yr oedd pethau am fod rhyngom ni'n dau?

'Ond mi fydd hi'n ol-reit, Ifor. Dyna be sy'n bwysig, yndê?'

'Ia . . .' Tynnodd hances o'i boced i sychu'i ddagrau a chwythu'i drwyn. 'Ia,' meddai eto, 'dyna be sy'n bwysig, siŵr Dduw. Sori . . .'

'Am be?'

'Ysti . . . hyn . . .'

'Paid â bod yn stiwpid. O leia dw't ti ddim wedi llewygu o 'mlaen i, fel y gwnes i efo chdi.'

Dychwelais at fy nghoffi a'm cadair.

'Mae'n o'n beth od, hefyd, yn dydi? Fod dy fam di wedi gyrru i mewn i fam Lois, o bawb.'

'Ond ar honno roedd y bai,' pwysleisiodd Ifor. 'Y hi redodd allan i'r ffordd reit o flaen Mam; dyna be ddudodd y boi oedd yn y car y tu ôl i Mam.'

Ond yr hyn oedd yn fwy od, meddyliais, oedd ymateb Anna i newyddion Ifor. Aeth yn wynnach nag yr oedd hi'n barod cyn brysio o'r siop fel tasa'i phen-ôl ar dân.

'Be oedd y ffrae 'ma gest ti efo dy dad, 'ta?' gofynnais.

'*Lost it*, Caren,' meddai. 'Ffwcin *lost it*. Wyddost ti be ddudon nhw? Y ddau ohonyn nhw. Y petha cynta ddudon nhw wrth 'i gilydd. "Roeddan ni i fod i fynd i'r Bahamas," medda Dad. "A ninna' i Fflorida," medda'r prat arall hwnnw. 'Ma' hi 'di cachu arnon ni rŵan, Ows.'

Ifor

Mae Caren yn grêt.

Doedd hi ddim yn gweld unrhyw fai arna i o gwbwl am ffraeo efo Dad fel y gwnes i. Doedd hi ddim chwaith yn meddwl 'mod i'n rêl wimp am fod mewn tipyn o stad pan es i draw i'r siop lyfra i'w gweld hi, na meddwl 'mod i'n niwsans, chwaith. Roedd yn rhaid i mi fynd i *rywle*, 'chos fedrwn i ddim aros adra efo Dad. Iawn, ocê, faswn i ddim yno efo fo ar fy mhen fy hun – roedd Buddug ac Owain yno hefyd – ond y gwir amdani ydi fod y ddau yna bron cyn waethad â Dad bob tamaid.

'Ella mai mewn sioc ma' nhw,' cynigiodd Caren, a chwara teg iddi am drio gweld y gora ym mhawb. 'Ysti – gweld dy fam fel roedd hi, a ballu.'

'Mmmm . . .' dywedais.

Craffodd Caren arna i.

'Be sy?'

Dechreuais ddifaru crybwyll enwau Owain a Buddug: roedd rhywbeth . . . wel, *od* yn digwydd rhwng y ddau yma'n ddiweddar, rhywbeth na fedrwn i mo'i egluro'n iawn.

Rhywbeth oedd – efallai – yn ffiaidd.

Ond roedd Caren yn dal i graffu arna i drw'r sbectol fawr honno, a theimlwn fel cwningen wedi'i dal gan oleuadau car.

Triais siarad o gwmpas y peth.

'Jest . . . dwn i'm . . . y ffordd roeddan nhw'n ymatab i ddamwain Mam.'

'Be ti'n feddwl?'

Roedd y sbectol a'r llygaid y tu ôl iddi rŵan wedi fy hoelio i'r gadair.

'Wel . . . pan dda'th Dad i'n 'nôl ni o'r ysgol ddiwadd y pnawn a deud wrthan ni be oedd 'di digwydd, yr unig beth ddudon nhw oedd, "O?"'

'*O*? Be ti'n feddwl – *O*?'

'Fel tasa dim llawar o ddiddordab gynnyn nhw, Caren. A ddudon nhw'm byd wedyn, yr holl ffordd i Fangor yn y car.'

'Go brin fod 'run ohonoch chi'n teimlo fel sgwrsio ffwl sbîd,' meddai Caren.

'Wel, nag oeddan, ond roeddan nhw ill dau fel tasan nhw'n hollol . . . be ydi'r gair? . . . *detached*, oddi wrth yr holl beth. Pan a'thon ni i weld Mam, a sbio arni hi'n gorwadd yn 'i gwely'n gleisia byw, roeddan nhw fel tasan nhw'n gwatshiad pennod o *Casualty* ne' *Holby City* – fel tasa Mam yn ddim mwy nag actoras ddiarth, yn gwisgo colur.'

'Ma' gan bawb ffordd wahanol o ymatab i betha, 'sti,' meddai Caren. 'Hyd y gwn i, ella 'swn i'r un fath â nhw tasa 'na rwbath tebyg yn digwydd i Dad.'

Roedd Caren, yn amlwg, yn meddwl fy mod yn gneud môr a mynydd o ddim byd.

'A ma' nhw 'di dechra actio fel efeilliaid,' fe'm clywais fy hun yn dweud.

'Ifor, efeilliaid *ydyn* nhw . . .'

'Ia, ia – wn i hynny, siŵr Dduw. Ond dydyn nhw 'rioed *wedi* actio fel 'na o'r blaen!' Gwgodd Caren arnaf, a sylweddolais fy mod wedi codi fy llais. 'Sori, sori. Ond . . . wel, ma' nhw rŵan wedi dechra sbio ar 'i gilydd fel tasan nhw'n *siarad* efo'i gilydd, er nad ydyn nhw'n *deud* dim byd. Ti'n dallt?'

Nodiodd Caren yn araf ond, wrth gwrs, doedd hi ddim *yn* dallt. Sut gallai hi? Doedd hi ddim yn y car ar y pryd, felly welodd hi mo'r hyn welais i.

Meddyliais amdano eto.

Yn y drych bach ar ochor y car, mi welis i ben Buddug yn troi a syllu ar rywbeth, a phan drois inna fy mhen er mwyn gweld ar be roedd hi'n syllu, mi welis i mai syllu ar Owain roedd hi. Syllu'n ffyrnig, hefyd: tasa hi mewn comic, mi fasa 'na ddwy res o - - - - - - yn mynd o'i llygaid hi i ben Owain. Mi syllodd hi arno fo fel hyn am tua deg eiliad, dw i'n siŵr, ac yna nodiodd Owain, a throdd Buddug yn ôl a chario 'mlaen i ista'n llonydd a syllu'n syth o'i blaen, fel yr oedd hi'n 'i wneud yn gynharach. Ond y peth oedd, doedd Owain ddim hyd yn oed yn edrych arni. Roedd o'n ista efo'i ben wedi'i droi oddi wrthi ar y pryd, ac yn sbio allan drwy'i ffenast o. Roedd o fel tasa Buddug wedi 'deud' rhwbath yn 'i meddwl hi, a bod Owain wedi'i 'chlywad' hi yn 'i feddwl o.

Wedyn, jest cyn i ni gyrra'dd yn ôl adra, mi drois i rownd eto a gweld fod y ddau erbyn hyn yn ista'n syllu'n syth o'u blaena, a dw i ddim yn meddwl 'u bod nhw'n sylwi fod Dad a fi yno o gwbwl: roedden nhw'n sbio reit trwyddan ni. Roedd llaw chwith Buddug yn gorffwys yn fflat ar y sedd, ac roedd llaw dde Owain yno reit wrth ei hochor hi, mor agos nes bod 'u bysadd bach nhw o fewn dim o fod yn cyffwrdd. Dw i'n siŵr y basach chi wedi cael trafferth i wthio blewyn rhyngddyn nhw.

Ac wrth i Dad yrru heibio i'r arwydd 'Croeso i

Aberllechi', mi symudodd y bysadd bach nes 'u bod nhw wedi'u lapio am 'i gilydd, fatha dwy falwan.

Ro'n i'n meddwl i ddechra mai ond gneud hynny er mwyn tynnu arna i roeddan nhw, ond pan edrychais i ar 'u hwyneba nhw, doeddan nhw ddim yn sbio arna i o gwbwl, 'mond reit trwydda i. A phan edrychais yn ôl i lawr ar y sedd, roedd y bysadd bach wedi symud yn ôl i fod fel yr oeddan nhw'n gynharach, ond fod yna fodfadd reit dda rhyngddyn nhw'r tro hwn.

Fedrwn i ddim dweud hyn i gyd wrth Caren. Do'n i ddim isio iddi hi feddwl fod yna unrhyw beth 'sic' yn digwydd rhwng Owain a Buddug. 'Chos ma'n rhaid i mi gyfadda, dyna oedd y peth cynta dda'th i'm meddwl i pan welis i'r bysadd bach 'na yn clymu rownd 'i gilydd. Roedd 'na rwbath mor ffiaidd amdano fo, rywsut, bron fel taswn i wedi digwydd 'u dal nhw'n cofleidio ar wely yn noethlymun. Ac wrth i mi sbio, trw' fy meddwl mi wibiodd fflach sydyn o bob golygfa ryw yr o'n i wedi'u gweld erioed mewn ffilmia, i gyd ar draws 'i gilydd mewn un *collage* mawr o gnawd pinc, chwyslyd.

Roedd y ddau fys bach yna'n sownd yn ei gilydd wedi troi fy stumog i.

Ac ar yr un pryd . . . wel, pan drois i i ffwrdd oddi wrth Buddug ac Owain, roedd gen i godiad.

Gallwn deimlo fy hun yn cochi wrth gofio am y peth, yno yn y siop efo Caren yn rhythu arna i. Brysiais i droi'r stori.

'A dyna Dad wedyn . . .'

'Be amdano fo?'

'Dw i'm yn siŵr. Mae o 'di bod yn actio'n *weird* ers dyddia – yn sbio allan drw'r ffenestri bob cyfla, fel 'sa fo'n disgwl rhywun. A sbio i fyny ar yr awyr drw'r amsar . . .'

Gwelais rywbeth yn dawnsio drwy lygaid Caren pan ddywedais hyn.

'Be?' gofynnais.

Ysgydwodd ei phen. 'Dim byd. Jyst . . . wel, ma' Anna wedi bod yn gneud lot o hynny'n ddiweddar hefyd. Ac actio'n *weird* . . .'

Cefais fy nhemtio i ddweud fod Anna wastad wedi ymddangos fel *weirdo* i mi, ond penderfynais beidio.

'Hmmm. Beth bynnag, roedd o wrthi'n cega arna i, yn y gegin, am siarad efo fo yn y 'sbyty fel y gwnes i, pan stopiodd o'n sydyn fel tasa fo wedi gweld rhwbath yn y cyntedd, y tu ôl i mi. Allan â fo yno fel dyn gwyllt. Ond doedd 'na ddim byd yno, Caren. 'Mond rhyw ogla llosgi mwya uffernol.'

Unwaith eto, gwelais gysgod yn gwibio dros lygaid Caren.

'Llosgi–?'

'Ia – ac efo rhyw ddrewdod arall fel hen gig wedi pydru. Ac yna . . . wel, mi feddyliais *i* 'mod i wedi ca'l cip ar rywun ar ben y grisia. Ond doedd 'na neb yno.'

'Est ti i fyny i sbio?'

'Do – fi a Dad. Neb.'

'Owain ne' Buddug, ella?'

'Na – roeddan nhw yn 'u llofftydd, ill dau'n cysgu'n sownd. Es i'n ôl i lawr wedyn, ac a'th Dad allan i'r ardd.'

'A dyna'r cwbwl?' gofynnodd Caren.

Edrychais arni.

'Wel – ddim cweit. Es i'r stafall deulu a gorwadd ar y

soffa, ac o gornel fy llygad mi ges i gip ar rywun yn sefyll yn y drws, yn sbio arna i.'

'Dy dad, ma'n siŵr,' meddai Caren.

Ysgydwais fy mhen.

'Naci, Caren. Pan 'steddis i i fyny, ro'n i'n gallu gweld Dad drw'r ffenast, allan yn yr ardd.'

'Pwy oedd 'na, 'ta?'

'Neb . . .'

'O, *Ifor*!'

'Ia, wn i. Ond . . . wel, jest am eiliad, 'swn i 'di gallu taeru fod 'na hogan ddiarth yn sefyll yno, Caren; hogan efo gwallt hir, du. Ond pan sbiais i'n iawn, *doedd 'na neb yno*.'

13

Caren

i

Penderfynais gau'r siop.

Yn wir, roedd hi wedi bod ar gau fwy neu lai ers i Anna ddiflannu i Dduw a ŵyr lle, a doedd yna'r un enaid byw wedi ysgwyd handlen y drws drwy'r bore. Ar ben hynny, edrychai Ifor fel tasa fo ar fin cysgu uwchben ei draed.

'Ty'd – a' i â chdi adra,' dywedais wrtho.

'Adra?'

'Ia. Lle oeddat ti rŵan, beth bynnag?'

Ro'n i wedi bod yn 'i wylio fo am bum munud reit dda, dw i'n siŵr. Eistedd ar ei gadair yr oedd o, ei lygaid wedi'u hoelio ar un o'r dyfyniadau llenyddol sy gan Anna ar gardiau yma ac acw drwy'r siop – 'Books Do Furnish a Room' (Anthony Powell, 1905–2000) – ond yn amlwg ddim yn ei weld. Roedd yn bell, bell i ffwrdd yn rhywle, ei feddwl ar wib a gwg bychan yn nofio dros ei wyneb bob hyn a hyn. Roedd o'n dal yno pan ddychwelais o gefn y siop, ddim hyd yn oed wedi sylwi fy mod i wedi mynd i nôl ein cotiau.

'Y? O – nunlla sbeshial, 'mond meddwl am neithiwr . . . bora 'ma.'

Doedd o ddim yn dweud yr holl wir wrtha i, teimlwn,

ond teimlwn hefyd nad oedd unrhyw ddiben mewn holi gormod arno ar hyn o bryd.

'Gwranda,' meddai wrth godi ar ei draed, 'dw i ddim isio mynd adra. Ddim rŵan.'

Ro'n i'n sefyll yn ei wynebu efo'i gôt wedi'i dal yn agored yn fy nwylo, fel taswn i'n trio cael hogyn bach anufudd i droi a gwthio'i freichiau bach tewion i mewn i'r llewys.

'Ifor, rw't ti jest â cholapsio. Ty'd, rŵan.'

'Blydi hel, dw't ti ddim yn clywad? Dw i ddim isio mynd adra, ocê!' gwaeddodd.

'Reit, ocê!'

Dechreuais droi i ffwrdd a chydiodd Ifor yn fy mraich.

'Hei, sori – blydi hel, sori, Caren. Wnes i'm meddwl gweiddi. Sori.'

Roedd ei lygaid, rŵan, yn llawn dagrau. Ochneidiais.

'Ocê, ocê. Yli . . .' Petrusais am eiliad neu ddau. Do'n i 'rioed wedi dweud hyn wrth yr un hogyn o'r blaen – ddim ers pan o'n i'n fach ac yn ddiniwed, beth bynnag. Ond roedd fy nghynnig yn ddiniwed, erbyn meddwl, ag Ifor yn edrych fel rhyw sombi. 'Yli – ma'n tŷ ni'n wag; ma' Dad yn 'i waith . . .'

* * *

Syllodd ar fy nghampwaith yng nghornel yr ystafell fyw. Rhaid cyfaddef, gyda'i goleuadau wedi'u diffodd, edrychai'r goeden Nadolig yn debycach i rywbeth gan Heath Robinson na Tracey Emin.

'Dydan ni ddim wedi trafferthu 'leni,' meddai. 'A ninna i fod i fynd i ffwrdd.'

Roedd o'n amlwg yn meddwl am ei fam; cyn iddo fo ddechrau crio eto dywedais wrtho am eistedd ar y soffa ac es innau trwodd i'r gegin i wneud paneidiau eto fyth. Pan ddychwelais, roedd o'n cysgu'n sownd efo'i gôt yn dal amdano.

Rhoddais y teledu ymlaen heb y sain, dim ond er mwyn cael rhywbeth i sbio arno; ro'n i wedi fy nal fy hun yn syllu ar Ifor ac yn meddwl mor braf fasa cael gorwedd wrth ei ochor, a chlosio reit ato fo efo 'mraich amdano, fy mronnau wedi'u gwasgu yn erbyn ei gefn a'm llaw yn symud yn araf . . .

Diniwed iawn, Caren.

Newidiais o un sianel i'r llall a'm meddwl yn bell i ffwrdd . . . a neidiais mewn braw pan ganodd cloch y drws ffrynt.

Symudodd Ifor yr un fodfedd, a brysiais o'r ystafell cyn i bwy bynnag oedd yno gael y cyfle i ganu'r gloch eilwaith.

'Lois?'

Am ryw reswm, neidiodd hithau hefyd. Roedd hi'n sbio'n ei hôl dros ei hysgwydd pan agorais i'r drws fel tasa hi'n chwilio am rywun.

Dyma i ni syrpreis, meddyliais. Na – dyma i ni wyrth. Cefais syrpreis arall pan drodd ataf yn llawn. Fel arfer, edrychai Lois fel tasa hi ar ei ffordd i gael tynnu'i llun ar gyfer *Vogue* neu *Elle*, ond nid heddiw. Casglais ei bod hithau, hefyd, wedi cael noson debyg iawn i'r un a gafodd Ifor, y rhan fwyaf ohoni wedi'i threulio yn yr ysbyty efo'i mam.

'Ga i ddŵad i mewn?'

'Sori – cei, siŵr.'

Agorais y drws yn llydan a brysiodd Lois i mewn gan daflu un edrychiad arall dros ei hysgwydd. Doedd dim golwg o neb yn y stryd, chwaith, pan edrychais i'r chwith ac yna i'r dde.

'Caren, cau'r drws, wnei di plîs?'

Gwnes hynny. Roedd Lois yn pwyso yn erbyn wal y cyntedd, ei llygaid yn fawr yn ei phen ac wedi'u hoelio ar y drws – yn union fel tasa hi'n disgwyl gweld siâp rhywun yn ymddangos yn y gwydr. Edrychais innau arno hefyd, mae'n rhaid i mi ddweud, gan deimlo rhyw hen ias fach annifyr yn cropian yn ara deg i lawr asgwrn fy nghefn.

'Be sy?'

Ysgydwodd Lois ei phen a throi am yr ystafell fyw. Cofiais am Ifor.

'Lois . . .'

Ond roedd hi eisoes wedi camu i mewn. Rhythodd i lawr ar Ifor yn chwyrnu'n braf ar y soffa.

'Be ma' *hwn* . . ?'

'Sshh . . . mae o 'di bod ar 'i draed drw'r nos, yn y 'sbyty.'

'O, didyms. Tydan ni i gyd?'

'Ty'd – awn ni'r gegin, ia? Lois? Plîs?'

'Ei fam o wna'th . . . ei fam o . . .'

'Wn i. Lois, plîs ty'd.'

Safodd yn nrws yr ystafell fyw am rai eiliadau gan edrych fel petai'n chwarae efo'r syniad o anelu cic at Ifor druan, yna trodd a mynd o'm blaen trwodd i'r gegin.

Llenwais y teciall eto fyth, gan feddwl tybed a

ddylwn i ystyried newid f'enw i Polly. Eisteddodd Lois wrth y bwrdd, yna cododd ac eistedd yr ochor arall iddo, gyda'i chefn at y ffenestr.

'Mi glywis am dy fam, sori. Ydi hi'n ocê?' gofynnais.

'Yn *ocê*?'

'Ti'n gwbod be dw i'n 'i feddwl. Sut ma' hi? Mi ddudodd Ifor 'i bod hi wedi torri'i chlun. A'i harddwrn, ia?'

Nodiodd Lois a dechreuodd ei cheg droi i lawr. Dw inna'n rêl hen ast hefyd ond, Duw a'm helpo, y peth cyntaf a ddaeth i'm meddwl wrth i mi fynd ati a rhoi fy mraich am ei hysgwydd oedd, ydi hon yn crio oherwydd ei bod yn poeni am ei mam – neu oherwydd na fydd hi rŵan yn gallu mynd i Fflorida dros y Dolig?

Gadewais iddi grio am rai munudau cyn nôl bocs o hancesi papur iddi.

Sychodd Lois ei llygaid a chwythu'i thrwyn.

'Sori,' meddai. 'Sori, Caren . . .'

'Paid â bod yn stiwpid.'

Roedd y teciall wedi hen ferwi a rhoddais y swits ymlaen unwaith eto.

'Llefrith semi-sgimd ac un *Sweetex* o hyd?'

'Diolch . . .' Agorodd Lois ei bag a sbio i mewn iddo. 'Chawn ni ddim smocio yma, ma'n siŵr?'

'*Holy Mary mudder o' Jaysus*!' Ysgydwais fy mhen yn bendant a gwneud arwydd y groes dros fy mronnau. 'Awn ni allan i'r cefn os leici di?'

'Na!'

Edrychais arni.

'Sori . . . na, dw i'm isio mynd allan.' Caeodd geg ei bag a rhoi'i dwylo drosto.

'Lois, be sy? Ar wahân i dy fam, wrth gwrs.'

'Dydi hynny ddim yn ddigon?'

'Wel – yndi, ond rw't ti'n nyrfys rec. Fel tasa . . . dwn i'm, fel tasa 'na rywun ar dy ôl di. Y cops . . .'

'Y cops!' Chwarddodd yn chwerw.

'Wel, be, 'ta?'

'Caren, dw i jest ddim yn gwbod! Ocê?'

Cododd a mynd at y ffenestr – 'Sori, ma'n rhaid i mi edrach' – ond sbio allan ohoni yn rhyfedd o gyndyn wnaeth hi, fel tasa hi'n ofni gweld rhywbeth yn yr ardd yn sbio'n ôl arni.

'Does 'na neb yna, yn nag oes?' meddai.

'Be?'

'Jest deud wrtha i, Caren – does 'na neb y tu allan, yn nag oes?'

Safais wrth ei hochr a syllu allan ar y lawnt foel a mwdlyd. 'Wela i neb, yndê.'

'Na, na finna chwaith. Dyna'r peth . . .'

'Be ti'n feddwl?'

Dychwelodd Lois at y bwrdd a'i choffi.

'Dw i'm yn gwbod be dw i'n 'i feddwl, yn nac 'dw.' Edrychodd arnaf. 'Ond dydi o ddim jest y fi, Caren. Ma' Deian hefyd . . .'

Eisteddais gyferbyn â hi. Roedd hi wedi dechrau cnoi'i hewin. Cydiais yn ei llaw a'i thynnu i lawr o'i cheg.

'Dw i ddim yn dallt, Lois. Am be w't ti'n sôn?'

* * *

Neithiwr y dechreuodd o go iawn, meddai.

'Go iawn?' holais.

Gwgodd arnaf am dorri ar ei thraws mor gynnar yn ei stori. 'Dw i 'di bod yn meddwl wedyn, ella 'i fod o wedi dechra cyn neithiwr, ocê?'

'Ella fod be wedi dechra?'

Edrychodd i ffwrdd ag ochenaid o syrffed.

'Sori, Lois . . .'

'Yli, ma'n ddigon anodd trio deud . . .'

'Ocê, ocê. Sori.'

Syllodd arna i am rai eiliadau wrth drio hel ei meddyliau at ei gilydd.

'Iawn,' meddai. 'Neithiwr. Yn y 'sbyty . . .'

Dechreuodd hercian drwy'i stori. Roedd hi dros y lle i gyd wrth ei hadrodd; nid ei beirniadu hi ydw i rŵan, chwaith: roedd y greadures wedi cael ei hysgwyd yn o hegar, rhwng popeth, ac yn argyhoeddedig fod yna rywun – neu rywbeth – yn ei dilyn. Roedd hi wedi cael y teimlad ers dyddiau, meddai; wedi'i dal ei hun yn troi rownd i edrych heb fod yn siŵr iawn *pam* yr oedd hi'n gwneud hynny.

'Rhyw hogia'n sbio arna i, ro'n i'n meddwl,' ac roedd hi fwy nag unwaith wedi gwgu ar ryw greadur diniwed neu'i gilydd, gan gynnwys ambell i ddyn druan oedd yn ddigon hen i fod yn daid iddi.

Ond digwyddai hyn hefyd pan nad oedd neb arall o gwmpas; dyna'r adegau gwaethaf, meddai, pan na fedrai aros i gyrraedd adref a chau a chloi'r drws ar ei hôl.

'Er bod neb yno, ro'n i'n gwbod fod rhywun yno. Yn *gwbod*, Caren. Nid jest yn meddwl, ne'n dychmygu, ne'n teimlo – ond yn *gwbod*.'

‘Ond . . . welist ti neb, chwaith?’

Ysgydwodd ei phen yn araf gan grafu ewinedd ei bys a’i bawd yn erbyn ei gilydd, yna edrychodd i fyny arna i’n siarp.

‘Dw’t ti ddim yn ’y nghoelio i, yn nag w’t?’

‘Be? Yndw, siŵr . . .’

‘W’t ti, Caren? ’Chos dw i ddim yn deud clwydda, ’sti. Dw i ddim wedi creu rhyw stori jest am ’y mod i isio sylw.’

‘Lois,’ ceisiais ei chysuro, ‘dw i’n dy nabod di’n ddigon da erbyn rŵan i wbod pan fyddi di’n deud clwydda, siawns.’

Iawn, ella nad oedd hyn yn hollol wir; ro’n i wedi colli nabod ar Lois dros y misoedd diwethaf, a dw i’n siŵr y basa hi wedi gallu parablu clwydda’n ribidirês yn reit amal a minnau wedi llyncu’r cwbwl. Ond clwydda am bethau bach, pitw fasa’r rheiny. Doedd hi ddim yn actores ddigon da i edrych a swnio fel yr oedd hi y pnawn Sadwrn hwnnw yng nghegin ein tŷ ni.

A go brin fod ganddi’r dychymyg i feddwl am yr hyn a ddywedodd wrtha i nesaf.

Lois

Dydd Mercher, dau ddiwrnod cyn damwain Mam oedd hi. Roedd Deian wedi bod yn ei ystafell ers iddo ddod adra o’r ysgol. Ro’n i’n synhwyro fod rhwbath o’i le, felly mi es i fyny a churo’n ysgafn ar ddrws ei lofft. Ches i ddim ateb, a phan wthiais y drws yn agored dyna lle’r oedd o, yn sefyll yn y gornel bella oddi wrth y drws ac yn sbio arno fel tasa fo'n disgwl gweld rhwbath erchyll yn dŵad i mewn trwyddo fo.

Ro'n i'n gwbod bod y pethau *weird* oedd wedi digwydd i mi wedi bod yn digwydd iddo yntau hefyd. Dywedais wrtho 'mod i'n teimlo fod rhywun yn 'y nilyn i a 'mod i'n gallu clywed rhyw hen ogla llosgi ryfedd . . .

Ro'n i'n gwatshiad 'i wynab o wrth i mi siarad ac yn gallu gweld fod bob dim yr o'n i'n 'i ddeud yn canu cloch efo ynta hefyd.

'Wel?' medda fi, ar ôl gorffan.

Nodiodd. 'Ia.'

'Jest . . . ia?'

Nodiodd eto, yna sbiodd i fyny arna i. 'Ia . . . tan heddiw 'ma.'

'Be ddigwyddodd heddiw, felly?' gofynnais.

Ti'n gwbod, Caren, fel ma'r stafall Gelf yn sbio i lawr dros yr iard? Roedd Deian yn ista wrth y ffenast – rhyw boitshio roedd pawb, gan 'i bod hi fwy ne' lai yn ddiwadd tymor, ond mae o wedi bod ar 'i hôl hi braidd efo'i waith prosiect, ac roedd o'n trio dal i fyny er mwyn ca'l peidio â gorfod poeni amdano fo tra oeddan ni yn Fflorida.

Mi sylwodd o, fwya sydyn, fod yr hen ogla drewllyd hwnnw'n ôl, a'r un pryd mi gafodd o'r teimlad, unwaith eto, fod rhywun yn syllu arno fo. Cyn iddo fo ga'l cyfla i feddwl am y peth, mi drodd 'i ben a sbio allan drw'r ffenast ac i lawr i'r iard.

Roedd 'na foi'n sefyll yno, medda fo, reit yng nghanol yr iard, efo neb na dim byd arall ar 'i gyfyl o – rhyw foi tal a thena yn gwisgo côt *Parka* efo'r hŵd i fyny dros 'i ben o. Roedd o'n sefyll efo'i ben i lawr, fel tasa fo'n syllu ar y ddaear, ond ar yr un pryd roedd Deian yn teimlo, medda fo, yn *gwbod*, fod y boi yn sbio i *fyny*, arno fo. Doedd o ddim yn gallu gweld 'i wynab o, dim ond y t'wllwch y tu mewn i'r hẁd.

'Caren? Ti'n ocê?'

Ro'n i wedi codi'n sydyn oddi wrth y bwrdd, bron heb sylweddoli fy mod i'n gneud hynny. Roedd geiriau Lois wedi dŵad â'r cwbwl yn ôl – y ffigwr hwnnw welais i'r tu allan i fflat Anna yn rhythu i fyny at ei ffenest, a lle yr o'n i wedi arogli'r drewdod llosgi hwnnw: y tu allan i gartref Ifor, jest cyn i mi fynd i mewn i'r car efo Gina.

Es yn ôl at y bwrdd. Ro'n i, yn ôl Lois, wedi colli fy lliw fwya sydyn, ond mynnais fy mod yn iawn a'i bod yn dal ymlaen efo'i stori. Sbiodd Lois yn gam arna i, yn amlwg yn fy ama', ond ymlaen â hi.

Roedd 'na hogyn arall yn ista wrth ochor Deian. Heb dynnu'i ll'gada oddi ar y boi yn y *Parka*, rhoddodd Deian bwniad iddo yn ei ochr a gofyn iddo fo:

'Pwy ydi hwnna?'

'Pwy?'

'Hwnna – y boi 'na yn yr iard. Pwy ydi o, ti'n gwbod?'

Edrychodd yr hogyn arall drw'r ffenast. 'Pa foi?'

'Hwnna! 'Mond y fo sy 'na, dw't ti ddim yn 'i weld o?'

'Does 'na neb yna.'

Ac fel tasa'r ffigwr wedi clywad yr hogyn arall yn siarad, mi ddechreuodd o godi'i ben yn ara deg a dyma Deian yn meddwl, *Dw i ddim isio gweld hyn!* ac yn dechra sbio i ffwrdd. Ond cyn iddo fo fedru symud 'i ll'gada mi gafodd gip ar ryw wynab gwyn, gwyn, yn gwenu'n sbeitlyd arno fo.

Yna roedd y gloch wedi canu, medda Deian, a phawb

wedi codi a chadw'u stwff ac estyn 'u cotia a ballu, a phan fentrodd o sbio allan eto doedd yna'r un golwg o'r boi yn y gôt *Parka.*

Roedd pob matha o gwestiyna'n gwibio drw fy mhen erbyn rŵan, y rhan fwya ohonyn nhw'n cychwyn efo 'Pwy' a 'Be'. Hefyd – ai rŵan oedd yr amser i ddeud wrth Lois am yr hyn welis i y tu allan i fflat Anna? Ac a ddylwn i sôn wrthi o gwbwl?

Ond doedd Lois ddim wedi gorffen – o bell ffordd . . .

Wrth i Deian adrodd ei stori, roedd o wedi mynd yn fwy a mwy ofnus. '*Roedd o yno, Lois!*' meddai, drosodd a throsodd, ac ro'n i'n ei goelio fo, Caren, yn 'i goelio fo bob gair, er mai'r peth dwutha ro'n i isio'i 'neud oedd 'i goelio fo. 'Swn i wedi rhoi'r byd am fedru chwerthin am 'i ben o a deud 'i fod o'n gweld petha, yn dychmygu petha, ond fedrwn i ddim.

Ac roedd y . . . y . . . y *peth* 'ma wedi'i ddilyn o adra, er bod Deian wedi gofalu aros mewn criw o hogia erill; roedd y criw yma wedi mynd yn llai ac yn llai wrth i wahanol hogia droi am 'u cartrefi.

A drw'r amsar, roedd o'r tu ôl iddo fo. Bob tro roedd Deian yn troi rownd, roedd o'n gallu gweld hŵd y gôt *Parka* yn dŵad ar 'i ôl o – yn nes ac yn nes bob tro.

Cyn bo hir, roedd 'y mrawd bach i ar 'i ben 'i hun, jest â marw isio crefu ar yr hogyn dwutha i aros efo fo ac i gerddad adra efo fo, ond yn methu'n lân â gofyn iddo fo; mi fasa hwnnw wedi cymryd y piss ohono fo, wedi meddwl 'i fod o'n drysu. Dyna pryd y dechreuodd Deian redag, troi am gefna'n stryd ni a rhedag, nerth 'i draed, nes iddo fo gyrraedd giât tŷ ni a'i chau ar ei ôl.

Ti'n gwbod fel ma' Deian, mae o'n trio'i ora i fod mor cŵl, yn dydi? Mae o wastad wedi trio actio fel tasa fo flynyddoedd yn hŷn nag ydi o go iawn. Ond y peth ydi – wel, plentyn ydi o yn dal i fod, yndê, Caren? Plentyn bach ifanc, a rŵan mae o'n blentyn bach ifanc ac ofnus. Ar ôl i Dad a Mam fynd i'w gwelyau, ti'n gwbod be mae o'n 'i 'neud? Sleifio o'i stafall a dŵad i gysgu yn fy llofft i; dw i wedi estyn fy sach gysgu iddo fo o'r wardrob ac mae o'n cysgu ar y llawr, wrth ochor 'y ngwely i, ac yn sleifio'n ôl i'w lofft 'i hun yn y bora jest cyn i Dad a Mam godi.

A dw i'n falch 'i fod o yno.

Yn enwedig rŵan, ar ôl be ddigwyddodd nithiwr, yn y 'sbyty.

Dechreuodd Lois grynu trwyddi eto, a rowliodd dau ddeigryn mawr i lawr 'i bocha hi. Ac er mor ofnadwy oedd ei stori hi, fe'm daliais i fy hun yn meddwl – dim ond am chwinciad – blydi hel, ma' hon hyd yn oed yn crio mewn ffordd ddel. Estynnais dros y bwrdd a gwasgu'i llaw a chaeodd ei bysedd am fy rhai i fel taswn i'n ei halio hi i fyny dros ochor rhyw ddibyn uchel.

Ymhen ychydig aeth ymlaen â'i stori.

Ro'n i'n ddigon ypsét pan welis i Mam yn gorwadd yno yn y gwely. Dim ond am eiliad yr arhosodd Deian wrth ei gwely hi: daeth i mewn, sbio arni, gneud rhyw sŵn bach rhyfadd yng nghefn 'i wddw, troi a mynd allan o'r stafall yn syth.

Arhosais i yno am 'chydig efo Dad, yn gwatshiad Mam yn cysgu, cyn mynd allan i'r coridor ac ista efo Deian yn yfad coffi, 'run o'r ddau ohonan ni'n deud gair o'n penna. Yna daeth Dad allan i siarad efo un o'r nyrsys, ac mi es i'n ôl i mewn at Mam.

Roedd 'i llaw hi'n edrach yn fach ac yn feddal, yn gorwadd ar blancad y gwely 'run fath â deryn bach wedi marw. Mi steddais i wrth ochor y gwely, y gadair yn dal yn gynnas ar ôl Dad, a gafa'l yn 'i llaw hi'n ysgafn.

Dwn i ddim am faint y bûm i'n ista yno efo llaw Mam yn fy llaw i. Roedd 'i hwynab hi wedi'i gleisio a'i grafu yn o ddrwg, ac roedd 'na gudyn o'i gwallt melyn hi yn sownd yn nhop 'i thalcan hi lle'r oedd 'na 'chydig o waed wedi cremstio'n frown. Dw i'n cofio meddwl, hyd yn oed tasa'i chlun a'i harddwrn hi'n mendio'n wyrthiol a hitha'n cael dŵad adra rŵan, fasa Mam ddim yn fodlon gadael i neb weld 'i hwynab hi am wsnosa lawar, os nad misoedd.

Roedd fy ll'gada i wedi bod yn crwydro rownd y stafall, ond pan edrychais i eto ar Mam, roedd 'i ll'gada glas hi'n llydan agorad ac yn sbio arna i. Neidiais ryw fymryn; ro'n i wedi cymryd 'i bod hi'n cysgu'n drwm.

'Mam . . .'

Gwenais, a gwenodd Mam yn ôl arna i – gwên fach ofalus dynes mewn poen. Cadwodd ei gwefusau ar gau ac ro'n i'n ddiolchgar am hynny: ro'n i wedi clywad un o'r nyrsys yn deud fod Mam wedi torri rhai o'i dannadd. Roedd hi wastad wedi bod mor falch o'i gwên.

Yna gwelais 'i ll'gada hi'n symud rhyw fymryn ac yn sbio dros f'ysgwydd, yn union fel tasa rhywun wedi dŵad i mewn y tu ôl i mi. Ond do'n i ddim wedi clywad y drws yn agor.

Diflannodd ei gwên. Agorodd Mam ei cheg yn llydan a daeth yr olwg fwya uffernol dros 'i hwynab hi. Y peth cynta dda'th i'm meddwl i oedd, ma' hi'n edrach 'run fath â rhywun mewn horyr ffilm, ma' Mam yn edrach yn *hyll* efo'i dannadd wedi malu a'r tu mewn i'w cheg hi'n goch ac yn ddu i gyd. Ond fwy ne' lai ar yr un pryd mi sylweddolis i 'i bod hi'n sbio ac yn sgrechian – oedd, Caren, roedd hi'n sgrechian ar dop ei llais – ar rywbeth oedd yn sefyll reit y tu ôl i mi. Neidiais ar fy nhraed a throi'n wyllt; doedd 'na neb yno, ond roedd y drws – y drws ro'n i'n siŵr oedd wedi'i gau yn dynn – yn swingio ac mi ges i gip ar rywun, ar rwbath, yn mynd allan drwyddo fo ac er na welis i ddim byd mwy na chysgod, roedd rhwbath yn deud wrtha i mai dynas oedd yno, a drw'r amsar roedd Mam yn sgrechian, yn sgrechian, yn sgrechian, yn sgrechian . . .

A dyna pryd y dechreuodd Lois feichio crio. Codais a brysio rownd y bwrdd i roi mwytha iddi – a gwelais fod Ifor yn sefyll yn y drws; roedd yn amlwg oddi wrth yr olwg o fraw ar ei wyneb ei fod o wedi clywed bob dim.

'Ifor – be aflwydd sy'n digwydd yn y lle 'ma?' gofynnais.

Ysgydwodd ei ben, yna sbiodd heibio i mi ac at y ffenest.

Troais innau.

Roedd hi'n dechrau bwrw eira.

John Gawi (2)

O'r diwadd o'r diwadd o'r diwadd!

Dw i 'di bod yn disgwl am hwn – hogia bach, dw i 'di bod yn disgwl ers oes pys. Es i allan i'r ardd gefn heb 'y nghôt a jest sefyll yno'n dal fy wynab i fyny i'r awyr a theimlo'r plu eira'n setlo yn 'y ngwallt i ac yn cosi fy wynab i ac yn toddi'n ddŵr yn fy ll'gada i. Ddechreuais i ganu, dros y lle, y gân 'na o *The Sound of Music*, dim ond dwy o'r llinella, ond rheiny oedd y rhai pwysig:

La-la la la la, la la-la la la-la,
Snowflakes that stay on my nose and eyelashes,
La-la la la la la la-la la la,
These are a few of my favourite things.

Eu canu nhw drosodd a throsodd a throsodd a throsodd, a chwerthin bob yn ail, a dawnsio fel dw i'n mynd i ddawnsio efo Magda, a throi rownd fel dwn i'm be a gwatshiad yr eira mân yn syrthio, wrth fy modd.

'Chos 'dach chi'n gwbod be ma' nhw'n 'i ddeud, yn dydach?

Eira mân, eira mawr.

'John, ty'd i mewn i'r tŷ rŵan,' meddai Mam, ond do'n i ddim isio mynd i mewn i'r tŷ ac mi drois i ar Mam a deud 'Na!' mewn llais dwfn, cry a phendant. Ma'n rhaid 'i bod hi wedi gweld rhwbath yn 'y ngwynab i 'chos ddudodd hi ddim byd arall, 'mond sbio arna i fel yr oedd hi'n arfar 'neud erstalwm cyn i mi ddechra cymryd ffisig bob dydd; troi a mynd i mewn i'r tŷ ar 'i phen 'i hun a gada'l llonydd i mi allan yn yr eira mân.

Dydi hi ddim yn dallt, yn nac 'di? Cymint dw i wedi EDRYCH YMLAEN!!! *A dydi hi ddim yn mynd i ga'l sbwylio petha imi – o nac 'di ddim o gwbwl!*

Wel? Pwy oedd yn iawn, felly – y petha gwbod-bob-dim 'na ar y teli, 'ta fi? Fi, yndê! Mi ddudis i y basa hi'n bwrw eira cyn bo hir, yn do? A be oeddan nhw'n 'i addo? Glaw. Glaw rhyfadd uffernol, os ga i ddeud, hogia.

Ac ma'r awyr yn llawn ohono fo, yn llawn dop.

Mae o'n dechra setlo hefyd. O, dydi hwn ddim am doddi i mewn i'r ddaear a diflannu, dydi hwn ddim am fynd nes y bydd o'n barod i fynd. A fydd hynny ddim tan ar ôl fory . . .

. . . a dyma fi rŵan yn dechra arafu, a rhoi'r gora i floeddio canu'r hen gân naff honno, 'chos dw i newydd feddwl am rwbath.

Ella 'mod i'n gwbod lot o betha – ond dw i ddim yn gwbod pryd y bydda i'n ca'l bod efo hi eto.

Heddiw? Fory?

'Magda!'

Dw i ar fy nglinia rŵan, ar y gwellt, yng nghanol y cachu cathod a'r eira mân, ac yn gweiddi, er 'mod i wedi trio sibrwd.

'Magda!'

A ma' wynab Mam yn ffenast y gegin, yn sbio allan arna i, ond nid y hi dw i'i hisio, siŵr. Pryd wela i Magda? Pryd ga i fod efo hi? Dwrnod cyn Dolig? Ne' dwrnod Dolig 'i hun? Ia, ella – presant Dolig!

Ond ella y bydd hi wedi gorffan yma erbyn hynny . . .

'NA–!!'

Codi, rŵan, a brysio i mewn i'r tŷ a Mam yn y gegin yn cilio'n ôl oddi wrtha i, wedi'i dychryn, ond 'sgin i ddim amsar rŵan i egluro. I fyny'r grisia ac i'm llofft, a chau'r drws a gwthio'r gwely yn 'i erbyn o rhag ofn i Mam drio dŵad i mewn. Y peth cynta i'w 'neud ydi chwilio am y CD honno . . . aaa! 'Ma hi . . . *The Best of Don Williams*, a cha'l hyd i'r gân sbeshial honno a'i rhoi hi ymlaen. Ac yna mynd ar 'y mol a gwthio fy nwylo dan y wardrob, i fyny heibio'r coesa bach pren at waelod y wardrob ei hun lle dw i wedi selotepio'r llyfr yn sownd – dydi Mam na neb yn gwbod am hwn, 'dach chi'n gweld – 'i rwygo fo'n rhydd a chodi ac ista ar y gwely efo'r llyfr ar 'y nglin a Don yn canu 'I recall a gypsy woman'.

Llyfr lloffion ydi'r enw ponsi Cymraeg, dw i'n meddwl, am scrapbwc. Fydda i byth yn leicio'r enwa Cymraeg gneud 'ma, ond ma' lloffion yn well na 'scrap', yn dydi? Rybish ydi 'scrap', yndê? Scrap, crap – dydi'r S ddim yn gneud unrhyw wahania'th.

Where she held me to her bosom, Just a boy of seventeen . . .

Does 'na ddim rybish na scrap na chrap yn fy llyfr i, hogia.

Mae o mewn dau hannar gin i. Ma'r hannar cynta bob amser yn gneud i mi grio – yn gneud i mi dorri 'nghalon, a deud y gwir; hanesion o wahanol bapura newydd am be ddigwyddodd i Magda a Jethro a Pietri Bach.

(A Morgra, hefyd, wrth gwrs, ond dw i'n trio pidio â meddwl amdani hi.)

Does 'na ddim lluniau ohonyn nhw, ond dim ots: ma'r llunia i gyd gen i yn fy meddwl a dw i'n ca'l sbio arnyn nhw bryd bynnag dw i isio.

Morgra – na, byth.

Jethro a Pietri, weithia.

Ond Magda bob dydd, bob awr, bob munud, bob eiliad.

Dim ond geiria, felly, oedd yn y papura newydd.

Fatal Accident Kills Travellers.

Tragic Deaths Due To Faulty Equipment.

NA –!!

Sori, yndê, ond ma' hynna'n rybish! *Faulty equipment, accident* . . . Scrap-crap!

Ymlaen, hogia bach, ymlaen . . .

Ma' ail hannar y llyfr wastad yn gneud i mi deimlo'n well o lawar. Hanesion o wahanol bapura newydd eto – ond y tro hwn am be ddigwyddodd i'r bastad tew Stiw Powell hwnnw, y fo a'i deulu.

Christmas Tragedy Strikes Family.

Ar ôl beichio crio dros Magda, mi fydda i'n darllan eto am Stiw Powell a'i deulu ac yn rowlio chwerthin.

Children Die In Christmas Eve Tragedy.

Ond heddiw, 'sgin i ddim amsar i ddarllan na chrio na chwerthin. Dw i'n chwilio am rwbath.

Pryd yn union ddigwyddodd bob dim i Stiw Powell? Faint o'r gloch?

Dydi'r papura ddim yn deud. Ond ma' nhw i gyd yn rhoid yr argraff 'i fod o wedi digwydd o gwmpas hannar nos.

Fydd hi wedi mynd, felly, yn o fuan ar ôl hannar nos, fora Dolig?

'NA–!!'

Cadw'r llyfr yn 'i ôl o dan y wardrob, selotêp ffres i'w ddal o yn 'i le.

A dw i'n gwbod be i'w 'neud nesa. I lawr y grisia ac i'r gegin, sgrechian ar Mam i gadw draw, allan o'm ffordd i. Chwilio am fy ffisig i gyd, a'i dollti fo i lawr y bog a thynnu'r tshaen.

Dw i mo'i angan o, 'chos dw i ddim isio colli'r cyfla o'i gweld hi eto, a bod efo hi eto.

Ivory skin against the moonlight and the taste of life's sweet wine . . .

Magda–!

14

Anna, Marc ac Ows

'Be uffarn w't ti'n 'neud yma?'

Caeodd bysedd Marc am ei braich a gallai Anna deimlo'i wynt poeth ar ei boch. Ceisiodd dynnu'i braich yn rhydd o'i afael, ond roedd o'n rhy gryf iddi. Dechreuodd ei thynnu tuag at y drws.

'Marc – rw't ti'n 'y mrifo i . . .'

'Tŷff.'

Ollyngodd o mo'i afael nes eu bod nhw allan yn y coridor, gyda drws ystafell Gwennan wedi'i gau y tu ôl iddynt. Rhwbiodd Anna'i braich. Mi fydd clais gogoneddus gen i erbyn y bore, meddyliodd.

'Mi ofynna i eto – be w't ti'n 'neud yma?'

'Be *dw i'n* 'neud yma?' Gwgodd Anna arno, ddim wedi arfer cael ei llusgo fel doli glwt. 'Mi faswn i'n gallu gofyn yr un peth i chdi!'

Edrychodd Marc arni fel petai hi'n drysu. 'Dydi o ddim yn amlwg?'

'Lle ma' dy blant di?'

'Be . . ?'

'Ma' nhw yma efo chdi, gobeithio?'

Symudodd llygaid Marc oddi wrthi a theimlai Anna awydd ei slapio'n galed.

'*Marc!*'

'Fedrwn i ddim peidio dŵad i weld 'y ngwraig, siŵr Dduw!'

'*Medri!* Dyna'r peth – ma' Gwennan yn iawn rŵan . . .'

'Yn iawn? W't ti'n ddall, ne' rwbath? Ma' hi'n bell o fod yn iawn . . .'

Ysgydwodd Anna'i phen yn ddiamynedd. 'Ti'n gwbod be dw i'n 'i feddwl. Ma' hi'n *saff* rŵan, yn fan 'ma. Ond ma' Lois a Deian . . . Dylat ti fod efo nhw drw'r amsar rŵan, Marc; rw't ti'n gwbod hynny, siawns. Ddydd a nos.'

'Ia, ocê – mi fydda i, reit? O heno ymlaen, tan . . . wel, Bocsing De, am wn i.' Eisteddodd ag ochenaid drom ar un o'r cadeiriau oedd â'u cefnau yn erbyn wal y coridor. Gwthiodd ei wyneb i mewn i'w ddwylo am eiliad neu ddau cyn ymsythu ac eistedd i fyny efo'i lygaid ynghau. 'Sori . . . dw i'm 'di cysgu ers echnos.'

'*Join the club.*'

Gwelodd Anna'i dymer yn fflachio dros ei wyneb.

'Ma'n ddigon blydi hawdd i chdi sefyll yn fan 'na yn 'y meirniadu i. Ocê 'ta – ty'd. Gan dy fod di mor glyfar, ateba di hyn, Anna. Be ddiawl ydw i i fod i'w ddeud wrth Lois a Deian, wrth Mam, wrth rieni Gwennan, pan na fydd 'i gŵr hi na'i phlant hi'n dŵad ar gyfyl y lle 'ma i edrach amdani – nid yn unig dros *Christmas Eve* ond hefyd trw' ddwrnod Dolig? 'Sgin ti unrhyw syniad? Os oes gin ti, yna 'swn i'n ddiolchgar iawn tasat ti'n 'i rannu fo efo fi!'

'Ia, ocê, Marc, sori . . .' cychwynnodd Anna.

Ond doedd Marc ddim wedi gorffen. 'A be ydw i i fod i'w 'neud efo Lois a Deian, Anna? W't ti'n gwbod hynny, 'ta? Sut ydw i i fod i edrach ar 'u hola nhw? W't ti'n gwbod be ddylwn i fod yn 'i ddisgwl? Be ddylwn i fod yn 'i ofni? Be ydw i i fod i'w 'neud? Ac oes 'na unrhyw bwynt trio? Dw i'n fodlon betio fod Stiw Powell wedi gneud 'i ora, ac yli be ddigwyddodd iddo fo!' Chwarddodd yn ddi-hiwmor. 'Ia, dyna'r broblam, yndê? Dydan ni ddim yn gwbod be ddigwyddodd i blant Stiw, yn nac 'dan? Ar wahân i'r ffaith eu bod nhw wedi ca'l 'u lladd – wedi ca'l 'u cipio! Os nad w't ti'n digwydd bod yn gwbod rhwbath?'

Ysgydwodd Anna'i phen. 'Dyna un o'r petha sy'n 'y mhoeni fi,' meddai hi. Eisteddodd ar y gadair oedd wrth ochr un Marc. 'Doedd Stiw ddim yn gwbod, yn nag oedd? Fo nac Yvonne. Dŵad o hyd i Gwyn yn 'i gar wna'th yr awdurdoda, yndê? Ar 'i ben 'i hun, yn 'i gar – nid yn y tŷ. Ac roedd Sara wedi syrthio allan o ffenast ei llofft tra oedd Stiw ac Yvonne i lawr y grisia efo'r heddlu. Felly, doedd gan yr un ohonyn nhw unrhyw glem ynglŷn â be'n union ddigwyddodd i'w plant nhw – *sut* gawson nhw'u lladd. Ella, tasa Stiw ac Yvonne wedi bod yno hefo nhw drw'r amsar . . .'

'Paid . . .' meddai Marc. Cododd ar ei draed a cherdded rhyw hanner dwsin o lathenni i fyny'r coridor. Yna trodd ac edrych arni. 'Jyst . . . paid, ocê? Blydi hel, Anna!'

Agorodd ddrws ystafell Gwennan ac edrych i mewn at lle y gorweddai'i wraig yn cysgu'n sownd, cyn ei gau eto'n dawel.

Edrychodd eto ar Anna. 'Dw i jyst â blydi drysu fel ma' hi.'

Dychwelodd i'w gadair ac eistedd eto â'i ben yn ei ddwylo. Cyffyrddodd Anna'n ysgafn â'i goes.

'W't, wn i, boi,' meddai'n dawel. 'Ond, Marc –

meddylia am y peth. Mi fydd Gwennan yn iawn. A Gina hefyd. Dydyn nhw ddim isio'ch gwragadd chi, yn nac 'dyn? 'Mond eu defnyddio nhw maen nhw – er mwyn dy gadw di ac Ows Bach yma, er mwyn cadw'ch *plant* chi yma. Dw't ti ddim yn meddwl 'i fod o'n uffarn o gyd-ddigwyddiad fod Gwennan wedi ca'l 'i tharo i lawr gan Gina, o bawb? O feddwl am yr holl draffig sy'n gwibio i fyny ac i lawr y ffordd fawr yna?'

Cododd Marc ei ben o'i ddwylo a syllu arni. Roedd ei lygaid yn goch ac yn flinedig.

'Debyg iawn 'y mod i. A ma' Ows, hefyd. 'Dan ni ddim yn ddwl, Anna, er gwaetha be rw't ti'n 'i feddwl.'

'Nac 'dach, wn i. Sori.'

Petrusodd am eiliad, ond yna meddyliodd: na, ma'n rhaid i mi ofyn iddo fo. Dyna pam y dois i yma, wedi'r cwbwl – i ga'l gwbod gan Gwennan, a Gina.

'Marc – w't ti wedi gofyn i Gwennan *be* achosodd y ddamwain?'

* * *

Cyrhaeddodd Ows yr ysbyty dan awyr lwyd, lawn, ond am unwaith sylwodd o ddim arni wrth gerdded o'r maes parcio am y drysau. Roedd ei feddwl, ar ôl noson hir a di-gwsg, ar Gina, ac ar y ffrae a gafodd efo Ifor – ffrae oedd wedi tanlinellu iddo mor amhosib yr oedd hi iddo fedru siarad efo'i blant.

Er bod ganddyn nhw – yn fwy na neb arall – hawl i gael gwybod y cyfan am bopeth oedd wedi dechrau digwydd o'u cwmpas.

Fedra i ddim deud wrthyn nhw – fedra i ddim.

Roedd y geiriau hyn y tu mewn i'w ben ers dyddiau, fel hen gân bop annymunol na fedrai gael gwared ohoni – ac yn uwch o lawer, wrth gwrs, pan oedd yng nghwmni Ifor, Buddug neu Owain, bron fel petai rhywun yn eu dweud yn ei glust. Neithiwr – neu'r bore 'ma – daeth yn agos iawn at ddweud y cyfan wrth Ifor, yn enwedig ar ôl i Ifor feddwl ei fod yntau hefyd wedi gweld cysgod rhywun yn symud ar ben y grisiau – rhywbeth oedd wedi dychryn Ows yn fwy na phopeth arall oedd wedi digwydd hyd yma.

Oherwydd, tan eleni, dim ond y rhieni oedd wedi cael cip arnyn nhw bob tro roedd hi'n bygwth bwrw eira.

Ond rŵan . . .

Eleni ydi'r flwyddyn, meddyliodd. *Eleni, ugain mlynedd yn ddiweddarach, maen nhw wedi dod i nôl ein plant ni.*

A fedran ni mo'u rhybuddio nhw, hyd yn oed.

Sut felly rydan ni'n gobeithio gallu edrych ar eu holau nhw, a'u cadw nhw'n ddiogel?

Duw a'n helpo ni.

Aeth i mewn drwy ddrysau'r ysbyty, heb edrych i fyny unwaith ar yr awyr fygythiol uwch ei ben.

Roedd y diffyg cwsg wedi gwneud iddo deimlo fel petai wedi meddwi, a chanolbwyntiai ar gerdded yn syth ar hyd coridorau'r ysbyty, gyda phawb a gerddai heibio iddo yn ddim ond siapiau amwys roedd yn rhaid iddo'u hosgoi.

'Ows–?'

Roedd un o'r siapiau wedi ei gyfarch. Craffodd.

'O. Be w't ti'n 'neud yma?'

Dw i ddim isio mynd trw' hynna efo hwn hefyd, meddyliodd Anna.

'Ma' Marc yma hefyd,' meddai wrtho. 'Mae o efo Gwennan. Dw i wedi gofyn iddo fo 'i holi hi ynglŷn â'r ddamwain.'

Edrychai Ows fel petai ar fin syrthio, a chydiodd Anna yn ei fraich.

'Ty'd i ista am funud.'

'Gina . . .'

'Mi fydd Gina'n tshampion. Ond fyddi *di* ddim, os na gymri di bum munud bach i ddŵad atat dy hun cyn mynd i'w gweld hi. Ty'd.'

Gadawodd Ows iddi ei dywys fel oen llywaeth at res o gadeiriau. Ymddangosodd coffi mewn cwpan blastig o dan ei drwyn.

'Ynda. Mae o'n stwff uffernol, ond o leia' ma' 'na rywfaint o gaffîn ynddo fo, ac mae o'n boeth.'

Er bod Ows wedi yfed galwyni o goffi ers y tro diwethaf iddo fod yma, cymerodd y cwpan yn ddiolchgar.

'Ma' golwg ofnadwy arnat ti, os ga i ddeud,' clywodd Anna'n dweud.

'Ma' golwg waeth o beth myrdd ar Gina. A Gwennan,' atebodd Ows yn sarrug.

'Oes, wn i.'

Edrychodd Ows arni. 'Sut w't ti'n gwbod? Dw't ti ddim wedi bod yn 'u gweld nhw?' Nodiodd Anna. '*Pam*? Dw i'n gobithio nad w't ti 'di bod yn 'u hambyg–'

'Naddo, naddo,' torrodd Anna ar ei draws yn ddiamynedd. 'Roedd y ddwy'n cysgu. Wnes i mo'u deffro nhw. Ond ro'n i isio gneud, Ows. Dyna pam dw i yma, er mwyn siarad efo nhw.'

'Yli, os w't ti'n meddwl agor dy geg . . .'

'Isio *gofyn* rhwbath iddyn nhw ydw i.'

Llygadodd Ows hi'n ddrwgdybus dros ei gwpan goffi.

'Fel be?'

'Glywist ti be ddudis i gynna? Dw i wedi gofyn i Marc holi Gwennan, a gofyn iddi'r hyn dw i isio'i wbod,' meddai Anna.

'A be ydi hynny?'

'Be yn union ddaru achosi'r ddamwain, Ows.'

'Yn ôl fel dw i'n dallt, Gwennan redodd allan i'r lôn, reit o flaen Gina. Welodd Gina mohoni hi tan yr eiliad ola' . . .'

Yna teimlodd Ows y blinder mwyaf ofnadwy'n golchi drosto fel petai rhywun wedi tollti tunnell o dywod dros ei ben.

'O, Iesu mawr, naci, ddim dyna be oedd o, Anna. Ddim i gyd.'

Teimlodd rywbeth yn llosgi'i law. Coffi. Sylweddololodd ei fod yn ysgwyd i gyd, a'i fod hefyd yn crio.

Cymerodd Anna'r coffi oddi arno. Ymbalfalodd Ows yn ei boced am hances.

'Sori . . .'

'Rw't ti wedi siarad efo Gina, yn dw't?' gofynnodd Anna'n dawel.

'Yndw . . . neithiwr . . .'

'Be ddudodd hi, Ows?'

Ysgydwodd ei ben. Roedd angen amser arno i sychu'i wyneb â chefn ei law, i chwythu'i drwyn, i hel ei feddyliau, i ddod o hyd i nerth o rywle – Dduw mawr, cymaint o nerth!

Er ei bod yn teimlo fel ei ysgwyd, gwnaeth Anna

ymdrech anferth i eistedd yn llonydd ac yn amyneddgar wrth ei ochor.

O'r diwedd, roedd Ows yn barod i siarad.

'Roedd 'na . . . mi ddudodd hi, Gina . . . roedd hi'n mynnu nad 'i bai hi oedd o. Roedd 'na . . . rwbath efo hi, Anna. Yn y car.'

* * *

Arhosodd Marc nes ei fod yn sicr fod Gwennan wedi llithro'n ôl i gysgu. Yna tynnodd ei law o'i llaw hi, codi a mynd allan o'r ystafell yn dawel.

Roedd Gwennan a Gina wedi cael eu rhoi mewn rhan dawel o'r ysbyty: neithiwr, roedd Marc yn ddiolchgar am hyn, ond yn awr byddai wedi rhoi'r byd am weld pobol yn cerdded heibio iddo. Pobol byw, cyffredin efo bywydau a phroblemau cyffredin. Roedd y tawelwch a'r llonyddwch parchus yn ormesol, a chafodd drafferth i'w atal ei hun rhag sgrechian dros y lle: gallai deimlo'r sgrech yn dringo i fyny'r tu mewn i'w wddf fel fflemsan anghynnes. Dechreuodd y lle droi o'i gwmpas ac eisteddodd ar yr un gadair y bu'n eistedd arni funudau ynghynt, gydag Anna. Gwthiodd ei ben i lawr rhwng ei gluniau nes i'r llawr lonyddu a'r chwys oer ddechrau sychu ar ei dalcen a'i wyneb.

Ymsythodd. Roedd Anna'n dod tuag ato ar hyd y coridor, ac Ows Bach wrth ei hochr yn edrych fel dyn oedd bron iawn â chyrraedd pen ei dennyn.

'W't ti wedi siarad efo hi?' gofynnodd Anna.

Nodiodd Marc.

'Wel?'

Gwyliodd wynebau'r ddau arall yn gwelwi fwyfwy wrth iddo ailadrodd yr hyn roedd Gwennan newydd ei sibrwd wrtho, ei llaw'n gwasgu'i law ef yn boenus o dynn – roedd olion ei hewinedd yn dal ar gnawd ei gledr – a'r ofn yn dawnsio dros ei hwyneb fel cysgod aflonydd oddi ar sgrin sinema.

'Fasa hi byth wedi rhedeg allan i'r ffordd fawr fel y gwna'th hi, fel arall,' gorffennodd. 'Ma' hi'n jogio ar y lôn gefn yna sawl gwaith mewn wsnos. 'Sa hi byth wedi gneud tasa 'na ddim byd ar 'i hôl hi.'

Wrth ei ochr, roedd Ows Bach yn crynu fel petai'r ffliw mwyaf ofnadwy arno.

'Roedd 'na rwbath efo Gina hefyd,' meddai. 'Yn y car. Fel arall, fasa hitha byth wedi . . . ma' hi'n well gyrrwr car na fydda i fyth.'

Rhythodd Marc arno am eiliadau hirion cyn ymestyn ei law a gwasgu'i ysgwydd.

'Welodd hi fo? Ne' hi?'

Ysgydwodd Ows ei ben.

'Na, welodd Gwennan mo'nyn nhw'n iawn, chwaith. Pa bynnag un ohonyn nhw oedd ar 'i hôl hi, yndê.'

'Marc, dydi hynny ddim yn bwysig . . .' cychwynnodd Anna, ond gwelodd wrth yr olwg ar wyneb Marc nad oedd o wedi gorffen. 'Be?' gofynnodd.

Rhwbiodd Marc ei wyneb fel petai'n ceisio glanhau rhyw staen hyll oddi arno.

'Welodd hi ddim byd cyn y ddamwain. 'Mond . . . o, 'dan ni'n gwbod yn iawn, yn well na neb, sut beth ydi o. Amball gip . . . gwbod fod 'na rwbath yno, ond dim byd i'w weld yn iawn. Ond neithiwr . . . pan oedd Lois yn y stafall efo hi . . .'

Edrychodd Ows i fyny'n sydyn.

'Lois?'

'Mi welodd Gwennan y nain uffernol honno,' meddai Marc, ei lais yn fawr uwch na sibrwd.

'Morgra?' meddai Anna.

''Mond Lois oedd yno i ddechra. Ond, medda Gwennan, mi gododd rhyw hen ddynas i fyny o'r tu ôl iddi, fatha tasa hi wedi cropian i mewn, allan o olwg Gwennan a heb i Lois ei chlywad. Hen ddynas efo gwallt gwyn hir, sgraglyd . . . ond efo'r wên fwya faleisus, fwya creulon a welodd Gwennan erioed, ar 'i hwynab hi. Ac wrth i Gwennan sbio . . .'

Dechreuodd coes Marc grynu'n awr, yn hollol afreolus. Dododd ei law ar ei ben-glin a cheisio'i rhwystro, ond daliai ei goes i grynu'n wyllt. Rhoddodd Anna'i llaw dros ei law ef.

'Mi wna'th hi ddechra . . . llosgi . . .' meddai Marc. 'Darna o'i hwynab hi . . . jyst yn llosgi, ac yn crebachu, a rhyw stwff du, fel gwaed ond 'i fod o'n ddu, yn dechra llifo i lawr o'i phen hi, dros 'i hwynab hi . . .'

. . . ac ym meddyliau'r tri ohonyn nhw, yn union fel petaen nhw'n gwylio'r un ffilm, roedd Stiw Powell, ei fat *baseball* wedi'i godi'n ôl yn uchel dros ei ysgwydd fel pastwn. Roedd y braw yn troi'i wyneb yn anwar, yn gyntefig, yn wallgof wrth iddo ddod â'r bat yn ei ôl i lawr â'i holl nerth, drosodd a throsodd, nes bod y peth ar y ddaear o'i flaen wedi'i llonyddu, nes mai'r unig beth i symud oedd y mwg afiach a godai'n ddiog o'i weddillion.

'Ac roedd hi yno – efo Lois?' sibrydodd Ows.

Nodiodd Marc, a dechreuodd Ows wneud hen synau bach brawychus yng nghefn ei wddf.

'Ows? Ows!'

Cydiodd Anna yn ei ysgwyddau. Roedd pen Ows yn symud o ochor o ochor wrth iddo ymdrechu i wadu popeth.

'Mi welodd Ifor un hefyd,' meddai, ei lais bron fel gwich. 'Neithiwr, yn y tŷ . . . 'mond cip, ond . . . Ma' nhw'n gryfach 'leni! Ma'n plant ni'n gallu'u gweld nhw hefyd!'

'Ffyc!'

Cododd Marc ar ei draed. 'Dowch. Ows – adra. Rŵan!'

Heb aros i weld a oedd y lleill yn ei ddilyn ai peidio, brysiodd Marc i ffwrdd. Cododd Anna, ond arhosodd Ows yn ei unfan, yn edrych i lawr y coridor i gyfeiriad yr ystafell lle'r oedd Gina'n gorwedd.

'Ows, ty'd!'

'Gina . . .'

'Ma' Gina'n iawn! Nid y hi ma' nhw'i hisio, Ows – ond dy blant di! Ty'd!'

Nodiodd Ows, a brysiodd ef ac Anna allan ar ôl Marc.

Pan gyrhaeddon nhw'r allanfa, gwelsant ei bod yn bwrw eira'n drwm.

Owain

Fedra i ddim aros tan y nos.

Dw i'n gwybod, taswn i ond yn cael y tŷ i mi fy hun, y basa hi'n dŵad yma eto – ia, yn ystod y dydd. Does dim rhaid iddi hi aros nes bod yr haul wedi mynd i lawr, ddim erbyn hyn. Mae hi wedi cryfhau cryn dipyn dros y dyddiau diwethaf, a phan fydd hi o gwmpas byddaf yn gallu'i theimlo hi – weithia'n boenus o agos ond eto allan o'm cyrraedd, fel Rhiannon o gyrraedd Pwyll.

Ac o bryd i'w gilydd caf arwyddion bychain a phryfoclyd ganddi, fel sibrydion sy'n dweud yn glir ei bod hi yma a'i bod yn disgwyl i bawb fynd o'ma er mwyn i ni gael y lle i ni ein hunain.

Arwyddion fel blaenau'i bysedd yn sgubo dros groen fy mraich fel gwe pry copyn, a'i hewinedd yn crafu'n ysgafn dros fy ngwar.

Ei hanadl yn cosi y tu mewn i 'nghlust.

Gwres ei chlun yn rhwbio yn erbyn fy nghlun i o dan y bwrdd.

Ei bron yn ymwthio'n chwareus yn erbyn fy ysgwydd.

Ei gwefusau, mor ysgafn ag adenydd glöyn byw, yn dawnsio ar hyd fy ngwefusau i.

A phob cyffyrddiad bychan, anweledig yn berwi ag addewid.

Addewid am y nos, a'r pleserau sydd i ddod.

Prin y byddaf yn meddwl am Claire y dyddiau yma. Dim ond dyddiau sydd ers yr amser pan oedd hi'n llenwi fy mhen, ond rŵan dw i'n gorfod meddwl yn galed cyn gallu cofio'i hwyneb hi. Mae fel tasa hi'n rhywun mewn hen, hen lun, a'r llun mewn albwm, a'r albwm mewn bocs, a'r bocs mewn seler neu atig, a'r seler neu'r atig mewn tŷ yr oeddwn yn arfer byw ynddo fo flynyddoedd maith yn ôl.

Dechreuodd Claire wywo o fewn un noson, ar ôl dros wyth mis o fynd allan efo'n gilydd. Dw i'n cofio'r noson yn iawn. Breuddwydio wnes i, ac ro'n i'n meddwl i gychwyn mai breuddwydio am Claire yr oeddwn – mai ei bysedd hi oedd y rhai a deimlais yn crwydro'n ddiog dros fy nghorff, mai ei cheg hi oedd yn fy nghusanu ac mai ei chluniau hi oedd yn cau amdanaf a'm caethiwo.

Ond sylweddolais mai gwallt hir, trwchus a thywyll oedd y gwallt yr oeddwn yn ei wau rhwng fy mysedd yn fy mreuddwyd, nid gwallt golau cwta Claire; fod y bronnau a deimlais yn llenwi fy nwylo yn fwy o lawer na rhai fy nghariad; fod croen y llaw a gydiodd ynof yn fy nghwsg yn fwy garw, y bysedd yn fwy medrus, yr ewinedd yn fwy siarp.

Diflannodd y rhith pan ddeffrais, fy nghluniau a'm bol yn gynnes a gwlyb, ac aeth â Claire hefo hi.

'Lle w't ti heno 'ma?' gofynnodd Claire ar ei noson olaf. 'Yn sicr, dw't ti ddim yma efo *fi*.'

Gwenais, ac ysgwyd fy mhen. Roedd ei gwep, pan atebais y drws iddi, wedi syrthio pan welodd fy wyneb i, ei gwên wedi rhewi am ennyd cyn dechrau toddi. Ond doedd hynny ddim yn ddigon ganddi: roedd yn rhaid iddi gael dod i mewn, ac eistedd, a mân siarad yn orsiriol gan chwerthin yn annaturiol ar y pethau lleiaf. Dechreuodd dynnu'i chôt a dywedais wrthi am beidio.

'Ocê,' meddai o'r diwedd, 'be ydw i wedi'i 'neud?'

Edrychais arni a theimlo hynny o amynedd oedd gen i ar ôl yn gwibio i ffwrdd nerth ei draed. Codais declyn y teledu a dechrau neidio o un sianel i'r llall, gan obeithio y basa hi'n codi a mynd.

'Dw i'n trio siarad efo chdi, Owain! Y peth lleia fedri di 'i 'neud ydi sbio arna i.'

Ochneidiais yn uchel a throi a syllu arni'n or-amyneddgar.

'Pam w't ti fel hyn efo fi?'

Daliais i syllu arni, yr un olwg ar fy wyneb.

'Owain! *Be ydw i wedi'i 'neud?*'

Gwenais ychydig wrth weld y dagrau yn llenwi'i llygaid, a'r eiliad nesaf teimlais yr ewinedd rheiny'n crafu fy nghnawd yn bryfoclyd am y tro cyntaf.

'W't ti isio i mi fynd?'

Atebais hi, gan siarad fwy neu lai am y tro cyntaf y noson honno.

'Mi fasa hynny'n gam i'r cyfeiriad iawn.'

Mwy o ddagrau – o, wrth gwrs, mwy o ddagrau.

Ochneidiais eto.

'Claire,' dywedais. 'Gair bach o gyngor. 'Swn i ddim yn crio, taswn i'n ti. Does 'na ddim byd ciwt ynddo fo. Os rhywbeth, mae'n o'n gneud i chdi edrych yn hyll fel pechod.'

Rhythodd arna i am rai eiliadau, ei cheg gam yn agored, cyn codi a rhuthro allan o'r tŷ. Ceisiodd fy ffonio droeon wedyn, eisiau gwybod pam, pam, pam, ond yr unig beth y medrwn i ei ddweud oedd, 'Claire, dw i jyst wedi blino, ocê?'

Wedi blino arni hi? Dyna'r casgliad y daeth Claire

iddo, ac ro'n i'n ddigon hapus iddi hi wneud hynny. Ond do'n i ddim yn ymwybodol 'mod i wedi blino arni hi, nes i'r llall – yr un newydd – lithro i mewn i'm breuddwydion y tro cyntaf hwnnw. Iawn, ro'n i'n edrych ymlaen at gael mynd i'r Bahamas, lle mae'r genod yn gwisgo'r nesaf peth i ddim – wrth gwrs fy mod i, hogyn dwy ar bymtheg oed fel fi – ac yn eitha balch na fyddai Claire yn dod hefyd, ond doedd gen i'r un bwriad o *orffen* efo hi. Ond dyna fo, mae hynny wedi'i wneud rŵan.

Ond ro'n i'n dweud y gwir wrthi yn llythrennol pan ddywedais mod i wedi blino. Roedd Hi – y llall, yr un newydd – yn dod ata i bob nos erbyn hynny. O ble, does gen i ddim syniad: does dim ots gen i, chwaith. Nac i ble mae hi'n mynd pan fo'r wawr yn torri.

Dw i ond yn gwybod na fedra i aros tan y tro nesaf, er gwaetha'r ffaith 'mod i'n wan ofnadwy ar ôl pob ymweliad, a bod cleisiau a brathiadau a chrafiadau wedi dechrau ymddangos dros fy nghorff. Daw ataf weithiau ag arogl mwg yn ei gwallt, a'r troeon hynny mae'n fy nhywys ar hyd llwybrau breuddwyd i'r goedwig – o, ydw, dw i'n adnabod y goedwig hon yn iawn: ein coedwig ni ydi hi, yma yn Aberllechi. Ac yno, yn aros amdanom, mae gwely meddal o fwsog a dail, ac er ei bod wastad yn pluo eira gallaf deimlo'r gwres o'r fflamau'n cadw fy nghorff yn gynnes.

Byddaf yn meddwl weithiau fod Buddug yn deall. Bob tro y byddaf yn cael fy meirniadu neu fy nwrdio am fynd o gwmpas y lle fel un mewn breuddwyd, byddaf yn edrych ar fy chwaer a'i dal yn syllu arnaf â chydymdeimlad yn ei llygaid, fel petai hi'n gwybod pam fy mod mor swrth yn y boreau. Weithiau, pan fyddaf yn cael fy nhywys yn eiddgar ar hyd llwybrau'r goedwig, teimlaf fod Buddug yno hefyd, un ai'n cerdded ychydig o'n blaenau neu'n ein dilyn.

Ond nid yw Buddug yno ar ei phen ei hun. Mae hi law yn llaw â phlentyn ifanc – bachgen, gyda llond pen o wallt tywyll – y ddau ohonynt yn sgipio ac yn chwerthin ac yn chwarae, a dw i'n aml wedi dod yn agos iawn at ei holi hi ynglŷn â hyn, ond does gen i mo'r nerth, does gen i fyth mo'r nerth i wneud.

Ac yn awr, dw i'n gwybod na fedraf aros tan y nos. Mae'r goedwig yn galw.

Mae Hi yn galw f'enw.

Buddug

Detlene.

Mae'n amhosib dweud, yn dydi, pryd yn union y mae rhywbeth yn deor am y tro cyntaf y tu mewn i isymwybod rhywun.

Ond dw i *yn* gwybod pryd y gwelais i'r gair yma gyntaf.

A mi fy hun a'i ysgrifennodd – heb wybod fy mod i wedi gwneud hynny.

Mam oedd y gyntaf i sylwi. Ro'n i'n gwylio *CSI: Miami* tra oedd hi'n brwydro â'r croesair yn y papur newydd.

'Buddug – be 'di hwn?'

'Mmmm . . ?'

'Hwn – *Detlene*. Ne' "Det-lin" w't ti'n 'i ddeud?'

'Be?'

'*Hwn!*' Chwifiodd y papur newydd yn biwis. 'Dydi o ddim yn gneud unrhyw synnwyr. Gwranda ar y cliw . . .'

'Mam, dw i'n trio gwatshiad hwn . . .'

'Dw inna'n trio gneud 'y nghroesair hefyd, ond ma' rywun wedi'i ddifetha fo.'

'Ddim y fi.'

'Dy sgwennu di ydi o. Gwranda. *No saint helps create this wealthy bird.*'

'Be?'

Ochneidiodd. '*No saint helps cre . . .*'

'Fydda i byth yn sbio ar y rhai cryptig. Be ydi'r cliw syml?'

'*Known to bury its head in the sand.*'

'Ostrich, yndê?' atebais.

'Ia. Ma'r *No* yn rhoi 'O' i chdi, fel dim neu *zero*, y *saint* yn rhoi 'st', a ma' nhw'n helpu i greu 'Ost-rich' – y *wealthy bird*. Pam wnest ti sgwennu'r *Detlene* 'ma i mewn yn y blycha, 'ta?'

'Wnes i ddim.'

'Wel *do*! Sbia!'

Gwthiodd y papur newydd dan fy nhrwyn. Ia, fy llawysgrifen i oedd o, yn bendant. Ond doedd gen i ddim cof . . .

'O. Sori . . .'

'Be mae o'n 'i feddwl, beth bynnag?'

Codais f'ysgwyddau. ''Sgin i'm syniad.'

Dychwelais at *CSI: Miami*, ond fedrwn i ddim canolbwyntio'n iawn arno fo wedyn. Ar wahân i'r ffaith fod Mam wedi mynnu siarad dros bum munud reit dda ohono fo, daeth y gair bach dieithr hwnnw – *Detlene* – i'm pigo bob hyn a hyn.

Be ar y ddaear oedd o?

Edrychais ar y croesair eto ar ôl i'r rhaglen deledu orffen. Ia, fi oedd wedi'i sgwennu yn y blychau, doedd dim dwywaith am hynny. Ond pryd? Doedd gen i'r un cof o hyd yn oed agor y papur newydd y diwrnod hwnnw. A faswn i byth wedi meddwl am edrych ar y croesair; does wiw i'r un ohonan ni ei wneud o nes y bydd Mam wedi cael mynd i'r afael â fo yn gyntaf; dyna un o reolau aur ein tŷ ni.

Ond yno'r oedd o – yn fy llawysgrifen i.

Detlene.

Y noson honno, sylweddolais wedyn, oedd y tro cyntaf i mi freuddwydio fy mod yn cerdded mewn coedwig, law yn llaw â phlentyn bach. Ceisiais edrych arno er mwyn ei weld yn iawn, ond diflannodd. Deffrais dan grio a heb yr un syniad pam.

'Detlene,' fe'm clywais fy hun yn ei ddweud yn nhawelwch f'ystafell.

Eto, doedd gen i ddim syniad pam.

Codais o'r gwely yn teimlo rhyw dristwch rhyfedd. Y freuddwyd, falla? Dechreuais grio wrth sefyll dan y gawod, ond methais yn lân â chofio dim rhagor o'r freuddwyd – dim ond y fi, y goedwig, rhyw blentyn bach a'i law o yn fy llaw i.

Criais sawl gwaith wedyn yn ystod y diwrnod hwnnw, a'r dagrau'n dod o nunlle, heb unrhyw rybudd. Teimlais fel fy mod yn galaru, ond pam? A thros bwy?

'Wyt ti'n iawn?' gofynnodd sawl un o'm ffrindiau. A

Mam hefyd, dros swper, a Dad, ac Ifor a hyd yn oed Owain; roedd o wedi dod i mewn i'm llofft i ddweud nos da yn anarferol o gynnar y noson honno, ymhell cyn deg o'r gloch.

Nodiais heb edrych i fyny arno'n llawn. Wrth iddo gau drws f'ystafell, meddyliais am eiliad i mi glywed merch yn giglan yn ddireidus, fel petai Owain yn sleifio Claire i mewn i'w lofft.

Dychwelais i'r goedwig y noson honno, ond y tro hwn ro'n i'n gwybod lle'r o'n i: yn ein coedwig ni yma yn Aberllechi. Teimlais yn afresymol o hapus, a breuddwydiais fy mod wedi chwerthin yn uchel dros y lle. Roedd Owain yno hefyd, yn cerdded ychydig lathenni o'm blaen, law yn llaw efo merch – nid Claire, ond merch bryd tywyll, gyda gwallt hir, du. Dechreuodd droi tuag ataf, ond teimlais law fechan, gynnes yn llithro i mewn i'm llaw i a'i gwasgu. Edrychais i lawr. Hogyn bach oedd yno – yn gwisgo pyjamas am ryw reswm – hogyn bach oddeutu deng mlwydd oed gyda nyth brân o wallt tywyll. Edrychodd i fyw fy llygaid drwy ddau lygad du.

'Detlene?' gofynnais iddo.

Nodiodd yr hogyn bach. '*Detlene!*' meddai, gan chwerthin yn uchel.

Chwarddais innau hefyd, erioed wedi teimlo mor hapus.

Ond pan ddeffrais, ro'n i'n crio unwaith eto.

Duw a ŵyr pam.

Clywais gŵn yn udo'n uchel ar fore'r diwrnod y cafodd Mam ei damwain car. Dwsinau, cannoedd o gŵn, i gyd yn torri'u calonnau. Cerddais i lawr at yr harbwr. Yno, daeth Claire ataf. 'Ma' dy frawd di'n fastad cas,' meddai. Cerddodd i ffwrdd dan grio. Eisteddais yno ar un o'r meinciau, yn gwrando ar udo'r cŵn. Waliau duon hynafol a llaith, awyr wen, môr llwyd.

'*Detlene*,' sibrydais. '*Detlene*.'

Wrth gerdded adref, teimlais law fach, oer yn llithro i mewn i'm llaw i.

Yn y car y noson honno, ar y ffordd adref o'r ysbyty, edrychais ar gefn pen Owain; eisteddai wrth f'ochor ond roedd yn syllu allan drwy'r ffenestr. *Ma' rhwbath yn digwydd, yn does?* meddyliais. *Dw i ddim yn gwybod be, a dw i ddim yn gwybod os ydw i'n ei leicio fo neu beidio. A dw i'n meddwl dy fod titha'n mynd trw' rwbath tebyg.*

Trodd Owain ata i. Nodiodd unwaith. Gwenais. Dydan ni erioed wedi bod mor agos. Clymais fy mys bach am ei fys bach ef, ac yn fy meddwl gwelais gyrff noethlymun a chwyslyd yn gwingo'n llithrig dros ei gilydd; teimlais fy mronnau'n llenwi a gwlybaniaeth poeth yn cosi rhwng fy nghluniau. Yna sylwais ar Ifor, yn y sedd flaen, yn rhythu arna i gyda dychryn yn llenwi'i wyneb. Symudodd Owain ei fys bach i ffwrdd; teimlais fy nghalon yn arafu a'm gwaed yn rhoi'r gorau i ganu.

Breuddwydiais am eira y noson honno; plu gwynion hardd yn syrthio o'm cwmpas yn y goedwig fel petalau coeden geirios mewn ffilm o'r Dwyrain. Law yn llaw â'r bachgen bach unwaith eto, y tro hwn yn sgipio drwy'r eira nes dod at y fan lle'r oedd Owain a'r ferch gyda'r gwallt du, hir yn caru'n noethlymun ar y llawr. Roedd golau fflamau'n dod o rywle ac yn gwneud i'r chwys ar eu cyrff ddisgleirio fel dafnau o law wedi'u dal ym mhelydrau'r haul. Meddwais ar eu caru, a dawnsiais gyda'r hogyn bach i rythm eu cyrff yn taro yn erbyn ei gilydd.

Doedd dim cŵn yn udo yma. Yn eu lle, clywais leisiau'n sgrechian.

Deffrais dan feichio crio, fy nghalon wedi'i rhwygo'n ddwy.

Yn awr, a minnau'n effro, mae'n bwrw eira. Tybed ydi Mam yn gallu'i weld o'i gwely yn yr ysbyty, yn disgyn heibio i'w ffenest?

Er nad yw'n chwythu, gallaf glywed llais yn galw ar y gwynt – llais ifanc, bregus a gwan.

Llais plentyn.

Chwilio amdana i y mae o, a gwn nad oes ond angen i mi aros yma, yn fy llofft, ar fy sedd ar sil y ffenest, ac mi ddaw o hyd i mi'n hwyr neu'n hwyrach.

'*Detlene*,' sibrydaf. '*Detlene* . . .'

Gallaf glywed yr eira hefyd yn sibrwd wrth setlo ar y ddaear, a chŵn y fro'n udo'n rhywle yn fy mhen.

15

Caren

Roedd Lois wedi codi'r ofn mwyaf ofnadawy arna i – efo'i stori, ia, debyg iawn, ond y peth gwaethaf oedd ei hymateb hi i bob dim oedd wedi digwydd.

Ac ymateb Ifor, hefyd.

Roedd yr ofn a'r dychryn oedd i'w weld yn glir ar wynebau'r ddau ohonyn nhw – a'r ffordd roedden nhw'n crynu o bryd i'w gilydd ac yn sbio o'u cwmpas yn wyllt fel tasan nhw'n chwilio'n ofer am rywle i ddianc – yn gneud yr holl beth yn annioddefol o *real*.

Ac Ifor . . . wel, damia fo!

Daeth i mewn i'r gegin a rhoi'i law ar ysgwydd Lois a'i gwasgu'n ysgafn. Yna eisteddodd wrth y bwrdd rhwng y ddwy ohonan ni.

Rhythais arno fo.

'Oeddat ti'n *gwbod* am hyn?' gofynnais.

Ysgydwodd ei ben.

'Ond . . . rw't ti'n gwbod am be roedd Lois yn sôn? Ma'r un petha wedi digwydd i chditha hefyd?'

'Ddim cyn gryfad,' atebodd. 'Rhwbath tebyg. Adra, neithiwr . . . ne'r bora 'ma.' Daliodd Ifor ei law dde yn agored ar wyneb y bwrdd; gafaelodd llaw Lois amdani a'i gwasgu'n dynn. Roedd y rhain yn *rhannu* rhywbeth – a do'n i ddim. Teimlwn fel taswn i'n sefyll y tu allan i fwyty neu dafarn yn sbio i mewn drwy'r ffenest ar bawb arall. Er gwaetha'r sefyllfa, teimlwn yn ddig ofnadwy wrth wylio bysedd y ddwy law yna'n gwasgu'i gilydd reit o dan 'y nhrwyn i.

Ddudis i'r un gair, ond mae'n rhaid bod fy nheimlada i'w gweld yn glir ar fy wyneb oherwydd, ar ôl sbio arna i, gosododd Ifor ei law chwith ar y bwrdd a'i dal yn agored. Cefais fy nhemtio i'w hanwybyddu, ond yr eiliad nesaf roedd fy llaw i yno a'm bysedd yn clymu am ei fysedd o.

Ac felly yr oedden ni, y tri ohonan ni, yn eistedd o gwmpas bwrdd crwn y gegin yn dal dwylo'n gilydd, fel tasan ni'n cynnal rhyw *seance*, ac yn gwylio'n paneidiau'n oeri. Doedd dim i'w glywed heblaw sŵn anadlu, a'r eira mân yn crafu yn erbyn y ffenest bob hyn a hyn.

Y fi oedd y gyntaf i aflonyddu.

Roedd fy meddwl wedi setlo erbyn hynny, ar ôl cael fy nychryn gan stori Lois, a dechreuais fynd ati i lunio rhestr o gwestiynau. Ar wahân i'r un anferth, sef: *Be uffarn sy'n digwydd?* rhestrais nhw fel hyn:

- Be oedd y – fel y dwedodd Lois – y 'petha' 'ma oedd yn aflonyddu arni hi ac Ifor a Deian? Ai *ysbrydion* oeddan nhw?
- Ac os felly, ysbrydion pwy?
- Ai dyna be welais i y tu allan i fflat Anna y noson honno, ar fy ffordd adref o dŷ Ifor? (Swniai'n debyg ar y naw i'r ffigwr a welodd Deian ar fuarth yr ysgol.)
- Pam oedd o y tu allan i fflat *Anna*? Roedd yn amlwg bellach fod Anna'n gwybod dipyn go lew am beth bynnag oedd yn digwydd yn y lle 'ma. Pam?
- Be welodd hi a Dad ar eu ffordd adref o'r theatr?

- Pam fod hyn i gyd wedi dechrau *rŵan*? Hyd y gwn i does yr un sôn wedi bod am unrhyw ysbrydion o gwmpas y lle tan rŵan (ond ella 'mod i'n anghywir ynglŷn â hyn).

Sylweddolais fy mod, wrth restru'r holl gwestiynau hyn yn fy meddwl, fwy neu lai wedi derbyn bod y ffasiwn bethau ag ysbrydion yn bod yn y lle cyntaf.

Blydi hel, o'n i'n gall?

Y fi, oedd wastad wedi wfftio'r syniad o bethau fel yna. I mi, roedden nhw'n perthyn i'r un categori â thylwyth teg, UFOs, Bigfoot, fampiriaid, *werewolves*, gwrachod ac Anghenfil Loch Ness.

Ond dyma fi, rŵan, nid yn unig yn cael fy nychryn gan stori Lois ond yn coelio bob gair ohoni, yn ei derbyn fel *ffaith*.

Codais yn sydyn oddi wrth y bwrdd, gan beri i'r ddau arall neidio.

'Na,' dywedais wrth bendilio o gwmpas y gegin, ''ma' hyn yn bolocs. Yn bolocs llwyr.'

Gwelais Ifor a Lois yn sbio ar ei gilydd a theimlwn awydd sgrechian arnyn nhw, *Wnewch chi roi'r gora i'r rhannu 'ma?* a rhoi slap i Ifor a dweud wrtho fo, *Efo FI rw't ti i fod i rannu petha, nid efo hon!*

''Dach chi'n sylweddoli am be 'dach chi'n sôn, yn dydach?' rhuais arnyn nhw.

Sbiodd y ddau arna i fel delwau.

''Dach chi'n trio deud wrtha i fod 'na ryw . . . ryw ysbrydion ne' rwbath ar 'ych hola chi drw'r amsar?'

'Does gen i ddim syniad *be* ydyn nhw, Caren,' meddai Ifor gan ochneidio.

Edrychais ar Lois.

'Dw inna ddim yn gwbod chwaith,' meddai.

'Ocê. Ocê . . .' Cerddais at y ffenest gan wthio fy llaw drwy fy ngwallt. Roedd yr eira, hanner sylweddolais, yn drymach o lawer erbyn hyn.

Troais yn f'ôl. Roedd Lois ac Ifor yn dal yn syllu arna i.

'Ysbrydion *pwy*?' gofynnais.

Dim ymateb.

Ochneidiais. 'Ocê – gan ddychmygu am funud ein bod ni'n cymryd rhan mewn rhyw ffilm sbŵci . . .'

'Caren, dydan ni ddim,' torrodd Lois ar fy nhraws. 'Ma' hyn yn digwydd go iawn. Tasat ti wedi gweld Deian . . .'

'Ond *be* sy'n digwydd go iawn?' gofynnais. ''Dach chi ddim wedi gweld dim byd, yn naddo? Ddim go iawn, 'run ohonoch chi.'

'Ond ma' Deian *wedi,*' meddai Lois.

'Yndi – *medda fo*. Ond dw't ti ddim, yn nag w't? 'Mond meddwl dy fod di. Be amdanat ti?' gofynnais i Ifor.

Cododd ei ysgwyddau. 'Wel . . . dw i'm 'di *gweld* dim byd, naddo. Dim byd pendant, yndê.'

''Na chdi, 'ta – 'mond meddwl rw't titha hefyd. Be am Owain a Buddug?' Cododd Ifor ei ysgwyddau eto. ''Dach chi ddim yn meddwl ella mai dychmygu petha 'dach chi?'

'*Nac 'dw*. Caren – mi fetia i di, tasa'r un petha'n digwydd i *chdi*, fasat *ti* ddim yn meddwl mai jyst dychmygu oeddat ti.'

Roedd Lois yn gwgu arna i'n flin, ond edrychai Ifor ychydig yn fwy ansicr. Sylweddolodd Lois fod ei llaw yn dal i fod yn ei law o, a phlwciodd hi'n rhydd fel tasa hi mewn llwyth o faw ci. Teimlais innau awydd gwenu. Roedd Lois yn amlwg yn ystyried ansicrwydd Ifor fel rhyw fath o frad.

'Dyna'r draffarth efo chdi,' meddai wrtha i. 'Rw't ti wastad yn meddwl dy fod yn gwbod y ffycin cwbwl.'

'O, Lois – cym on!'

'Wel, dw't ti ddim, ocê! Ma' 'na rei petha . . . rhei petha dw't ti'n gwbod bygyr-ol amdanyn nhw . . .'

Chwarddais. 'O, briliant. *There are more things in heaven and earth,* ia? *Than are dreamed of in our philosophies.*'

''Na chdi eto, yn dangos dy hun, yn meddwl dy fod yn gwbod bob dim!'

'Hei, dowch rŵan, chi'ch dwy . . .' meddai Ifor.

'Cau hi!' cyfarthais arno. Edrychais ar Lois. 'Ocê – be dydw i ddim yn 'i wbod? Deud wrtha i. Dw't *ti* ddim yn gwbod y peth cynta am be bynnag sy'n digwydd i chdi – mi ddudist ti hynny dy hun gynna.'

'Dw i'n gwbod 'i fod o *yn* digwydd . . .' Rhoddodd bwniad caled i Ifor yn ei fraich. 'Ma' hwn yn gwbod hefyd.'

Eisteddodd yn ei hôl gan blethu'i breichiau, a golwg bwdlyd ar ei hwyneb.

'Ocê, ocê. Sori.' Ceisiais leddfu'r sefyllfa rhyw gymaint. 'Ond, Lois – chwara teg. Rw't ti'n landio yma efo rhyw stori . . . fel rhwbath allan o *Buffy the Vampire Slayer* . . .'

'O, Caren!' Trodd Ifor ata i. 'Dydi o'n ddim byd tebyg i hwnnw, siŵr Dduw. O leia ma' rhywun yn gwbod lle mae o efo'r rheiny.'

'Sori, efo pwy?' gofynnais.

'Fampairs . . .' meddai'n llipa.

'Shit!' Cipiais hen gôt oddi ar y bachyn y tu ôl i'r drws, a leitar a phaced o sigaréts o'm bag. 'Dw i angan ffag, cyn i Dad gyrra'dd adra.' Edrychais ar Lois. 'Ti'n dŵad efo fi?'

Edrychodd Lois am eiliad fel petai am fy nilyn, ond yna edrychodd allan ar yr eira'n disgyn. Ysgydwodd ei phen.

'Dw i'm isio mynd allan.'

'Mi fydd yn rhaid i chdi fynd adra, yn hwyr ne'n hwyrach.'

Nodiodd.

Gan ebychu'n ddiamynedd, es allan i'r ardd gefn.

Wrth gwrs, do'n i ddim yn teimlo hanner mor hyderus ag yr o'n i wedi cymryd arna fy mod i wrth Ifor a Lois. Drw'r amser, roedd 'na lais bach yn 'y mhen yn f'atgoffa o'r ffigwr welais i y tu allan i fflat Anna, ac am yr hogyn bach hwnnw mewn pyjamas roedd Dad ac Anna wedi'i weld ar y ffordd o Fangor.

Pam na faswn i wedi sôn am y ddau beth yna wrth Ifor a Lois?

Wel, do'n i ddim isio codi mwy o ofn arnyn nhw, nag o'n? Yn fwy na hynny, do'n i ddim isio *cyfaddef* fy mod inna hefyd wedi cael fy nghyffwrdd rhyw fymryn gan beth bynnag oedd yn digwydd yn Aberllechi. Basa hynny wedi'i wneud yn fwy real fyth. Drwy drio siarad rhywfaint o synnwyr cyffredin, drwy wadu, roedd yr ofn yn fwy tebygol o gadw draw.

A doedd arna i ddim isio teimlo'r un ofn ag yr oedd Lois ac Ifor – ond yn enwedig Lois – yn ei deimlo.

Ro'n i'n rhy gall i deimlo rhywbeth felly.

Ha!

Caren, y *chdi* sy'n siarad bolocs llwyr, meddyliais.

Roedd yr eira'n disgyn yn o drwm erbyn hyn ac yn setlo ar y lawnt. Chwythais fwg llwyd i ganol y plu a sylwi bod olion fy nhraed i'w gweld yn glir . . . roedd olion traed eraill i'w gweld yn yr eira hefyd, rhesaid ohonyn nhw'n martsio ar hyd y lawnt ac i fyny at ffenest y gegin . . .

. . . ond doedd neb yn sefyll yno, a doedd yna ddim olion yn arwain yn ôl o'r ffenest.

'Shit!'

Diffoddais fy ffag a throi am y drws. Wrth i mi gydio yn yr handlen, clywais rywun yn chwerthin yn dawel y tu ôl imi – sŵn a ddeuai o'r awyr, rhywsut, fel tasa'r eira ei hun yn chwerthin.

Teimlais fy nghoesau'n rhoi oddi tanaf, a chefais y teimlad ofnadwy fod rhywbeth reit y tu ôl i mi yn plwcio defnydd cefn fy nghôt efo bysedd hir, tenau.

Gan wybod mai'r peth olaf yr o'n i isio'i wneud oedd troi a gweld beth bynnag oedd yno, agorais y drws a baglu i mewn i'r gegin gan gau'r drws ar f'ôl gyda chlep. Clywais sŵn rhyfedd fel rhywun yn igian crio, a sylweddolais mai fi fy hun oedd wrthi.

Doedd neb arall yno i'w glywed, beth bynnag.

Roedd Ifor a Lois wedi mynd, gan adael y drws ffrynt yn llydan agored ar eu holau.

16

Lois ac Ifor

Bu tawelwch yn y gegin am rai eiliadau ar ôl i Caren fynd allan i'r ardd.

'Do'n i ddim hyd yn oed yn gwbod 'i bod hi'n smocio,' meddai Ifor o'r diwedd.

Ddywedodd Lois ddim am ychydig. Eisteddai'n syllu i lawr ar ei dwylo. 'Dw i 'rioed wedi gneud,' meddai Ifor. '*Stunts your growth*, meddan nhw.'

'Dydi hi ddim yn 'y nghoelio fi,' meddai'n dawel o'r diwedd.

Edrychodd Ifor arni. 'Ti'n meddwl?'

'Dw't ti ddim?'

'Dw i'm yn meddwl mai dyna be ydi o,' meddai Ifor. 'Nid matar o beidio dy goelio *di*. Jyst – wel, methu'n lân â choelio fod . . . be bynnag sy'n digwydd *yn* digwydd. A wela i ddim bai arni hi, a bod yn onast.'

'Be?'

'Ty'd 'laen, Lois! Tasa 'na rywun wedi dŵad atat ti, fis ne' ddau'n ôl, a deud wrthat ti yr hyn 'dan ni, heddiw, wedi'i ddeud wrth Caren . . .'

'Mmmm . . . ocê,' ochneidiodd Lois.

'Roedd hi'n iawn gynna, mae o fel rhwbath allan o ryw horyr ffilm.'

'Yndi.' Rhwbiodd Lois ei phen yn flinedig. '*I see dead people . . .*'

'Y?'

‘Ti’m wedi gweld *The Sixth Sense*? Bruce Willis, a’r hogyn bach crîpi hwnnw?’

Ysgydwodd Ifor ei ben.

‘Y peth ydi, ’dan ni ddim *yn* ’u gweld nhw, yn nac ’dan? Os mai dyna be ydyn nhw. ’Mond ’u teimlo nhw, a rhyw feddwl ’u bod nhw yno . . . Lois?’

Wrth i Ifor siarad, roedd llygaid Lois wedi crwydro’n ôl i gyfeiriad y ffenestr. Eisteddai’n awr yn hollol syth gan bwyso’n ôl yn erbyn cefn ei chadair, ei llygaid yn anferth a chrwn ac wedi’u hoelio ar y ffenestr.

Trodd Ifor.

‘Na . . .’ ceisiodd ddweud. ‘Na . . . ffycin hel, na . . .’

Teimlodd Ifor rywbeth yn llacio y tu mewn iddo. Safai dynes yr ochr arall i’r ffenestr yn rhythu i mewn drwy’r gwydr ar y ddau ohonynt. Disgynnai’r eira’n drwm o’i chwmpas, ond doedd yna’r un bluen yn setlo arni; roedd fel petaent i gyd yn ei hosgoi, rhywsut – fel petai hyd yn oed y plu yn ofni cyffwrdd â hi.

Roedd ei gwallt yn hir ac yn llwyd ac yn sgraglyd, a hwnnw’n fframio wyneb main, siarp. Teyrnasai dau lygad du dros yr wyneb hwn, dan aeliau hynod o drwchus, ac roedd y llygaid yn llawn malais a chasineb wrth iddynt syllu i mewn ar Lois ac Ifor. Roedd hyn ynddo’i hyn yn ddigon brawychus, a hwnnw wedi’i anelu’n uniongyrchol atyn nhw.

Roedd y casineb fel rhywbeth byw, a bron na allai Lois ei glywed yn chwyrnu fel ci wedi’i gynddeiriogi y tu hwnt i bob rheswm. Bron na allai Ifor ei deimlo’n sgrialu a chrafu o gwmpas ochrau ffenestr y gegin yn chwilio am fan gwan er mwyn iddo fedru ymwthio i mewn atynt ac anelu am eu gyddfau.

A'r un cwestiynau oedd yn gwibio drwy feddyliau'r ddau: *Pam fi? Be ydw i wedi'i 'neud i chi erioed?*

Yna cododd y ddynes ei llaw a'i llusgo, fel crafanc, i lawr gwydr y ffenestr gan adael pedwar crafiad garw ar ei hôl. Ar yr eiliad honno, rhoddodd yr eira y gorau i geisio'i hosgoi. Wrth i bob pluen unigol setlo arni, diflannodd yn syth bìn gan hisian ei hanadl olaf, fel petai wedi glanio ar rywbeth poeth; gan ei bod erbyn hyn yn bwrw'n drwm, swniai'r hisian ofnadwy hwn yn fyddarol. Rhywle, yng ngwaelodion ei hymwybod, teimlodd Lois law Ifor yn cau'n dynn am ei llaw hi; gallai glywed sŵn arall yn awr, hefyd, sŵn rhyfedd, nid yn annhebyg i sŵn cath yn crio yn rhywle – a sylweddolodd mai ohoni hi y deuai'r sŵn ac mai fel hyn yr oedd ofn yn swnio.

Gallai Ifor deimlo'i galon yn carlamu ac yn dyrnu y tu mewn i'w frest, fel petai'n trio'i gorau i wneud amdani'i hun. Petai hynny'n digwydd, byddai yntau'n colli'r gallu i weld y cymylau bychain o fwg du a godai o ben y ddynes yn awr wrth i'r plu eira ei phledu fel peilotiaid *kamikaze*. Dechreuodd ei hwyneb – a oedd gynt yn wynnach na'r eira – droi'n felyn ac yna'n frown ac yna'n ddu, *o dan y croen*, fel sy'n digwydd i dudalen o bapur pan fyddwch yn ei gosod yn fflat ar ben y tân.

Pan ddechreuodd ei hwyneb doddi, dyna pryd y llwyddodd Ifor i lusgo Lois ar ei thraed, a'i symud oddi wrth y bwrdd ac allan o'r gegin, wysg eu cefnau, cyn troi, rhuthro am y drws ffrynt a baglu allan o'r tŷ – heb unwaith feddwl am Caren, a oedd efallai allan yn yr ardd gyda'r ddynes uffernol honno.

Caren

Caeais y drws ffrynt, rhag ofn i beth bynnag oedd allan yn yr ardd gefn benderfynu dod heibio i dalcen y tŷ.

Wrth gwrs, yn ôl allan yn yr eira oedd y lle diwethaf ro'n i isio bod. A bod yn onest, baswn wedi rhoi'r byd am gael mynd i fyny i'm llofft a chau'r drws a gwthio'r chest-o-drôrs yn ei erbyn; am gael tynnu fy matras oddi ar y gwely a'i rhoi ar y llawr rhag ofn fod rhywbeth yn cuddiad o dani hi, ac am gael gorwedd arni efo'r *duvet* dros fy mhen a'r CD fwyaf swnllyd sydd gen i ymlaen yn uchel – y cyfan rhag ofn i mi glywed yr hen chwerthin milain hwnnw unwaith eto.

Oherwydd, erbyn rŵan, ro'n i'n coelio.

Ac ro'n i isio Dad. Yn fwy na dim yn y byd, ro'n i angen ei weld o'n dŵad i mewn drw'r drws ffrynt yn 'i siwt flêr a'i wallt, fel arfer, dros y lle i gyd; ei weld o'n mynd yn syth i fyny'r grisiau i newid i mewn i'w jîns a'i siwmper dew, ddi-siâp, a dŵad yn ei ôl i lawr am banad yn ei hen slipas rhacslyd a'i lyfr yn ei law. Ro'n i angen ei glywed yn chwerthin ac yn dweud rhai o'i jôcs gwael, ac am unwaith faswn i ddim yn ei ddwrdio am adael rhyw lanast bychan ar ei ôl lle bynnag yr oedd o'n mynd.

Ro'n i angan iddo fo ddŵad adra a llenwi'r tŷ.

Ond doedd o ddim yma. Roedd gan yr holl dŷ y tawelwch trwm, arbennig hwnnw sydd ond i'w gael pan fo neb gartref.

Gwaeddais eu henwau, serch hynny – Ifor a Lois – jyst rhag ofn, a swniai fy llais yn uchel ac yn ofnus.

Chefais i ddim ateb, ond es o gwmpas yr un fath. Doedd neb yn yr ystafell fyw na'r parlwr. Gwaeddais i fyny'r grisiau, a chael dim ateb. Efallai eu bod nhw'n cuddio yno'n rhywle?

Galwais eu henwau eto wrth ddringo'r grisiau, er mwyn gwneud rhyw fath o sŵn. Edrychais yn yr ystafell ymolchi ac ym mhob llofft, ond wrth ddod allan o'r ystafell olaf, arhosais yn stond.

Be tasa 'na rywbeth yn dŵad i fyny'r grisiau?

Camais yn ôl i mewn i'r ystafell – fel tasa hynny wedi gallu fy ngwarchod rhag beth bynnag oedd, efallai, ar ei ffordd i fyny. Yna dychmygais ei fod wedi fy nghlywed yn symud a'i fod yn aros i mi fagu digon o ddewrder i fentro'n ôl i ben y grisiau cyn rhuthro i fyny amdanaf dan sgrechian.

Doedd dim byd ar y grisiau, siŵr iawn!

Dechreuais fy nwrdio fy hun. Be oedd yn bod arna i? Y fi, oedd wedi crwydro'n ddi-hid efo Dad drwy ddwsinau o dai dieithr dros y blynyddoedd, ac ar fy mhen fy hun yn drwyn i gyd o un ystafell wag i'r llall? Llawer ohonyn nhw, hefyd, yn dai hynafol iawn, bron yn ystrydebau o *haunted houses*, efo'r gwynt yn chwibanu i lawr y simdde a'r lloriau pren yn griddfan am ddim rheswm a'r dodrefn o'r golwg dan gynfasau mawr gwynion mewn corneli tywyll.

A dyma fi rŵan, yn ofni bod adra ar ben fy hun.

Diolch byth, dechreuais deimlo'n flin yn fwya sydyn. Pa hawl, pa blydi hawl, oedd gan y . . . y . . . y *petha* 'ma i aflonyddu ar ein tŷ ni? Pwy oeddan nhw'n meddwl roeddan nhw? Ein tŷ *ni* oedd hwn, tŷ Dad a fi, go damia nhw!

Llamais yn benderfynol i ben y grisiau a gweiddi, '*Piss off!*' dros y lle.

A doedd dim byd yno.

Fedrwn i ddim aros yn llonydd. Roedd arna i ofn y basa *rhwbath* yn sleifio i fyny y tu ôl i mi. Roedd yr olion traed uffernol rheiny yn yr eira, y tu allan i ffenest y gegin, wedi fy llenwi â'r ofn mwyaf ofnadwy – y syniad fod *rhwbath* wedi sefyll yno'n syllu i mewn ar Lois ac Ifor a fi, a bod yr un ohonan ni wedi'i weld o.

Oedd o'n dal yno rŵan?

O'r arglwydd mawr . . .

Damia nhw, meddyliais yn ffyrnig, yn annisgwyl ac yn afresymol; damia Lois ac Ifor am lusgo rhyw betha fel 'na yma efo nhw, y petha 'na oedd wedi bod yn eu dilyn o gwmpas y lle ers dyddiau . . .

. . . ond, meddai llais rheswm wrtha i, os mai dilyn Lois ac Ifor maen nhw, ac os ydi Lois ac Ifor wedi mynd o'ma, yna dw i'n saff.

Alla i ddim dweud mor ddiolchgar yr o'n i am y llais bach hwnnw yn fy mhen. Dechreuodd tŷ ni deimlo'n ocê unwaith eto, fel tasa rhywun wedi agor ffenest er mwyn i ryw ddrewdod ffiaidd gael ei fygu gan yr awyr iach.

Ond be am Lois ac Ifor?

Er mawr gywilydd i mi, rhaid i mi gyfaddef fod y geiriau 'Bygro nhw!' ar flaen fy nhafod.

Ond yna cofiais am yr ofn ar 'u hwyneba nhw.

A rŵan, roeddan nhw allan yn rhywle yn yr eira.

Ac efallai bod y *petha* 'na ar eu hola nhw.

Ond be fedrwn i 'i wneud?

'*Shit* . . .' meddwn eto.

Gwisgais fy nghôt a mynd allan i chwilio amdanyn nhw.

Owain a Buddug

Crwydrodd Owain drwy'r tŷ, o un ystafell i'r llall ac o un ffenestr i'r llall, yn ôl ac ymlaen yn ddiddiwedd, rhag ofn ei bod hi wedi cyrraedd y tu allan i un ffenestr tra oedd o'n brysio am yr un nesaf.

Doedd hi ddim yno, ond edrychai'r eira fel petai'n disgyn yn drymach bob tro yr edrychai Owain allan.

Cofiai fel yr arferai wneud hyn ar foreau ei ben-blwydd wrth aros am y postmon, ac fel y rasiai Buddug efo fo bob Nadolig. Byddai Ifor yn tuchan ar eu holau ar ei goesau bach tew nes iddo sylweddoli, yn gall i gyd, mai doethach o lawer fyddai iddo aros wrth y drws ffrynt, yn eistedd ar stôl fach bren reit dan geg y blwch llythyron. O'r tu ôl, edrychai'n union fel bwda bach amyneddgar.

'Ma'r dyddia rheiny *drosodd,*' meddai'n uchel. 'Ma'r cwbwl drosodd rŵan, wedi gorffan.'

Ond wrth iddo ddweud hyn, teimlai'r dagrau'n cronni yng nghorneli'i lygaid. Dagrau poeth a phoenus.

'Wedi gorffan . . .' sibrydodd.

Sychodd Owain ei lygaid yn ffyrnig a sylweddoli ei fod yn crio go iawn erbyn hyn, dagrau o alar am bopeth oedd wedi digwydd iddo yn y gorffennol.

Yn yr ystafell deulu, chwiliodd drwy'r holl CDs yn y

cwpwrdd nes dod o hyd i un o ffefrynnau ei fam – casgliad o ganeuon Nadoligaidd gan wahanol artistiaid. Gosododd y ddisg i mewn yn y chwaraeydd, ac ymhen eiliadau llanwyd yr ystafell â llais Andy Williams:

Oh the weather outside is frightful,
But the fire is so delightful,
And since we've no place to go –
Let it snow, let it snow, let it snow.

Gwasgodd Owain y botwm REPEAT a chodi lefel y sain yn uchel, cyn dychwelyd at ei grwydro o ffenestr i ffenestr, yn hidio dim erbyn hyn am y dagrau a bowliai i lawr ei ruddiau.

Mi fydd hi yma unrhyw funud rŵan, meddyliodd. Unrhyw funud rŵan.

Yna cofiodd nad oedd y tŷ'n wag.

Roedd Buddug, hefyd, yn crio.

Teimlai'r hiraeth mwyaf ofnadwy yn ei llenwi. Hiraeth am ei mam, am ei thad, am Ifor ac Owain a'i ffrindiau i gyd, am y tri bachgen y bu hi'n mynd allan efo nhw am gyfnodau byr, am bawb oedd wedi gwenu arni erioed.

Ond teimlai'r hiraeth mwyaf poenus am y ferch fach ddireidus honno, y Fuddug ifanc a oedd, mae'n rhaid dweud, yn dipyn o domboi yn ei dydd, yn llawn triciau a bron â thorri'i bol eisiau bod fel Owain, nes iddi edrych yn y drych un diwrnod ymhell cyn ei harddegau a sylweddoli ei bod yn hardd. Aeth ati wedyn i droi'r hwyaden fach giwt yn alarch godidog, i ddileu'r domboi fach nes bod nemor ddim o'i hoel ar ôl, heblaw am ambell lun mewn hen albwm.

Ond heddiw, gyda dyfodiad yr eira, roedd ganddi

obaith o fod fel yr hogan fach honno unwaith eto. O leia, meddyliodd, câi ei hefelychu am ychydig, câi ymddwyn yr un fath â hi – hyd yn oed os na fedrai ei chael yn ôl yn llawn. Roedd rhywbeth oedd yn addo hynny ynglŷn â'r plu gwynion a chwaraeai mig â'i gilydd yr ochr arall i wydr ffenestr ei llofft, rhywbeth yn eu sibrwd gwlyb wrth iddynt frwsio'n chwareus yn erbyn y paen.

Câi weld – unwaith yr oedd yr *hogyn* bach wedi cyrraedd yn yr ardd.

'Detlene,' meddai'n uchel.

Sylweddolodd fod canu'n llenwi'r tŷ. Gallai glywed bob gair o'r gân. Oedd ei mam gartref? Na – roedd hynny'n amhosib.

The fire is slowly dying,
And, my dear, we're still goodbyeing,
But as long as you love me so,
Let it snow, let it snow, let it snow.

Gorffennodd y gân. Eiliad neu ddau o dawelwch – pan allai Buddug glywed y plu eira'n cusanu'r ffenestr – a dechreuodd yr un gân eto.

'*But the fire is so delightful,*' cydganodd Buddug. '*And since we've no place to go, let it snow, let it snow, let it snow.*'

Cododd oddi ar ei sedd ar sil y ffenestr, gan symud ei chorff yn ôl ac ymlaen mewn dawns fechan. Sylweddolodd ei bod yn gwybod y geiriau i gyd: rhaid bod ei mam wedi chwarae'r gân hyd syrffed.

When we finally kiss goodnight
How I'll hate going out in the storm,
But if you'll really hold me tight
All the way home I'll be warm.

Tynnodd ei siwmper dros ei phen a'i gollwng ar y llawr. Ciciodd ei slipars i ffwrdd cyn gwyro a thynnu'i sanau. Teimlai'r carped fel mwsog dan ei thraed. Cyrliodd ei bysedd i mewn iddo, a dychmygai deimlo'r dail a'r pridd dan y mwsog.

'*Let it snow, let it snow, let it snow*,' canodd wrth dynnu'i jîns a'i dillad isaf. Roedd arogl y coed yn awr yn llenwi'i ffroenau.

Cododd handlen y ffenestr a'i gwthio'n agored led y pen . . .

Brysiodd Owain i fyny'r grisiau. Cael Buddug allan o'r tŷ – dyna oedd y peth. Wedyn, byddai Hi'n gallu dod i mewn ac ymddangos o'i flaen yn hardd a nwydus. Dim mwy o sleifio i mewn ac allan o'i ystafell yn nüwch y nos. Roedd hi bron iawn yma – wedi dod gyda'r eira. Onid dyna oedd ei holl freuddwydion am eira wedi'i addo?

Cyrhaeddodd ddrws ystafell ei chwaer a dal ei glust yn erbyn y pren. Ni allai ei chlywed yn symud o gwmpas ond, erbyn meddwl, roedd Andy Williams yn ei gwneud yn amhosib iddo glywed unrhyw beth arall.

Curodd yn ysgafn, yna'n uwch.

Dim ymateb.

Agorodd y drws.

Rhuthrodd yr oerni amdano a'i groesawu, a gallai weld ei anadl ei hun yn cymylu allan o'i geg fel petai newydd sugno ar sigarét. Safai Buddug o flaen ei ffenestr agored â'i chefn ato. Roedd hi'n noeth ac yn syllu allan ar yr eira; daliai ei hwyneb i fyny fel petai hi'n ei hagor ei hun i gusan gynnes pelydryn cryf o heulwen.

'Buddug?'

Trodd Buddug a'i weld yn sefyll yno'n rhythu arni. Disgwyliai Owain iddi neidio a brysio i guddio'i noethni gan sgrechian arno i fynd allan o'i hystafell, ond yn lle hynny gwenodd arno.

Ac er bod dagrau anferth yn powlio i lawr ei hwyneb, ni chredai Owain iddo erioed ei gweld yn gwenu mor hapus o'r blaen.

'O, Owain . . .' meddai wrtho. Daliodd ei llaw allan. 'Ty'd. Ty'd yma.'

Edrychodd ar ei noethni. 'Pam . . ?' cychwynnodd ofyn ond ysgydwodd Buddug ei phen yn ddiamynedd.

'Fel hyn y daethon ni i mewn i'r byd 'ma, yndê? Ty'd yma rŵan. Ty'd . . .'

Roedd dagrau'n llifo i lawr ei wyneb yntau hefyd, gan adael llwybrau cynnes a hallt dros ei fochau, ei ên a'i wddf. Cerddodd yn araf tuag ati, yn rhythu drwy niwl ei ddagrau ar y bronnau llawn a'r tywyllwch rhwng ei chluniau, a'i law yn codi ohoni'i hun a llithro i mewn i law ei chwaer.

''Drycha.'

Tynnodd ef gerfydd ei law nes bod y ddau'n sefyll ochr yn ochr o flaen y ffenestr. Ni welsai Owain erioed eira cyn wynned – gwynder oedd bron yn dallu, a'i drwch wedi troi'r ardd yn lun ar gerdyn Nadolig.

Gwasgodd Buddug ei law. ''Drycha,' meddai.

Nodiodd Owain. 'Dw i yn edrach . . .' – ac yna gwelodd, reit ym mhen pellaf yr ardd, un ffigwr bach unig yn rhythu'n ôl arno drwy'r plu eira.

'Pwy . . ?' cychwynnodd, ond gwasgodd Buddug ei law eto.

'Paid â bod yn wirion. Rw't ti'n gwbod yn iawn pwy ydi o. Rw't ti wedi'i weld o o'r blaen, yn do? Droeon. Yn dy freuddwydion.'

Trodd Buddug ei phen ac edrych arno, a heb symud ei gwefusau nac agor ei cheg na dweud yr un gair, meddai, yn ei ben:

'A'i chwaer fawr o. Dw i'n gwbod, Owain. Dw i'n gwbod.'

Gollyngodd ei law a throi'n ôl i edrych allan: roedd y plentyn yno o hyd, yn ei byjamas yn yr eira. Cododd ei fraich.

'Cer rŵan,' meddai Buddug. 'Cer, Phal.'

Phal – brawd, meddyliodd Owain, ond sut ydw i'n gwybod hynny? Sut mae Buddug yn gwybod hynny?

Trodd Buddug ac edrych arno eto, yn dal i wenu drwy'i dagrau, a theimlai Owain yn nes ati nag erioed.

Ei chwaer.

'Phen,' meddai wrthi, a nodiodd Buddug yn hapus. Cododd Owain ei law gyda'r bwriad o'i thynnu tuag ato a'i chofleidio, ond gwthiodd Buddug ef yn dyner oddi wrthi.

'Cer, Owain. Dw inna'n gorfod mynd hefyd. Ond wela i di toc, dw i'n sicr o hynny.'

Trodd oddi wrtho, ac er ei waetha camodd Owain yn ôl oddi wrthi. Gwyliodd hi'n dringo i fyny ar sil y ffenestr; fe'i clywodd hi'n dweud un gair – 'Detlene' – a gwyliodd hi'n camu allan i'r eira ac o'r golwg.

Safodd yno am eiliadau hirion yn syllu ar y ffenestr wag. Pan ddychwelodd yno o'r diwedd, ac edrych allan, gwelai Buddug yn gorwedd yn yr eira. Edrychai'n union fel petai hi wedi gorwedd yno a mynd i gysgu.

Pan edrychodd ar draws yr ardd, gwelodd fod yno'n awr ddau ffigwr yn sefyll law yn llaw; roedd rhywun wedi ymuno â'r hogyn bach.

Merch – a daeth ei henw i'w feddwl mor glir â phetai wedi'i ysgrifennu yn yr eira o'i flaen.

'Magda,' meddai.

Er mai dim ond sibrwd yr enw wnaeth, credai iddo weld y ferch yn gwenu, â fflach sydyn o ddannedd gwynion, ac yna clywodd ei chwerthiniad wrth iddi daflu'i gwallt tywyll yn ôl oddi wrth ei hwyneb.

Trodd Owain a mynd allan o'r ystafell, ar hyd y landin, i lawr y grisiau a thrwy'r tŷ ac allan drwy'r drws cefn i'r ardd. Teimlai'r eira'n gynnes ar groen ei wyneb, yn gynnes a chroesawgar. Aeth i'w gwrcwd uwchben Buddug a chyffwrdd â'i hwyneb yn dyner â chefn ei law.

'Owain . . .' clywodd Buddug yn galw.

Edrychodd i fyny a gweld fod yr hogyn bach bellach yn sefyll rhwng dwy ferch, ei law dde yn llaw Buddug a'i law chwith yn llaw Magda. Roedd Buddug wedi'i gwisgo'n awr mewn botasau a jîns a siwmper a'i chôt goch, ei llaw am ei law fechan ef.

'Ty'd,' meddai Buddug wrtho. ''Dan ni'n mynd.'

Trodd y tri ohonynt, a diflannu i mewn i'r eira. Ymsythodd Owain a brysio ar eu holau, ac ambell fflach o'r gôt goch yn ei arwain.

Nid bod angen neb i'w arwain. Gwyddai'n iawn lle'r oedden nhw'n mynd.

I'r goedwig.

17

Doedd dim byd arbennig ynglŷn â'r eira pan gychwynnodd y tri allan o faes parcio'r ysbyty: diflannai'n wlyb cyn gynted ag y syrthiai'r plu ysgafn ar ffenestri blaen eu ceir.

Ond, wrth iddynt ddod yn nes ac yn nes at Aberllechi . . .

Tri char gwahanol, ond y tri'n gyrru'n rhy gyflym i gyfeiriad y de-orllewin a'u gyrwyr yn rhannu'r un ofnau.

A'r un atgofion tywyll.

Ugain mlynedd yn ôl

i

Dw i 'rioed wedi leicio'r boi yma, meddyliodd Anna. Roedd o'n fwli yn yr ysgol gynradd, yn iob erbyn iddo gyrraedd yr ysgol uwchradd a rŵan, ac yntau dros ei ddeunaw, mae o'n thŷg.

Ac yn dal i fod yn fwli. Dw i ddim yn dallt pam bod Marc yn mynnu bod Stiw Powell ac yntau'n fêts. Mi fasa gen i gywilydd cael f'ystyried yn fêt i'r fath berson.

'Be mae o wedi'i 'neud i chdi erioed?' gofynnodd Marc, y tro cyntaf i Anna grybwyll y peth.

'Bodoli. Ma' hynny'n ddigon.'

Wrth gwrs, roedd mwy i'r peth na hynny, ond roedd

Anna'n gyndyn o ddweud yr holl wir wrth Marc. Roedd hwnnw'n gallu bod yn wyllt fel matsien ar brydiau ac ofnai, petai Marc yn troi ar Stiw Powell, mai Marc fyddai'n dioddef fwyaf. Roedd corff cryf fel tarw gan Stiw, wedi'i blannu'n solet ar y ddaear ar goesau byr, tew a chryf, ac edrychai ei ben – oedd â'r gwallt wedi'i dorri'n gwta, gwta – fel petai wedi cael ei sodro fel pelen ganon ar ei ysgwyddau.

Gwnâi i Anna deimlo'n hynod anghyfforddus, a byddai'n casáu meddwl am fynd i'r Ship gyda'r nos. Gallai Anna deimlo llygaid bach chwantus Stiw yn ei dilyn bob tro y codai i fynd i'r bar neu i'r toiled, fel pryfaid cop yn cropian yn anghynnes dros ei bronnau a'i chluniau. Er ei bod yn weddol sicr na fuasai Stiw yn amharu arni tra oedd hi efo Marc, roedd ffordd annifyr ganddo o ddal ei llygaid, fel petai'n ceisio dweud wrthi mai dim ond aros ei gyfle yr oedd o.

Daeth y cyfle hwnnw ar noson tân gwyllt, pan oedd y Ship yn orlawn a recordiau'r Pet Shop Boys, Madonna a Rick Astley yn chwarae ar y jiwcbocs. Daeth Anna allan o doiledau'r merched yr un pryd ag y daeth Stiw Powell allan o rai'r dynion – ynteu oedd o wedi bod yn aros yno amdani? Gwasgodd hi yn erbyn y wal gan ei rwbio'i hun yn ei herbyn.

'Un snog,' meddai, ei anadl yn ei hwyneb yn drewi o gwrw a sigaréts a Duw a ŵyr beth arall. 'Jyst un snog fach; 'neith o mo dy ladd di.'

Trodd Anna'i hwyneb oddi wrth ei ddrewdod a cheisio'i wthio i ffwrdd ond roedd o fel craig yn ei herbyn. Teimlodd ei wefusau fel dwy falwoden dew yn wlyb ar ochr ei gwddf.

'*Piss . . . off*, Stiw!'

'Ty'd yn d'laen . . . dw i 'di gweld y ffordd rw't ti 'di bod yn sbio arna i.'

'*Be?*'

Ceisiodd wingo'n rhydd. Gwthiodd Stiw ei law rhyngddynt er mwyn cael gwasgu'i bron yn boenus, a gwaeddodd Anna. Rhoes un gwthiad caled iddo â'i holl nerth, a thrwy lwc llithrodd sawdl Stiw ar ychydig o gwrw roedd rhywun wedi'i golli ar y llawr.

'Ti'n rêl ffwcin *prick tease*, ti'n gwbod hynny?' clywodd ef yn dweud wrth iddi ddianc yn ei hôl i'r bar.

Cadwodd Stiw draw oddi wrthi hi a Marc am weddill y noson, ond bob tro yr edrychai Anna i fyny gallai ei weld yn ei gwylio efo'r llygaid mochyn rheiny, yn ei herio i achwyn amdano wrth Marc. Daeth Anna'n agos at wneud hynny fwy nag unwaith ond, fel yr atgoffai Marc hi droeon, roedd o a Stiw yn *fêts*.

'Ond dw't ti ddim wedi sylwi ar y ffordd mae o'n sbio arna i?' meddai Anna un noson.

'Be ti'n feddwl?'

'O, ty'd 'laen, Marc, dw't ti ddim yn ddall! Dydi o ddim yn trio cuddiad y peth.'

'Cuddiad be, Anna?'

'Tynnu amdana i efo'i ll'gada. Mi fydda i'n teimlo weithia 'i fod o'n gallu gweld reit trw' fy nillad i.'

'Nac 'di, siŵr Dduw. Y chdi sy'n paranoid. Ma' Stiw yn ocê . . .'

'Yndi – efo *chdi*, ella. Ond mae o'n bell o fod yn "ocê" efo fi. Gofyn di i Ows y tro nesa y bydd o adra dros y Sul.'

'Ows Bach? Be ma' hwnnw'n wbod?'

'Mae o 'di sylwi hefyd, Marc. Ma' pawb wedi sylwi, pawb ond y chdi.'

'Pawb?'

'Y genod erill, yn enwedig. Dydyn nhw ddim yn dallt sut dw i'n gallu ista efo fo, un noson ar ôl y llall . . .'

'Ista efo fi rw't ti,' meddai Marc.

'Ia, ond mae o'n dŵad draw aton ni bob un tro. Ac mae o'n codi'r crîps arna i. Dydi o ddim yn saff, Marc. Fedri di ddim teimlo hynny?'

Allan wrth yr harbwr yr oedden nhw ar y pryd, ar ôl i'r tafarnau gau am y noson. Noson o aeaf cynnar oedd hi, gyda rhyw ias yn y gwynt.

'Dw i'm yn gwbod be ti'n feddwl,' meddai Marc.

Ond gwelodd Anna mai celwydd oedd hyn. Roedd ei geiriau wedi'i orfodi i wynebu rhyw wirionedd annifyr yr oedd wedi ceisio'i wthio i gefn ei feddwl.

'Mae o fel 'sa fo'n chwilio am drwbwl,' meddai Anna. 'Fel tasa fo'n *gobeithio* y bydd rhywun yn deud rhwbath a rhoi'r esgus iddo fo fynd amdanyn nhw. Fedrith o ddim ista efo ni heb sbio o gwmpas y lle bob hyn a hyn, yn y gobaith y dalith o rywun yn sbio'n gam arno fo. Dyna sut feibs sy gynno fo.'

'Ia, *ocê*!'

Tawodd Anna. Ar ôl bron i dri mis o fynd allan efo Marc, nid hwn oedd y tro cyntaf iddo gyfarth arni fel hyn.

Mae tri mis efallai'n amser rhy hir, meddyliodd. Dw i ddim i fod yma, dyna'r peth; yn y coleg dw i i fod, ac yno y baswn i hefyd taswn i wedi gweithio'n galetach ar gyfer f'arholiadau lefel A. Ond yn lle hynny, dw i'n styc yma yn Aberllechi y tu ôl i gownter siop recordiau, fy ffrindiau i gyd i ffwrdd, a finna'n rhyw hanner 'mynd' efo boi nad ydw i'n ei leicio rhyw lawer, ma arna i ofn.

Boi sy'n ystyried rhyw anifail o foi arall yn ffrind iddo, ac sy'n fwy parod i amddiffyn hwnnw na gwrando ar yr hyn sy gen i i'w ddeud.

Eto, petrusodd rhag dweud y cyfan wrtho. Cododd ar ei thraed. 'Dw i'n mynd adra,' meddai wrth Marc.

'Rŵan?'

'Ia.' Cychwynnodd gerdded ond brysiodd Marc ar ei hôl a cheisio rhoi'i fraich amdani. 'Paid, plîs.'

'Pam – be sy?'

'Be sy?' Arhosodd Anna a rhythu arno. 'Dw't ti ddim wedi gwrando ar yr un gair ddudis i, yn nag w't?'

'Blydi hel! Ocê, ocê – mi ga i air efo Stiw. Iawn? Hapus rŵan?'

'Nac 'dw, Marc. Dw i'm isio i chdi ga'l *gair* efo fo!'

'Be w't ti isio, 'ta?'

'Dim byd! Jyst . . .' Rŵan amdani, meddyliodd. 'Yli – ella basa'n well tasan ni'n gorffan.'

'Be? Pam?'

'Dw i'n ffed yp, Marc. Mynd i'r Ship bob nos, ac ista yno'n teimlo ll'gada Stiw Powell arna i drw'r amsar, yn nyrfys rec yn disgwl iddo fo bigo ffeit efo rhyw gradur diniwad.'

'Awn ni draw i'r Red Lion 'ta. Fasa hynny'n well?'

Teimlai Anna awydd sgrechian. Ma'n rhaid i mi fynd o'ma, meddyliodd. Nid jyst o'r harbwr yma, ond o'r lle 'ma'n gyfan gwbl. O Aberllechi. Roedd y dref wedi dechrau troi yn un ystafell fechan a chul, gyda'r waliau'n closio'n nes ac yn nes at ei gilydd drwy'r amser. Cyn hir, byddent yn ei gwasgu a'i mygu.

Yna roedd breichiau Marc amdani ac roedd Anna'n crio yn erbyn ei ysgwydd.

'Ma'n ocê, ma'n ocê . . . Mi awn ni i rwla arall nos fory, ocê? Unrhyw le leici di.'

Byddai Anna wedi hoffi petai'r nerth ganddi i'w wthio oddi wrthi, i mewn i'r harbwr os oedd raid. Yn lle hynny, wylodd i mewn i ddenim ei siaced a gadael iddo fynd â hi adref. Y noson olynol, aethant yng nghar Marc i'r Ring yn Llanfrothen, a'r noson wedyn i'r Glaslyn, ond roedd hynny, mewn ffordd, yn waeth; heb gwrw, heb sgwrs, roedd hi efo Marc, a neb ond y fo.

Ymhen llai nag wythnos, roedden nhw'n ôl yn eu cornel arferol yn y Ship.

Efo Stiw Powell.

Ac roedd Nadolig yn nesáu.

ii

Dw i'n crwydro'n ôl ac ymlaen o un Aber i'r llall, fel rhyw filidowcar, meddyliodd Ows.

Cyn mynd i ffwrdd i'r coleg, credai fod agosrwydd cymharol Aberystwyth yn fantais: doedd o ddim yn rhy agos, fel y buasai Bangor, na chwaith yn rhy bell iddo fedru, chwedl ei rieni, 'piciad adra ar amball benwsnos'.

A'r piciad adra hwn – neu, yn hytrach, y teimlad cryf y *dylai* biciad adra – oedd yn dipyn o niwsans. Roedd Ows yn mwynhau'i fywyd yn y coleg, yn enwedig y penwythnosau, ond roedd yn ddyletswydd arno, teimlai ei rieni, i fynd adref o leiaf unwaith bob mis.

Roedd y trên yn rhy gyfleus.

Ond roedd 'adra' wedi dechrau peidio â theimlo fel 'adra'. Wrth gwrs, soniodd o ddim am y teimlad rhyfedd hwn gartref: buasai hynny'n dychryn ei rieni, a'u brifo. Ar y cychwyn penderfynodd mai fo oedd yn dychmygu'r holl beth, ac mai newydd-deb bywyd coleg oedd wedi ei swyno ond, ar ôl 'chydig o beintiau un noson, fe'i clywodd ei hun yn crybwyll y peth wrth rai o'i ffrindiau. Wfftio wnaeth dau ohonynt, ond cafodd Ows ei synnu pan ddeallodd fod y pedwar arall yn cytuno efo fo. Roeddynt hwythau, hefyd, wedi dechrau teimlo fel petaen nhw mewn rhyw fath o limbo bob tro yr oedden nhw'n mynd adref i fwrw'r Sul.

'Ia!' meddai'r Ows chwil ar y pryd. 'Dyna'r gair – *limbo*.'

Daeth i deimlo hefyd bod agwedd ei ffrindiau yn Aberllechi wedi newid tuag ato mewn rhyw ffordd fechan, sytl, ryfedd. Ofnai, yn hollol afresymol, y byddai rhywun yn hwyr neu'n hwyrach yn troi ato ac yn dweud rhywbeth fel, 'O, ma' Aberllechi'n ddigon da i chdi'r penwsnos yma, ydi o?'

Roedd y jiwcbocs yn un o dafarnau Aberystwyth yn cynnwys record gan Neil Diamond, ac er nad oedd Ows yn gallu dioddef y dyn, roedd cwpled o'r gân arbennig hon wedi aros yn ei feddwl:

LA's fine but it ain't home,
New York's home but it ain't mine no more.

Canai Ows y cwpled yma iddo'i hun yn aml iawn, ond gyda LA wedi'i newid i Aber, a New York i Aberllechi. Dyna'n union sut roedd o'n teimlo bob tro y camai i mewn i'r Ship gartref – fel ymwelydd roedd pawb yn ei adnabod, neu fel gwestai oedd wedi aros yn rhy hir.

A rŵan, hefo Anna Pritch wedi dechrau mynd allan efo Marc Richards, teimlai Ows fel ei fod wedi colli dau ffrind ar yr un pryd. Dydi pobol sy'n ffrindiau, sy wedi bod yn yr un gang ers blynyddoedd, ddim i *fod* i droi'n gariadon yn fwya sydyn, meddyliodd.

Fe'i holodd ei hun tybed os mai cenfigen oedd y tu ôl i hyn. Roedd yn wir ei fod wedi ffansïo Anna ers blynyddoedd; mwy na hynny, roedd o'n ei *hoffi*. Roedd cryn dipyn ganddynt yn gyffredin, credai – mwy, yn sicr, nag oedd gan Anna efo Marc. Doedd yr hogyn ddim yn *darllen*, i ddechrau arni. Ond doedd Ows erioed wedi breuddwydio am drio 'mynd efo' Anna (wel, ocê – oedd, roedd o wedi cael ambell i ffantasi fach bornograffig): roedd arno ofn ei cholli'n gyfangwbl drwy, mewn ffordd, faeddu eu cyfeillgarwch.

Ond roedd Marc, yn amlwg, yn poeni dim am hynny. Nac Anna chwaith, 'tasa'n dod i hynny. Be oedd Anna'n ei weld yn Marc, tybed? Oedd, roedd o'n hen foi iawn y rhan fwyaf o'r amser – ond gallai hefyd, ar adegau, fod yn rêl iob.

Ac i wneud pethau'n waeth, roedd y Stiw Powell annifyr hwnnw wedi dechrau cymdeithasu efo nhw – fel petai o wedi cymryd ei le ef, Ows.

Ia – *hwnnw*, o bawb.

Ni fedrai Ows feddwl am Stiw Powell heb deimlo'i hun yn berwi efo sawl emosiwn. Atgasedd, i ddechrau: bwli oedd Stiw, heb os nac oni bai, a phetasai yna gangstar yn rheoli Aberllechi, yna Stiw Powell fyddai ei was bach; yr un fyddai'n mynd o gwmpas yn torri coesau methdalwyr. Cynddaredd, hefyd, am y ffordd yr edrychai'r bwystfil hwn ar Anna: roedd Ows wedi'i ddal droeon yn ei llygadu â chwant amlwg, a synnai nad oedd Marc wedi sylwi hefyd.

Ond efallai ei fod o, meddyliodd Ows, a daeth hyn ag ef at ei drydydd emosiwn: ofn. Hwyrach bod ofn Stiw ar Marc. Pwy fasa'n ei feio, wedi'r cwbwl? Ofnai Ows hyd yn oed edrych ar Stiw Powell rhag ofn iddo'i gyhuddo o sbio arno mewn ffordd annerbyniol, ac er cymaint y ffantasïai Ows amdano'i hun yn troi'n gyfuniad o Bruce Lee, Steven Seagal a Jean-Claude Van Damme, yn synnu holl gwsmeriaid y Ship un noson drwy wneud i Stiw Powell hedfan fel gwennol drwy'r ffenestr ag un gic faletig, gwyddai na fuasai mewn gwirionedd yn parhau am bum eiliad yn ei erbyn. Buasai Stiw'n ei ddobio i mewn i'r ddaear, fel pegyn pabell, ag un ergyd â'i ddwrn ar dop ei ben. Buasai fel gwylio Mickey Mouse yn herio King Kong.

Ac roedd yr ofn hwn yn creu emosiwn arall, sef cywilydd. Bob tro y treuliai unrhyw amser yng nghwmni Stiw Powell, byddai Ows yn hwyr neu'n hwyrach yn ei ddal ei hun yn bod yn or-glên efo fo, yn chwerthin ychydig yn rhy uchel ar ei jôcs gwael a'i sylwadau ffiaidd, a hyd yn oed yn rhoi'r argraff ei fod yn *cytuno* efo fo.

A bob tro byddai'n mynd adref ar ddiwedd y noson yn ei ffieiddio'i hun am fod mor llwfr.

Rhwng popeth, felly, ychydig iawn o bleser oedd i'w gael yn y Ship y dyddiau yma. Ond ni fedrai Ows gadw draw. Ar ôl cyrraedd adref, a chael swper, a threulio ychydig o amser yn sgwrsio efo'i deulu, byddai'n gwisgo'i gôt a cherdded i lawr i gyfeiriad yr harbwr, gan wybod yn iawn y byddai gweld Anna a Marc efo'i gilydd yn ei ddigalonni, ac y byddai presenoldeb Stiw Powell yn difetha'r noson fwyfwy.

Llwyddodd, un noson, i gael gair slei efo Anna wrth y bar.

'Sut fedri di ddiodda bod yng nghwmni hwnna drw'r amsar?' holodd.

Gwgodd Anna. ''Sgen i ddim llawar o ddewis. Mêt Marc ydi o.'

'Ia, wn i, ond blydi hel, Anna! Wyt ti wir isio bod yn 'i gwmni fo? Dw i 'di sylwi ar y ffordd mae o'n sbio arnat ti,' meddai Ows.

Daeth golwg o ddychryn i wyneb Anna. 'Paid â deud wrth Marc, Ows, ocê?' meddai wrtho. 'Ti'n gwbod sut un ydi o. Beryg iawn iddo fo . . . 'sti . . .'

'Ma' isio i rywun roid y Stiw Powell 'na yn 'i le.'

'O, dw i'n cytuno. Ond nid Marc. Dw i'm isio gorfod mynd i edrych amdano fo yn 'Sbyty Gwynedd.'

'Fedra i ddim coelio fod Marc heb sylwi. Ma'r boi yn hollol *blatant* . . .'

'A be ti'n disgwl i Marc 'neud? Be 'sa chdi'n 'neud, Ows, tasat ti yn lle Marc?'

''Swn i ddim yn dŵad â chdi yma, yn un peth. 'Swn i ddim yn dŵad â chdi'n agos at Stiw Powell.'

'O – jyst meindia dy fusnas, Ows, ocê? Dw't ti ddim yn byw yma rŵan; 'sgynno fo ddim byd i 'neud efo chdi.'

Dychwelodd Anna at y bwrdd, a phan eisteddodd Ows yno hefo nhw funudau'n ddiweddarach, daliodd Stiw Powell yn ei lygadu'n fygythiol – fel petai wedi clywed bob gair a ddywedwyd amdano wrth y bar.

Ar ôl y peint hwnnw, meddyliodd Ows am esgus ac aeth adref ymhell cyn i'r dafarn gau am y noson. Arhosodd i mewn drwy'r nos Sadwrn, ac ar y Sul dychwelodd i Aberystwyth. Roedd hi'n fis Tachwedd, a gwyddai na fyddai'n ôl yn Aberllechi am bron i fis arall.

Tan y Nadolig.

iii

Ar y pryd, roedd o wedi ceisio beio pawb ond ef ei hun. Yn enwedig Anna. Y hi, wedi'r cwbl, oedd wedi'i wneud yn flin ac yn benderfynol o dynnu'n groes i bob gair a ddywedai hi.

Hen deimlad annifyr iawn ydi rhygnu ymlaen mewn perthynas gyda rhywun sy'n amlwg wedi cael llond bol arnoch chi. Er i Marc wneud ei orau, doedd dim byd a wnâi yn plesio Anna bellach. Roedd yr hen ffrind a drodd yn gariad yn prysur droi, os nad yn elyn, yna'n berson hollol ddieithr.

Dieithr – a phwdlyd. Roedd Marc wedi meddwl, ar ôl y ffrae ynghylch Stiw Powell a gawsant ar yr harbwr y noson honno, y buasai pethau'n well rhyngddynt. Ond efallai y buasai'n well petai wedi ei chymryd ar ei gair pan ffraeon nhw a gadael iddi orffen efo fo ar y pryd. Roedd o'n gyndyn o wneud hynny, hyd yn oed rŵan – er ei bod yn amlwg yn cuddio ochenaid o syrffed pan alwai amdani; er na fedrai hyd yn oed sbio arno fo heb wgu'n ddiamynedd.

Roedd llawer o fai ar yr ysgol hefyd, credai; arferai Anna Pritch fod yn llawn hwyl cyn iddi sefyll ei lefel A.

Gallai, i raddau, ddeall sut roedd hi'n teimlo; roedd hi wedi gorfod gwylio'r rhan fwyaf o'i chyd-ddisgyblion yn mynd i ffwrdd i wahanol golegau tra oedd hi'n dal yma yn Aberllechi, a'u gweld – fel Ows Bach – yn dychwelyd adref ambell benwythnos yn llawn straeon am fywyd mwy cyffrous.

Ond yn awr roedd hi wedi dechrau ei drin fel petai'r baich arno *fo* am iddi wneud smonach o'i harholiadau. Doedd o ddim hyd yn oed yn mynd allan efo hi'r adeg hynny, er eu bod yn yr un gang bychan, y hi a fo ac Ows Bach, ers pan oeddynt yn blant. Dim ond ar ôl iddi gael ei chanlyniadau siomedig y dechreuon nhw fynd efo'i gilydd.

Doedd Marc ddim wedi cynllunio hynny o gwbl. Roedd yn wir ei fod wedi'i ffansïo ers tipyn – chwarae teg, buasai'n rhaid i unrhyw hogyn fod yn ddall neu'n hoyw i *beidio* â'i ffansïo – ond credai na fydden nhw fyth yn fwy na ffrindiau da. Wedi'r cwbl, doedd Anna erioed wedi dangos yr un mymryn o genfigen pan fyddai ef yn mynd allan efo genod eraill.

Newidiodd hyn i gyd y prynhawn Sul ar ôl iddi gael ei chanlyniadau. Roedd o wedi clywed am ei methiant, ond wedi ymatal rhag ei ffonio neu alw i'w gweld a chydymdeimlo rhag ofn iddo wneud pethau'n waeth: doedd o ddim ar ei orau wrth orfod cydymdeimlo efo rhywun. Aeth am dro ar hyd y glannau'r prynhawn Sul hwnnw a dod ar ei thraws yn eistedd ar ei phen ei hun ar graig, yn syllu allan dros y môr.

Ei ymateb cyntaf oedd sleifio i ffwrdd: roedd Anna'n amlwg wedi dod yma er mwyn cael llonydd i feddwl, ond yna trodd a'i weld. Doedd dim dewis ganddo ond mynd ac eistedd wrth ei hochr.

'Sori i glywad am . . . ysti . . .'

Nodiodd Anna.

'Ei di'n ôl i'r ysgol, i'w trio nhw eto?'

'Dw i'm yn meddwl.'

'Be wnei di, 'ta?'

Cododd ei hysgwyddau. Edrychai mor ddigalon, cydiodd Marc â'i llaw.

'Wel – dydi o ddim yn ddiwadd y byd.'

Trodd Anna ac edrych arno fel petai Marc wedi dechrau parablu Klingon.

'Dyna be ro'n i *isio*, Marc – diwadd y byd. Ne' ddiwadd ar 'y myd i, beth bynnag.'

'Be?' Meddyliodd am eiliad fod Anna'n sôn am wneud amdani'i hun, mai ei bwriad – cyn iddo fo ddod heibio a difetha'i chynllun – oedd ei lluchio'i hun oddi ar y graig i mewn i'r môr. Yna deallodd mai sôn roedd Anna am ei lefelau-A, a'i bod wedi dyheu ers rhai blynyddoedd am gael mynd i ffwrdd i brifysgol bell.

'Gora' po bella',' meddai. 'Ro'n i 'di eitha ffansïo Caeredin.'

Yn unig blentyn, doedd ei bywyd gartref ddim yn un hapus gyda'i rhieni – perchnogion y siop recordiau lle'r oedd hi am weithio dros y misoedd nesaf – wastad yng ngyddfau'i gilydd. (Roedd y siop i gau ymhen blwyddyn a'i rhieni i wahanu: ei thad i fynd i Gaerdydd a gweithio fel trydanwr i gwmni teledu cyn marw o *cirrhosis* ar ei afu ym 1993, ei mam i ail-briodi efo'r ystrydeb waethaf o Sais rhonc barfog na fedrai Anna mo'i ddioddef a byw'r tu allan i Scarborough ar fferm fechan yn magu ceiliogod *Rhode Island Red*.) Buasai ei lefelau-A wedi bod yn drwydded iddi ganu'n iach i'w chartref, yn basport i'r byd newydd hwnnw roedd hi'n dyheu cymaint amdano.

Ond rŵan . . .

Roedd ei llaw'n dal i orffwys yn llaw Marc a gwasgodd Marc hi. Trodd Anna ato a'i gusanu, cusan a gynhesodd wrth i'r chwant a'r angen chwyddo rhyngddynt. Brysiodd y ddau i breifatrwydd y twyni; i ffwrdd â'r dillad a gwingodd Anna arno nes i'r rhyddhad melys ddod a mynd yn wirion o sydyn.

A dylan ni fod wedi'i gadael hi ar hynny, meddyliodd Marc yn awr. Hwyrach y basan ni'n dal yn ffrindiau, ac na fasa Anna heddiw'n sbio arna i fel taswn i'n llwyth o gachu ci.

Rŵan, ma' hi wedi dechrau pigo ar fy mêts i, meddyliodd.

Yna gwingodd.

Na. Doedd hynny ddim cweit yn wir . . . wel, ddim yn wir o gwbwl, erbyn meddwl. I ddechrau, doedd Stiw Powell ddim yn fêt iddo, tasa Marc yn bod yn hollol onest. Doedd Marc ddim hyd yn oed yn ei hoffi rhyw lawer. Stiw, Duw a ŵyr pam, oedd wedi penderfynu tua dwy flynedd ynghynt y dylen nhw fod yn fêts, a doedd Marc ddim am fentro cael stid hegar drwy ddweud wrtho lle i fynd.

Ac roedd Anna'n iawn; *roedd* Stiw Powell yn ei llygadu fel broga'n llygadu pryfyn bach blasus. Roedd Marc wedi hen sylwi ar hyn – wrth gwrs ei fod o, doedd o ddim yn ddall – ond er ei fod yn gallu edrych ar ei ôl ei hun yn o lew mewn ffeit gyffredin, gwyddai y buasai unrhyw ffeit efo Stiw yn bell o fod yn gyffredin. Gwyddai hefyd ei fod yn rêl babi, ond rhoddai'r byd petai Anna ddim wedi dewis gwneud ffasiwn fôr a mynydd o'r peth: roedd hogan mor handi â hi, siawns, wedi hen arfer efo dynion yn ei llygadu'n chwantus.

Neu felly y ceisiodd Marc ei berswadio'i hun. Roedd cael eich llygadu gan Stiw Powell nid yn unig yn gwneud i chi deimlo'n annifyr: roedd hefyd yn gwneud i chi deimlo'n ofnus.

Ac yn hytrach na gwneud gelyn o Stiw, dewisodd Marc – y boi caled hwn, y *tough guy* – adael i'w berthynas gydag Anna ddirywio i'r fath raddau nes fod Anna'n awr fwy neu lai'n ei osgoi, a threuliai Marc ei nosweithiau yn y Ship gyda neb ond Stiw Powell yn gwmpeini iddo.

Yna, un noson, rhyw wythnos cyn y Nadolig . . .

iv

'Pwy 'di honna efo John Gawi?' gofynnodd Marc.

Roedd o wedi sylwi ers tipyn fod Stiw yn gwgu i gyfeiriad rhywun ym mhen pellaf bar y Ship. Doedd hyn ddim yn unrhyw beth newydd ynddo'i hun, wrth gwrs, ond heno roedd gwg Stiw yn fwy milain nag arfer, hyd yn oed.

Trodd Marc.

Eisteddai John Gawi wrth y jiwcbocs efo un o'r genod delaf a welodd Marc erioed. Doedd dim byd anghyffredin am ei dillad – jîns ac anorac gwiltiog dros siwmper wlân – ond fframiai ei gwallt trwchus, tywyll wyneb oedd yn naturiol dlws, gyda dau lygad du yn teyrnasu dros esgyrn bochau uchel, a gwefusau synhwyrus a wenai'n hawdd i ddangos dannedd gwyn a pherffaith. Edychai fel un o'r *senoritas* gogoneddus rheiny sy'n ymddangos o bryd i'w gilydd mewn ffilmiau cowboi, gan amlaf mewn *cantina* yr ochor draw i'r Rio Grande.

Be uffarn oedd duwies fel hon yn ei wneud efo John Gawi, o bawb? Hanner munud – oedd hi *efo* fo, 'ta dim ond efo fo? Oherwydd roedd person arall yn eistedd gyda nhw; dyn tal gydag un o'r wynebau crychiog, allan ym mhob tywydd rheiny, wedi'i wisgo mewn côt *Parka*. Yna dywedodd John Gawi rywbeth a chwarddodd y ferch yn uchel; ysgydwodd y dyn tal ei ben dan wenu, a chlosiodd y ferch yn nes at John Gawi a chusanu'i wyneb, ei braich wedi'i lapio am ei fraich ef.

Roedd Marc wedi cael tipyn o sioc. Doedd John Gawi ddim yn hyll, ac roedd o'n hen hogyn digon clên, ond doedd o ddim yn enwog am ei lwyddiant efo merched Aberllechi. Sut ar y ddaear oedd o wedi llwyddo i gael gafael ar eneth fel hon?

Trodd Marc yn ei ôl at Stiw a gofyn ei gwestiwn.

'Bastads,' meddai Stiw, ei lygaid wedi'u hoelio ar y bwrdd ger y jiwcbocs.

'Sori?'

'Ti'n gwbod pwy 'dyn nhw, yn dw't? Ne' *be* 'dyn nhw, dylwn i ddeud.'

Ysgydwodd Marc ei ben.

'Ffwcin jipos, yndê!'

Pwysleisiodd Stiw y ddau air cyntaf a chodi'i lais.

Trodd Marc mewn pryd i weld gwên y ferch yn diflannu oddi ar ei hwyneb, John Gawi'n gwgu a'r dyn tal yn tynhau ychydig trwyddo.

'Ma' nhw 'di parcio'u blydi carafáns yng Nghoed Glanrafon,' meddai Stiw, 'fel tasa nhw bia'r lle. Ma' gin honna blentyn. Hogyn. Paid â gofyn pwy ydi'r tad – 'i thad hi'i hun, 'swn i ddim yn synnu, ti'n gwbod fel ma' nhw. Ma' 'na nain o ryw fath efo nhw hefyd; roedd honno o gwmpas y lle'r wsnos yma'n trio gwerthu'r rwtsh 'ma 'sgynnyn nhw.'

Dywedodd Stiw hyn i gyd mewn llais go uchel, heb dynnu'i lygaid oddi ar John Gawi a'i fêts, fel petai'n eu herio. Cofiodd Marc fod gan Stiw chwilen yn ei ben ynglŷn â sipsiwn erioed, a theimlai rywbeth yng nghefn ei feddwl yn ceisio procio'i gof. Rhywbeth a ddigwyddodd pan oeddynt yn yr ysgol gynradd . . . Stiw a rhyw sipsiwn eraill . . . ia, dyna fo, roedd 'na 'hogyn newydd' wedi dod i'r ysgol ac roedd Stiw, yn ôl ei arfer, wedi mynd ati i'w fwlio nes un diwrnod roedd brodyr a chefndryd yr hogyn newydd yn aros amdano wrth iddo fynd allan o'r ysgol.

Er bod Stiw fwy neu lai wedi gofyn amdani, bu cryn how-di-dw dros hyn ar y pryd, cofiai Marc yn awr. Roedd sawl teulu o'r sipsiwn rheiny wedi meddiannu cae preifat heb unrhyw ganiatâd yn y byd ac ni fuon nhw'n hir iawn cyn troi'n dipyn o bla ar ardal Aberllechi nes yn y diwedd dechreuodd hyd yn oed yr heddlu sylweddoli fod yn rhaid gwneud rhywbeth yn eu cylch nhw.

Ac yna, un bore, roeddynt wedi diflannu, pob un wan jac ohonynt, gan adael dim ond cae blêr ar eu holau.

Ond tinceriaid oedd y rheiny, meddyliodd Marc: edrychai'r ddau yma fel sipsiwn go iawn – y Romani – gyda'u crwyn tywyll a'u gwalltiau a'u llygaid duon. Cododd y dyn tal a mynd at y bar gyda'u gwydrau: ni thynnodd Stiw Powell ei lygaid oddi arno drwy'r amser y bu yno'n prynu a dychwelyd i'w sedd gyda rownd newydd.

'Stiw,' meddai Marc. 'Stiw! Gad iddyn nhw.'

Edrychodd Stiw arno.

'Pam?' Cododd ei lais. 'Dw i'n synnu fod Rob yn fodlon syrfio'r bastads budron. Allan ar 'u tina fasan nhw tasa fo i fyny i fi.'

Diolch i'r awyrgylch annifyr roedd Stiw wedi'i greu, roedd y bar wedi tawelu ddigon erbyn hyn i Rob fedru clywed llais Stiw'n glir.

'Dydi o *ddim* i fyny i chdi, yn nac 'di, Pwal. A dw i'n gwbod pwy fydd allan ar 'i din os bydd 'na chwanag o'r lol 'ma.'

Ymlaciodd yr awyrgylch rhyw fymryn. 'Ti'n ocê?' gofynnodd Marc a nodiodd Stiw'n surbwch, dan wgu ar weddillion ei beint. 'Ty'd – clec i honna. Fy rownd i ydi hi.'

Ufuddhaodd Stiw ac aeth Marc at y bar. Am weddill ei fywyd, arhosodd un peth ar ei feddwl – petai John Gawi ond wedi aros lle'r oedd o'r noson honno, efallai na fyddai'r uffern a ddigwyddodd wedyn wedi digwydd.

'Sori am hynna,' meddai Marc yn dawel wrth Rob.

Nodiodd Rob wrth godi'u peintiau. 'Ddim y chdi ddyla ymddiheuro, was. Y llall 'na. Dw i jest â thorri 'mol isio esgus i'w fanio fo.'

Dyna pryd daeth John Gawi at Marc.

'John. Ti'n o lew?'

'Dw i'n tshampion, yndê. Ddim gen i ma'r broblam.'

'Ia, ocê, John . . .'

'Deud wrth Meat Loaf, 'nei di? Os oes gynno fo hannar brên – sy'n ddowt gen i, yn bersonol – mi gadwith o 'i geg ar gau. Dydi Jethro ddim yn foi i chwara o gwmpas efo fo.'

'Jethro.'

'Ia. *So*?'

'Dim byd, 'achan. Jyst . . . wel, os ga i ddeud, ma' gin ti dipyn o smashar yn fan 'na efo chdi.'

Craffodd John Gawi arno am ychydig, yna gwenodd.

'Yn does, hefyd? Magda 'di hi. Ma' Jethro'n dad iddi.'

'Romani go iawn, yn ôl 'u golwg nhw.'

'O, ia. *The Real McCoy*,' meddai John Gawi. 'A dydan nhw'm isio unrhyw hasl, Marc, ocê? Gan neb. Yn enwedig nacw . . .'

Amneidiodd ei ben i gyfeiriad Stiw Powell ac roedd hynny, wrth gwrs, yn ddigon o esgus i Stiw godi a dod draw, ei ben yn is ar ei ysgwyddau nag erioed ac yn gwgu ar John Gawi dan ei aeliau.

'Be ddudist ti rŵan amdana i?'

Eto, yn y dyfodol, meddyliai Marc yn aml tasa John Gawi ond wedi dweud rhywbeth fel, 'Dim byd, Stiw. Onest. Sori,' a dychwelyd i'w sedd, gorffen ei beint a mynd adref, hwyrach yn wir y buasai popeth wedi gorffen yn dawel yn y fan a'r lle. Ond roedd presenoldeb y ferch – Magda – wedi llenwi John â rhyw ddewrder ffôl. Er hynny, doedd o ddim yn gas nac yn fygythiol pan atebodd o Stiw.

'Jest deud fod yna'r un ohonan ni isio unrhyw hasl, Stiw.'

'Yn hollol. 'Dan ninna ddim chwaith,' ategodd Marc. 'Yn nag oes, Stiw?'

Roedd yn amlwg fod Stiw ar fin anghytuno'n frwd, ond dychwelodd Rob at eu pen hwy o'r bar. Gwenodd Stiw Powell, ond roedd ei lygaid yn llawn casineb. Cododd ei law, ac ofnai Marc am eiliad ei fod am daro John Gawi, ond yn hytrach rhoes slap fach gyfeillgar iddo ar ei foch.

'Ni? Nag oes, tad. Cheith neb ddim hasl gynnon ni, mêt.' Yna trodd a mynd at y jiwcbocs.

'O . . . shit,' sibrydodd Marc wrth ei wylio.

Y peth cyntaf wnaeth Stiw oedd rhoi pwniad ffug-ddamweiniol i Jethro yn ei gefn. Edrychodd Jethro i fyny.

'Sori, mêt,' meddai Stiw. Tynnodd ddarn hanner can ceiniog o'i boced a'i ollwng i mewn i'r peiriant wrth i Marc gyrraedd ato.

'Stiw, ty'd o'na rŵan.'

'Be haru ti? Dw i'm wedi dewis 'y nghaneuon eto.' Gwnaeth berfformiad o edrych ar y ferch, Magda. 'Blydi hel, yli tits neis 'sgin hon.'

Pwysodd y ferch dros y bwrdd gan gyffwrdd â braich ei thad. Dywedodd rywbeth wrtho yn eu hiaith eu hunain.

'Sori?' meddai Stiw. Edrychodd y ferch arno. '*Oh – sorry. Thought you were saying something about me.*' Trodd yn ei ôl at y jiwcbocs. 'Diawl, dyma hi. Mi gawn ni'r gân yma dair gwaith, dw i'n meddwl.'

Gwasgodd yr un botymau deirgwaith. Na, plîs, gweddïodd Marc, a wyddai gynnwys y jiwcbocs yn drwyadl; gwyddai hefyd pa gân roedd Stiw Powell wedi dewis ei chwarae dair gwaith.

Don Williams, '*I Recall a Gypsy Woman*'.

Cadarnhaodd Stiw hynny drwy ddweud wrth John Gawi, ''Ma chdi, John Gawi. Jyst y peth i chdi. *Gyppo Woman*.'

Dyn a ŵyr beth roedd y Dafydd tenau, eiddil hwn yn credu y gallai ei wneud i'r Goleiath oedd yn ei herio, ond cychwynnodd John Gawi am Stiw: cydiodd Marc yn ei fraich i'w rwystro rhag mynd gam ymhellach.

Chwarddodd Stiw gan edrych ar fronnau'r ferch Romani a llyfu'i wefusau fel hen fadfall anghynnes, yna rhoes bwniad bwriadol arall i Jethro wrth droi.

'Sori, me . . .' cychwynnodd, ond trodd ei lais yn wich uchel wrth i'w wyneb grebachu â phoen. Roedd braich dde Jethro wedi saethu allan fel bollt o fwa croes ac roedd ei law yn awr yn gwasgu ceilliau Stiw Powell fel crafanc ddur. Ceisiodd Stiw gamu'n ôl oddi wrtho ond gwasgodd Jethro ef yn galetach fyth. Cododd Jethro'n araf ar ei draed – roedd o'n dal, sylwodd Marc, yn dalach o gryn dipyn na Stiw – nes ei fod o'n edrych i lawr ac i mewn i lygaid Stiw, a oedd erbyn hyn yn nofio mewn dagrau o boen.

'Plî . . . plîs . . .' ceisiodd Stiw Powell wichian.

Ysgydwodd Jethro'i ben yn araf a gwasgu eto fyth. Trodd wyneb Stiw'n wyn a dechreuodd suddo'n araf nes ei fod ar ei liniau ar y llawr.

'Magda,' meddai Jethro.

Cododd Magda a dod allan o'r ochr bellaf i'r bwrdd. Safodd yn ymyl ei thad. Edrychodd i'w wyneb, a nodiodd Jethro.

Trodd Magda at Stiw Powell, syllodd i fyw ei lygad, ac yna poerodd i'w wyneb ddwywaith, cyn troi a dychwelyd i'w sedd.

Yna gollyngodd Jethro'i afael a gorffennodd Stiw Powell ei daith i lawr gan rowlio mewn pelen o boen a mewian yno fel cath, ei wyneb yn sgleinio â dagrau a phoer.

Dychwelodd Jethro i'w sedd gan eistedd efo'i gefn at Stiw a phawb arall. Cododd ei beint fel petai dim byd anghyffredin wedi digwydd o gwbl.

Gwyrodd Rob dros y bar ac meddai wrth Stiw, 'Ti'n *banned.*' Wrth Marc, meddai: 'Unwaith mae o'n gallu sefyll, cer â fo o'ma, 'nei di?'

v

Hanner awr yn ddiweddarach, ar y fainc gyferbyn â'r Ship wrth ymyl yr harbwr, gyda sawr chwd a chywilydd yn dew yn yr aer:

'Welist ti be 'nath o mi?'

'Do. Mi welodd pawb.'

'Wn i. Ac mi fydd pawb yn deud wrth bawb arall. Do'n i'm yn haeddu hynna, yn nag o'n? Be wna'th o imi . . .'

'Ddim cweit hynna, nag oeddat.'

'Sgym, dyna be 'dyn nhw. Ffwcin sgym!'

'Ti isio help i fynd adra?'

'*Adra?* Ti'n gall?'

'Sori?'

‘Awn ni ddim adra rŵan, siŵr Dduw. Ma’ gynnon ni rwbath i’w sortio, yn does?’

‘Y . . . *ni*?’

‘’Dan ni ’di ca’l ’yn banio o’r Ship.’

‘Wel, dw i’m yn meddwl fod y ddau ohonan ni wedi . . .’

‘Do, siŵr Dduw, ’neith Rob Parri ddim gada’l i chdi fynd yn ôl yno ar ôl heno ’ma.’

‘Chlywis i mo’no fo’n deud . . .’

‘Gwranda, cwd. Os dw i’n *banned*, rw’t titha’n *banned* hefyd. Ocê?

Dyna pryd y dylai Marc fod wedi troi a dweud ‘digon yw digon’, yna troi am adref a gadael Stiw Powell ar ei ben ei hun. Waeth iddo heb â beio John Gawi am ddod ato yn y bar, waeth iddo heb a beio Anna am ei wneud yn flin a’i adael efo neb yn gwmpeini iddo ond Stiw – na, arno fo’i hun roedd y bai am ildio i’r bwli eto fyth, am fod yn llwfr.

Roedd Stiw wedi dod ato’i hun yn ystod yr hanner awr ers iddyn nhw adael y Ship. Y peth cyntaf a wnaeth ar ôl cyrraedd y fainc oedd chwydu dros y llawr, ac roedd hyn wedi’i adael â chur yn ei ben i fynd efo’r cur mwy oedd yn cnoi fel y ddannodd rhwng ei goesau.

Ond yn raddol, gwellodd y ddau gur. Y rhai corfforol, beth bynnag. Yn eu lle, daeth cynddaredd a chywilydd.

Ac, o bopeth, ofn.

Gwelodd Marc *ofn* yn llygaid Stiw Powell.

A gwyddai mai’r ofn hwn oedd yr emosiwn mwyaf peryglus ohonynt i gyd. Doedd neb erioed o’r blaen, hyd y gwyddai Marc, wedi troi ar Stiw: roedd pawb wedi gadael iddo gael ei ffordd ei hun, byth ers dyddiau'r ysgol gynradd.

Tan heno.

Rhaid oedd i Stiw Powell ddod o hyd i rywbeth a fyddai'n mygu'r hen emosiwn dieithr, annifyr hwn cyn iddo fedru tyfu'n fwy.

'Chos dyna be wneith o, Stiw, meddyliodd Marc, *tyfu'n fwy ac yn fwy dros nos, bron, a chyn i ti sylweddoli mi fyddi di'n ffeindio dy hun yn gyndyn o fynd am beint gyda'r nos, yn gyndyn o fynd allan yn ystod y dydd, yn gyndyn o godi o'th wely bob bore. Unwaith y bydd pawb yn dŵad i ddallt – ac mi wnân nhw, paid ti â thwyllo dy hun am eiliad na fydd hynny'n digwydd – unwaith y dôn nhw i ddallt mai'r unig beth sydd isio'i wneud i stopio dy lol di ydi troi arnat ti, yna mi fyddi di wedi gorffan, i bob pwrpas. Mi fydd hi'n Amen arnat ti, ffatso. Ffinito. Capwt. Ma' ofn wedi bod yn gi bach i chdi ers blynyddoedd – rŵan mae o 'di ca'l llond bol ac yn dechra troi ar 'i feistr. Mwynha'r teimlad, ffatso – rw't ti wedi ca'l blynyddoedd o fwynhau gweld pawb arall yn ca'l 'u brathu gynno fo. Dy dro di ydi hi rŵan.*

Yna sylweddolodd fod Stiw Powell yn syllu arno, yn *rhythu* arno, fel petai o wedi dweud hyn i gyd yn uchel.

Ond yna gwelodd olau melyn yn byrlymu allan ar y palmant wrth i ddrysau'r Ship agor, a chamodd John Gawi a'r ferch, Magda, allan o'r dafarn. Heb edrych i gyfeiriad Marc a Stiw, dechreuodd y ddau gerdded i fyny'r stryd, eu breichiau am ei gilydd a chan aros bob hyn a hyn i gusanu.

Rhythodd Stiw Powell arnynt am rai eiliadau fel petai'n methu coelio'i lygaid ei hun. Edrychai'n debycach i darw nag erioed, tarw oedd yn methu credu fod rhywun yn ddigon gwirion i grwydro'n hamddenol braf drwy'i borfa ef. Disgwyliai Marc ei weld yn pawennu'r llawr unrhyw eiliad a saethu cymylau o fwg o'i ffroenau.

Gan symud yn annisgwyl o sydyn a thawel am foi mor fawr, carlamodd Stiw ar draws y stryd ac ar ôl y ddau arall.

Magda oedd y gyntaf i synhwyro ei fod yno. Trodd fel mellten, ond roedd Stiw o fewn dim i'w cyrraedd; nid y hi oedd ei darged, beth bynnag, ond John Gawi. Dechreuodd yntau droi hefyd, ond yn rhy hwyr – roedd dwrn anferth Stiw Powell eisoes yn gwibio amdano, a hyd yn oed o'r ochr arall i'r stryd gwelodd Marc drwyn John Gawi'n troi'n babi coch.

'Stiw!'

Brysiodd Marc ar draws y ffordd. Roedd John Gawi erbyn hyn ar ei gefn ar y llawr a dechreuodd Stiw ei gicio'n giaidd. Yna rhoes floedd o boen: roedd Magda wedi neidio amdano a phlannu'i hewinedd yng nghnawd ei wyneb. Gwthiodd hi hwy'n ddwfn i mewn i'r croen a dechrau eu llusgo i lawr; wrth i Marc eu cyrraedd meddyliodd am un ennyd wallgof fod Magda'n cusanu Stiw, ond yna sylweddolodd mai brathu'i drwyn yr oedd hi.

'Blydi hel!'

Cydiodd Marc ynddi gerfydd ei hysgwyddau a cheisio'i thynnu'n ei hôl, ond yn ofer. Clywodd ddefnydd ei hanorac yn rhwygo dan ei fysedd . . . yna gwelodd y palmant, am ryw reswm, yn rhuthro i fyny am ei wyneb. Llanwyd ei geg â blas gwaed, a chododd ei ben mewn pryd i weld Stiw Powell yn cael ei ddyrnu gan Jethro – cawod o ddyrnau'n byrlymu dros ei wyneb a'i gorff. Syrthiodd Stiw ar ei liniau am yr ail waith y noson honno. Gyda bys a bawd ei law chwith, cydiodd Jethro yn ei wyneb a'i dynnu i fyny. Roedd dwrn ei law dde'n hofran fel cudyll uwch ei ben a gwelodd Marc fod Jethro'n gwenu'n dawel. Yna cyffyrddodd Magda'n ysgafn â braich ei thad. Edrychodd Jethro arni, ac ysgydwodd Magda'i phen. Nodiodd Jethro, a rhyddhau wyneb Stiw. Llithrodd Stiw i'r palmant fel jeli oddi ar blât.

Gwyrodd Jethro a helpu John Gawi i godi ar ei draed. Cerddodd y tri i ffwrdd i'r nos.

Llwyddodd Marc i sefyll. Poerodd y gwaed o'i geg.

'Roeddach chi'n gofyn am hynna, hogia.'

Safai Rob Parri a chriw o'r Ship y tu allan i'r dafarn, wedi gweld y cyfan, ac wrth i sŵn eu chwerthin lenwi'r nos, gwelodd Marc – wrth fustachu i helpu Stiw i godi – fod pob un chwerthiniad yn trywanu Stiw fel cyllell. Roedd rhyw dywyllwch aflonydd y tu mewn i'r llygaid bach milain rheiny a ddywedai'n glir nad oedd y bennod arbennig hon drosodd eto.

vi

Llwyddodd Marc i osgoi Stiw Powell dros y dyddiau nesaf – tasg go hawdd, oherwydd roedd wyneb Stiw yn debycach i balet arlunydd na dim byd arall. Cadwodd draw o'r Ship hefyd: roedd arno ormod o gywilydd, ac ar ben hynny doedd arno ddim eisiau dod wyneb yn wyneb â John Gawi a'i ffrindiau newydd am sbelan. P'run bynnag, ofnai ei fod yntau wedi'i wahardd o'r dafarn am ychydig. Roedd Stiw ac yntau'n fêts, wedi'r cwbl.

Yn doedden?

Ychydig ddyddiau cyn y Nadolig, digwyddodd weld Anna ar y stryd. Roedd hi efo Ows Bach, a oedd wedi dod adref dros y Nadolig.

Rhythodd Anna ar y clais anferth oedd ganddo o gwmpas ei drwyn a'i geg.

'Ocê, be ddigwyddodd?'

'Dw't ti ddim wedi clywad?'

'Do – ond dw i isio clywad oddi wrthat *ti*, plîs.'

Aethant am baned o goffi ac adroddodd Marc yr hanes. 'Ma'n rhaid 'i fod o'n edrach fel taswn i'n trio ymosod ar yr hogan,' gorffennodd.

'A doeddat ti ddim?' holodd Ows.

'Nag o'n, siŵr Dduw! Be ti'n feddwl ydw i? 'Swn i byth yn ymosod ar *hogan*. Trio'i thynnu hi oddi ar Stiw ro'n i.'

'Ia?' meddai Anna.

'*Ia!* Blydi hel, Anna–!'

Syllodd Anna arno dros y bwrdd am rai eiliadau, yna gwelodd ei hwyneb yn tyneru rhyw fymryn.

'Mi ddudis i, yn do fod Stiw Powell yn beryg?'

Nodiodd Marc. Edrychai'n hynod ddigalon.

'Gwranda,' meddai Anna wrtho. 'Y noson cyn Dolig. 'Sgin ti rwla i fynd?'

Ysgydwodd Marc ei ben. 'Ro'n i wedi meddwl ca'l ticedi ar gyfar y Ship, ond . . . wel . . .'

'Ma' gen i dri,' meddai Anna.

'Tri?'

'Noson yn y Red Lion. Ro'n i'n meddwl, ella y basa'n neis i ni'n tri . . .'

'Tri?' gofynnodd Marc eto.

'Chdi, fi ac Ows. Fel roeddan ni'n arfar bod.' Ochneidiodd. 'Marc, rw't ti yn sylweddoli, yn dw't? 'Dan ni ddim yn mynd efo'n gilydd rŵan . . . ond mi fasa'n braf tasan ni'n dal yn gallu bod yn ffrindia. Ond os nad w't ti isio hynny . . .'

'Oes!' meddai. 'Oes . . . sori, oes, debyg iawn 'mod i. Grêt. Ni'n tri. Y *Three Musketeers*, ia?'

'*All for one and one for all*,' ychwanegodd Ows.

Gwenodd Anna a dechrau ei ateb, ond torrwyd ar ei thraws pan agorwyd drws y caffi. Daeth dynes ganol oed i mewn, dynes go flêr ei golwg gydag wyneb main a gwallt hir sgraglyd. Roedd ei llygaid wedi'u hoelio ar Anna a daeth yn syth amdani. Safodd uwch ei phen yn syllu arni am eiliad neu ddau, cyn poeri i'w hwyneb.

Yna trodd a mynd allan.

Rhoes Anna sgrech fechan o fraw wrth i'r poer daro'i hwyneb. Aeth y caffi'n dawel fel bedd, gyda dim i'w glywed ond llais Andy Williams yn canu 'Let It Snow' ar y radio. Yr ochr arall i'r ffenestr, gwelodd Marc y ddynes yn syllu i mewn arno. Gwenodd yn erchyll arno drwy'r gwydr cyn troi a cherdded i ffwrdd.

Gyda hi roedd John Gawi. Daliodd hwnnw lygad Marc am eiliad cyn edrych i ffwrdd yn sydyn a brysio ar ôl y ddynes.

'Arglwydd mawr!' Roedd Ows wedi codi ar ei draed. 'Pwy uffarn oedd *honna*?'

Eisteddai Anna'n hollol lonydd ar ei chadair, fel petai poer y ddynes wedi'i throi'n dalp o rew o'i chorun i'w sawdl. Roedd y poer i'w weld yn glir ar ei hwyneb. Edrychodd ar Marc, ei llygaid yn anferth.

'Sycha fo . . .' meddai wrtho.

'Be?'

'Sycha fo,' meddai'n uwch. Yna, fel petai'i nerfau ar fin rhwygo unrhyw eiliad: 'Sycha fo – sycha fo – sycha fo – sycha fo – SYCHA FO!' ei llais yn waedd, yn sgrech, yn floedd, yn gri erbyn i Marc sgrialu am ei hances a sychu'r llysnafedd afiach oddi ar ei hwyneb. Teimlai, yn ei hances, fel rhywbeth byw, aflan. Ymhen hanner awr, pan deimlai Anna'n ddigon da i fynd allan o'r caffi, tynnodd Marc ei hances allan o'i boced a'i gollwng i mewn i'r bin sbwriel cyntaf a welodd.

Ac wrth iddo droi i ffwrdd, gallai daeru iddo weld yr hances yn symud ohoni'i hun ar ben y sbwriel.

Yn union fel petai yna rywbeth byw yn troi y tu mewn iddi.

vii

Dros y blynyddoedd dilynol, daeth Anna'n argyhoeddedig fod rhywbeth wedi marw y tu mewn iddi'r diwrnod hwnnw; fod poer anghynnes y ddynes Romani wedi treiddio i mewn iddi fel rhyw fath o gancr. Yn y caffi, roedd wedi'i deimlo'n drwm ac yn boeth ar ei hwyneb, ond methai'n lân â chodi'i breichiau i'w lanhau oddi arni.

'Wel! Welis i 'rioed ffasiwn beth!'

'Pwy gythral oedd honna?'

'Rhyw hen jipsan; ma' 'na deulu ohonyn nhw wedi parcio yng nghoed Glanrafon.'

'Ma' isio gneud rhwbath ynglŷn â rhyw dacla fel 'na. Pam na 'neith y plismyn 'ma rwbath?'

Gadawodd Anna i'r lleisiau gwahanol fowndian o'i chwmpas. Roedd staff y caffi'n wych, yn dod â phaned ar ôl paned iddi. 'Be wnest ti i haeddu hynna, Anna?' gofynnodd un ohonynt, ac ysgydwodd Anna'i phen.

'Dim byd. Dim byd o gwbl.'

Edrychodd Marc i lawr ar ei ddwylo. Gwrthodai gwrdd â llygaid cyhuddgar Ows Bach.

Roedd y baned gyntaf wedi oeri o'i blaen. Erbyn i'r ail gyrraedd, gallai Anna symud rhywfaint ar ei breichiau – teimlai hi hwy'n goglais fel petai trydan yn rhedeg trwyddynt – a gallai symud ei gwddf, hefyd, er iddo deimlo fel ei bod wedi cysgu'n gam arno am oriau. Ysmygodd sawl sigarét, nes o'r diwedd teimlai'n ddigon da i godi a mynd allan o'r caffi. Roedd wedi gobeithio y byddai'r awyr iach, oer yn gwneud iddi deimlo'n well fyth, ond yn lle hynny teimlai'r aer yn drymaidd ac yn glòs, fel petai'n hel am storm.

Aeth Ows a Marc â hi adref, a llwyddodd i gyrraedd y tŷ bach dim ond mewn pryd. Yna sgwriodd ei hun o'i chorun i'w sawdl yn y gawod, yn enwedig ei hwyneb lle'r oedd poer 'yr hen jipsan' wedi glanio nes bod ganddi batshyn mawr coch a thyner fel man geni ar ei chroen. Er iddo ddiflannu'n raddol dros amser, arhosodd clwstwr bychan o sbotiau bach mân, mân ar ei hwyneb am ddyddiau.

Yn union fel petai wedi cael ei phigo gan rywbeth gwenwynig.

viii

Noswyl y Nadolig, a dechreuodd fwrw eira ychydig wedi dau o'r gloch yn y prynhawn.

'Eira mân, eira mawr,' meddai Liz, mam John Gawi, wrtho. Cafodd hi ei geni yn ystod Eira Mawr 1947, pan oedd y wlad i gyd dan glo. 'Gwatshia di, mi fydd hi'n eira at dwll din erbyn y bora.'

Ni thalodd John fawr o sylw i'w fam. Roedd ei feddwl ar Magda – ond hefyd ar Morgra, y nain, mam Jethro. Morgra. Roedd hi ymhell yn ei saithdegau (doedd hyd yn oed Jethro ddim yn siŵr iawn faint yn union oedd ei hoed hi) ond edrychai ugain mlynedd yn iau. Credai John Gawi ei fod wedi dechrau'i phlesio o'r diwedd.

A'i phlesio oedd y cam cyntaf tuag at gael ei dderbyn ganddi.

Gwyddai na châi fyth ei dderbyn yn llawn: *Gadjo* oedd o, sef dyn nad oedd yn Romani, a dyna ni. Galwai Morgra ef yn 'John Gadjo' drwy'r amser, bron, ond erbyn hyn doedd dim cweit cymaint o ddirmyg yn ei llais.

Dau beth oedd wedi'i helpu. Yn gyntaf, y ffaith ei fod wedi cael ei guro'r noson honno ger yr harbwr. Aethant i'r carafannau yn y goedwig, ac yno y daeth Morgra ato gyda rhyw stwff drewllyd yr oedd hi'i hun wedi ei baratoi, a'i rwbio dros ei ddoluriau; erbyn y bore, doedd ganddo nemor ddim poen o gwbl.

Digwyddodd yr ail beth a'i helpodd y diwrnod o'r blaen. Roeddynt i gyd yn y dref y diwrnod hwnnw, Morgra, Jethro, Magda a Pietri bach, a rhywsut neu'i gilydd cafodd John ei hun yng nghwmni Morgra. Wrth gerdded heibio i'r caffi, gwelodd fod Marc Richards, Anna Pritch ac Ows Bach yn eistedd wrth fwrdd ger y ffenestr. Roedd Morgra, mor graff ag erioed, fel petai hi wedi darllen ei feddwl, a chyn iddo sylweddoli beth oedd yn digwydd, roedd hi i mewn yn y caffi.

Ond pam poeri ar Anna Pritch? gofynnodd iddi wrth gerdded i ffwrdd, gan bwysleisio nad oedd Anna efo Marc Richards pan ymosododd o a Stiw Powell arnynt. Syllodd Morgra arno am rai eiliadau, yna ysgydwodd ei phen fel petai wedi penderfynu fod yr esboniad y tu hwnt i'w ddealltwriaeth ef. Y cyfan a ddywedodd oedd, 'Mae o wedi bod ynddi'.

Heddiw, roedd ganddynt ymwelwyr – ffrindiau oedd, yn ôl Magda, ond yn pasio trwodd: byddent wedi mynd erbyn hanner nos heno. Byddai croeso cynnes i John alw draw yno'r adeg hynny, ond yn y cyfamser, wel . . .

'Wn i, wn i,' meddai John Gawi. '*Gadjo*.'

Yn awr, wrth gwrs, roedd yr amser yn llusgo. Pwy oedd y ffrindiau yma, tybed? Oedd tad Pietri'n un ohonyn nhw? Ni fu unrhyw sôn amdano erioed, a dychmygai John ddyn mawr a chyhyrog gyda mwstás Mecsicanaidd du. Ofnai y byddai hwnnw yno heno . . . ond na, go brin felly y buasai Magda wedi gofyn iddo ddod draw, go brin y buasai ei llygaid wedi goleuo cymaint pan ddywedodd wrthi y gwelai hi heno am hanner nos, dim ots be.

'Fyddwn ni ddim yn sobor, cofia,' rhybuddiodd ef, gyda gwên ddireidus. 'Bydd llawer o win wedi cael ei yfed yn ystod y dydd.'

'Fydda inna ddim chwaith,' atebodd John. 'A fydda i ddim yn hir iawn cyn dal i fyny efo chi.'

Rŵan, gwyliodd yr eira mân yn dechrau troi'n blu trwchus.

Gwenodd.

Mi fydd hi'n fendigedig heno yn y goedwig, meddyliodd.

'Mi ddudis i, yn do?' meddai ei fam. 'Eira mân, eira mawr.'

ix

Yn y Red Lion ar y noson dyngedfennol honno, meddyliodd Anna: oedd, roedd hyn *yn* syniad da, er bod gen i amheuon cry iawn tan tua hanner awr yn ôl. Petai Ows a Marc wedi ffonio yn ystod y dydd a dweud na fedran nhw ddŵad heno wedi'r cwbwl, mi faswn i wedi mynd ar fy nglinia a deud gweddi fach o ddiolch.

Ond ar hyn o bryd, dywedodd wrthi ei hun, mae hi'n argoeli i fod yn noson tshampion.

Roedd hyd yn oed cerdded yma o Aberllechi, milltir o daith drwy'r eira, wedi helpu, er bod pob un ohonynt, yn ei dro, wedi dweud, gan hanner chwerthin, pethau fel 'Dydan ni ddim yn gall, yn cerddad yma a digon o bybs yn Aberllechi' a 'Ma' isio sbio'n penna ni; syniad pwy oedd hyn, beth bynnag?' Ac ar ôl cyrraedd, roedd awyrgylch y dafarn wedi helpu'r tri ohonynt i ymlacio'n llawn. Mae'n rhyfedd fel mae ychydig o eira ar yr amser priodol yn dod â'r plentyn allan ym mhawb.

Gyda'r tu mewn yn llawn heb fod dan ei sang a'r cwsmeriaid i gyd mewn hwyliau ardderchog, teimlodd Anna'i hun yn ymlacio drwyddi am y tro cyntaf ers y digwyddiad brawychus hwnnw yn y caffi. Roedd y jiwcbocs wedi'i ddiffodd am y noson, gyda cherddoriaeth Nadoligaidd chwaethus yn cael ei chwarae yn ei le o'r stereo y tu ôl i'r bar.

Yndw, penderfynodd, dw i'n falch rŵan fy mod i wedi dŵad allan, fy mod i wedi trefnu'r noson. Ma' gen i ryw deimlad mai heno fydd y tro olaf i'r *Three Musketeers* fod efo'i gilydd fel hyn. Mae yna ormod o 'hanes' rhwng Marc a fi erbyn hyn i ni fedru bod yn ffrindiau naturiol fel yr oedden ni'n arfer bod, hanes sydd hefyd wedi cael effaith ar Ows: roedd o'n amlwg ychydig bach yn anghyfforddus ar gychwyn y noson, yn teimlo fel gwsberan er ei fod yn gwybod fod Marc a fi wedi gorffen.

Ond ni fu yntau'n hir iawn cyn dechra ymlacio, ac mae o wedi sôn fwy nag unwaith am ryw hogan y mae o wedi'i chyfarfod yn y coleg, rhyw Gina; ma' hanner ei feddwl o arni hi, ma'n amlwg, ac os ydi ei meddwl hitha arno fo, wel, efo hi y bydd o yr adeg yma y flwyddyn nesa, synnwn i ddim.

Wrth i mi ymlacio, dechreuodd Marc ymlacio hefyd. Yna, wrth y bar, sylwais arno'n siarad – yn fflyrtio, hyd yn oed – efo Gwennan Pierce, a oedd allan efo criw nomadaidd o genod. Roedd hithau'n fflyrtio'n ôl hefyd

– nid fod hynny'n brofiad dieithr iddi – a gwelais hi'n sbio i'm cyfeiriad i fwy nag unwaith, yn amlwg yn ansicr a oedd Marc a finna'n dal i fynd allan efo'n gilydd ai peidio.

Fe'm cefais fy hun yn meddwl: ma'n ocê, cer efo fo os w't ti isio: dyna be fasa ora, 'chos fydda i ddim yma am yn hir iawn eto. Oherwydd dw i wedi penderfynu dros y dyddiau diwethaf fy mod am fynd o Aberllechi y cyfla cynta ga i; i ble ac i 'neud be does gen i ddim clem, ond dw i am fynd. Roedd llinell o un o ganeuon Bruce Springsteen wedi troi a throsi yn fy mhen ers peth amser: *It's a town full of losers and I'm pulling out of here to win.*

Yna llusgwyd Gwennan Pierce i ffwrdd gan y genod eraill a dychwelodd Marc at Ows a fi, gan sbio ychydig yn heriol arna i. Yr unig beth wnes i oedd gwenu arno, gwên a ddywedai: cer di allan efo pwy bynnag rw't ti isio, Marc, does dim affliw o ots gen i erbyn hyn.

x

O gwmpas un ar ddeg o'r gloch, daeth criw i mewn dan ganu carolau, i gyd ag eira'n toddi oddi ar eu cotiau a'u hetiau. Yn ystod 'Dawel Nos', ac am y tro cynta erioed yn hanes y Red Lion, gellid clywed pìn yn taro'r llawr. Meddyliodd Anna ei bod yn gallu clywed yr eira'n sibrwd wrth i'r plu frwsio'n ysgafn yn erbyn gwydr y ffenestri a chrynodd yn annisgwyl, wedi teimlo rhyw hen ias ryfedd fel petai rhywun, chwedl yr hen ddywediad, wedi cerdded dros ei bedd. Doedd eira byth, bron, yn disgyn yma yn Aberllechi ond roedd yn disgyn heno, eira go iawn am y tro cyntaf iddi hi gofio erioed; dychmygai ef yn setlo dros yr holl lonydd bach culion yr oedd hi mor gyfarwydd â hwy gan eu troi yn llefydd dieithr, yn troi'r goedwig yn Narnia a'r harbwr yn wyn ond yn cael ei wastraffu'n llwyr ar y môr . . .

. . . a'r tu allan, gyda'r garol yn nofio allan o'r dafarn ar lanw'r lleisiau, cuddiai'r eira'r ceir a'u troi'n deisennau siwgwr gwyn. Disgynnai ar y ffordd fawr lle, heno, cafodd ei achub rhag troi'n slwj brown, budr gan fod cyn lleied o bobol wedi dewis gyrru, y mwyafrif yn aros gartref neu wedi hen gyrraedd pen eu siwrnai am weddill yr Ŵyl, a'r yfwyr yn yfed go iawn.

Disgynnai dros, ar a thrwy ganghennau noethion coed Glanrafon, ar y ddwy garafán a'r ddwy fan Transit, ac ar wallt ac ysgwyddau Morgra. Roedd hi wedi aflonyddu gyda dyfodiad yr eira heb wybod yn iawn pam nes ei bod, i bob pwrpas, yn rhy hwyr. Roedd presenoldeb eu ffrindiau wedi'i wneud yn amhosib iddi fedru canolbwyntio. A hithau wedi edrych ymlaen at eu gweld, at sgwrsio a hel clecs a rhoi'r byd yn ei le, fe'i cafodd ei hun yn methu aros iddyn nhw fynd.

Aethant o'r diwedd, ac yn awr teimlai Morgra fod rhywun yn ceisio sibrwd rhywbeth wrthi, rhywun oedd wedi hen ymadael â'r byd hwn ond wedi dychwelyd iddo heno'n un swydd i'w rhybuddio hi. Dylen ni fynd, meddyliodd, ond fedran ni ddim. Ddim heno. Mae Jethro wedi yfed gormod i fedru gyrru, yn enwedig yn yr eira . . .

. . . yr eira a ddisgynnodd o gwmpas John Gawi; roedd yntau hefyd yn aflonydd ac yn teimlo'r cyffro hwnnw yr arferai ei deimlo ar Noswyl Nadolig pan oedd yn blentyn. Hanner awr, meddyliodd. Hanner awr hir a diddiwedd arall, a chaf gychwyn am goed Glanrafon, a Magda . . .

. . . ac mewn sied arall, nid nepell o sied John Gawi, gwnaeth Stiw Powell ei orau i ganolbwyntio ar ei dasg. Bu'n yfed drwy'r dydd o flaen y teledu, caniau a photeli, ac erbyn hyn roedd ei waed yn llafarganu yn ei ben fel ebychiadau undonog criw o hwliganiaid pêl droed. Serch hynny, roedd ei ddwylo'n gadarn wrth iddo dollti'r petrol i mewn i'r poteli gweigion.

Roedd y sied fel ffrij ond ni sylwodd Stiw ar yr oerni, a phrin yr oedd o wedi sylwi ar yr eira. Gorffennodd ei dasg a mynd allan o'r sied. Edrychodd ar ei wats.

Chwarter wedi un ar ddeg.

Cofiodd fel y byddai ei daid yn sniffian yr aer fel llwynog cyn dweud ei bod yn rhy oer i fwrw eira, a chododd Stiw ei wyneb i fyny i'r awyr gan adael i'r plu setlo arno. Agorodd ei geg yn llydan ond roedd bob pluen yn ddi-flas. Edrychai'i gysgod ar yr eira, gyda goleuni'r sied y tu ôl iddo, yn anferth – fel cysgod cawr.

Felly dw i'n teimlo heno 'ma, meddyliodd. Fel Arnie yn *The Terminator*, fel Bronson yn *Death Wish*.

Fel Rambo.

Chwarddodd Stiw. Yna taflodd ei ben yn ôl a rhuo'n uchel dros y gerddi gwynion.

Clywodd John Gawi'r rhu wrth iddo gamu i mewn i'r gegin o'r ardd gefn a meddyliodd am rywbeth cyntefig yn rhuthro drwy gwmwl o eira, yn ddall ac wedi'i gynddeiriogi gan boen.

Ac er ei bod filltir i ffwrdd, meddyliodd Morgra iddi

hithau, hefyd, ei glywed. Gwyddai bellach ei bod yn rhy hwyr iddynt feddwl am adael; roedd y sibrydion wedi gwneud eu gorau, ond roedden nhw wedi methu oherwydd roedd gwaed yn sŵn y rhu hwn. Gallai Morgra ei glywed yn mudferwi, a bron y gallai'i ogleuo – ei flasu, hyd yn oed, fel copr chwerw ar bob un pluen eira a laniai ar flaen ei thafod.

Gan fwmblan gweddi yn yr hen, hen iaith, brysiodd yn ôl am y carafannau lle'r oedd Pietri'n pendwmpian ond yn ymladd yn ddewr yn erbyn cwsg. Eisteddai Jethro yno gyda'i win, yn gwenu wrth wrando ar Magda'n hwmian canu iddi'i hun wrth lanhau'i dannedd a brwsio'i gwallt ar gyfer ei chariad.

xi

Dros yr ugain mlynedd nesaf, meddyliai bob un o'r *Three Musketeers* yn aml fod yr hyn a ddigwyddodd wedi iddynt adael y Red Lion a chychwyn am adref i fod i ddigwydd; ei fod yn anochel.

Petaen nhw ond wedi . . . be?

Fasa unrhyw beth wedi gwneud yr un gronyn o wahaniaeth?

Daethant o'r dafarn am hanner awr wedi un ar ddeg, wedi meddwi ond yn bell o fod yn chwil. Jyst neis, meddyliodd Anna. Roedd yr eira wedi arafu cryn dipyn ar ôl gadael trwch ar y toi a'r cloddiau a'r ceir.

'Bydd yn rhaid i'r hen Santa fod yn ofalus ar y toea heno 'ma,' meddai Ows Bach. Craffodd ar ei wats. 'Hmmm . . .'

'Hmmm, be?' gofynnodd Marc.

Dechreuodd Anna ganu. 'I'*m dreaming of a White Christmas . . .*'

'*With every Christmas card I write*,' ymunodd Marc gyda hi.

Ac yna'r tri:

'*May your days be merry and bright,*

And may all your Christmases be white' – gan harmoneiddio yn y modd mwyaf ofnadwy, allan o diwn yn rhacs ond yn poeni dim.

Edrychodd Ows ar ei wats unwaith eto, a gwgu.

'Be sy?' gofynnodd Marc. 'Yli – 'sgin ti'm gobaith caneri o ga'l tacsi heno 'ma.'

''Swn i'm yn dŵad efo chdi, eniwe, dw i'n enjoio cerddad drw' hwn.' Ciciodd Anna'r eira a gwneud iddo ffrwydro'n gwmwl gwyn o'i blaen.

'Nid dyna be . . .' Gwgodd Ows arnynt. 'Na, dw i ddim am ddeud, 'newch chi'ch dau ond cymryd y piss.'

'Deud be?'

'Dw i 'di gaddo ffonio Gina am hannar nos, i ddymuno Dolig Llawan iddi hi. Fydda i ddim wedi cyrra'dd adra erbyn hynny.'

''Neith 'chydig o funuda ddim gwahania'th, yn na neith?' meddai Marc.

'Hannar nos ddudis i . . .'

'Noson cyn Dolig ydi hi, Ows, ddim nos Galan,' meddai Anna.

'Wn i, wn i. Ond . . .' Cododd Ows ei ysgwyddau. 'Hannar nos ddudis i.'

'Ta-raaaa!' meddai Anna, gan foesymgrymu i

gyfeiriad blwch teliffon fel petai hi newydd ei greu o ddim byd. '*And for my next trick . . .*'

'Dydi hi ddim yn hannar nos eto!'

'Blydi hel, Ows Bach, be ydi'r ots?' Roedd Marc wedi dechrau teimlo'r oerni. 'Ma' ffonio'n rhy gynnar yn well na ffonio'n rhy hwyr.'

'Isio dymuno Dolig Llawan i'w gilydd wrth iddi droi hannar nos ma' nhw,' chwarddodd Anna. 'Yndê, Ows?'

'Wel, naci, fel ma'n digwydd, 'chos pan fydd hi'n hannar nos yma . . .'

'Dydi hynny ddim yn mynd i ddigwydd, yn nac 'di,' meddai Marc ar ei draws. 'Ffonia hi rŵan, wir Dduw. Os na fedrith hi ddallt dy fod di wedi bod allan efo dy fêts . . .'

Petrusodd Ows. 'Gwrandwch,' cychwynnodd, 'fasa ots gynnoch chi witshiad . . .'

'*Be*?' Edrychodd Marc ar ei wats. 'Pum munud ar hugain i hannar nos ydi hi! Ti'm yn disgwl i ni witshiad yn fan 'ma am jyst i hannar awr . . .'

'Doswch chi, 'ta, blydi hel, mi arhosa i!'

Ochneidiodd Anna. Doedd arni ddim eisiau cyrraedd adref yn sobor fel sant ar ôl sefyllian yn yr awyr iach, oer. Ond yma y bydden nhw efo'r ddau yma'n dadlau fel hyn.

'Ows – ffonia hi *rŵan*, o fan 'ma, ac mi gei di 'i ffonio hi wedyn ar ôl cyrra'dd adra. Dw i'n siŵr y basa'n well ganddi ga'l dwy alwad ffôn gen ti.'

Ildiodd Ows. Tynnodd hynny o newid mân roedd ganddo o'i boced.

'Hmmm . . .'

'Be *rŵan*?'

‘’Sgynnoch chi newid ga i?’

‘Faint w’t ti isio?’ Gwelodd Anna fod ganddo bron i werth punt yn ei law. ‘Blydi hel, am faint o amsar rw’t ti’n pasa siarad?’

‘Ddim yr amsar ydi’r broblam,’ meddai Ows. ‘Y pelltar.’

‘Lle ma’ hi?’ gofynnodd Marc.

‘Fuisole.’

‘*Lle*?’

‘Jyst tu allan i Florence.’

‘Florence?’

‘Eidalas ydi hi?’ gofynnodd Anna.

‘Naci. Cymraes, o ochra’ Bethesda. Ma’ nhw wedi mynd at ’i nain hi dros y ’Dolig. Ylwch – ’sgynnoch chi newid, ’ta be?’

Daeth allan o’r blwch ffôn bum munud yn ddiweddarach yn wên o glust i glust ond, am weddill ei fywyd, roedd yntau hefyd i’w boenydio’i hun gyda’r un hen gwestiwn annifyr ac amhosib ei ateb hwnnw, *Be taswn i ddim wedi . . ?*

Ac efallai’n wir ei fod yn iawn – efallai eu bod i gyd yn iawn, y tri ohonynt. Petai Marc heb fod efo Stiw Powell y noson honno pan gafon nhw’n ffrwgwd yn y Ship; petai Anna heb ddod â’u perthynas i ben, hwyrach y buasai Marc allan efo hi yn lle Stiw; petai hi wedi gwneud yn well yn ei harholiadau, petai Marc heb fynd am dro y diwrnod hwnnw a dod ar ei thraws ac wedyn ei chysuro; petaen nhw heb ddechrau canlyn yn y lle cyntaf; petai Ows heb fynnu cael ffonio Gina, neu petai ond wedi siarad efo hi am bum munud yn hwy . . .

Lle goblyn oedd rhywun yn dechrau? Lle goblyn oedd rhywun yn rhoi'r gorau iddi cyn drysu'n llwyr?

Haws oedd derbyn fod y cyfan *i fod* i ddigwydd, roeddynt *i fod* i gyrraedd tua hanner ffordd adref pan welsant, yng ngoleuadau llachar swch eira a yrrai heibio, Stiw Powell yn croesi'r cae ar eu hochr chwith ac yn diflannu i mewn i goed Glanrafon gyda bag yn ei law.

Mor hawdd, hefyd, ac eto mor gythreulig o amhosib, fyddai i'r tri gymryd arnynt mai wedi gweld pethau yr oeddynt; mai tric yn cael ei chwarae gan y dychymyg, yr alcohol yn eu gwythiennau, y goleuadau cryfion a'r eira oedd achos y cyfan, a bod Stiw Powell gartref yn ei wely'n chwyrnu'n braf.

Ond doedd o ddim, yn nac oedd? Roedd o newydd fynd i mewn i goed Glanrafon gyda bag yn cynnwys Duw a ŵyr beth, a gwyddai'r tri ffrind na fedren nhw freuddwydio am gymryd arnynt mai rhith oedd ffigwr mor fawr a melltigedig o gyfarwydd ag un Stiw Powell.

Doedd dim amdani ond dringo'r clawdd a stryffaglu drwy'r trwch eira ar ei ôl.

xii

Y tu mewn i un garafán, cysgai Pietri'n sownd, wedi gorfod ildio o'r diwedd i flinder a holl gyffro'r dydd. Symudodd Magda gudyn o wallt du oddi wrth ei lygad. Teimlai'r garafán yn anghyfforddus o glòs, ond gwyddai Magda y byddai'n oeri'n sydyn iawn petai un o'r ffenestri'n cael ei hagor. Roedd Jethro, hefyd, yn pendwmpian, ond roedd Magda mor effro â thylluan, yn cyfri'r munudau.

Ac yn y garafán arall, ar ei gliniau ar lawr yn noethlymun, paratôdd Morgra ei melltithion, yr unig arf oedd ganddi yn erbyn ni wyddai'n union beth. Rhoes y gorau ers tro i'w melltithio'i hun am adael pethau'n rhy hwyr, am beidio â mynnu eu bod yn gyrru i ffwrdd o'r lle ofnadwy hwn pan ddeffrodd hi ben bore heddiw. Roedd hi'n sicr mai sibrwd a'i deffrodd, un o'r sibrydwyr yn ei siarsio i ddianc am ei bywyd.

Doedd dim pwynt, beth bynnag. Gwyddai, ym mêr ei hesgyrn, fod hyn yn anochel.

Roedd i fod i ddigwydd – ac roedd hyd yn oed y sibrydwyr wedi derbyn hynny.

Roeddynt yno efo hi'n awr, siapau amwys a symudai fel mwg o'i chwmpas, bob un yn sibrwd sibrwd cysuron, yn rhy hwyr bellach i rybuddion: cysuron na fyddai'r munudau nesaf yn para am byth, ychydig o boen, ia, ond dim ond y corff fyddai'n dioddef. Byddai hi a phopeth arall oedd yn ei gwneud yn hi yn goresgyn hyn i gyd ac yn dod allan ohono'n gryfach nag erioed – popeth, gan gynnwys ei mab a'i hwyres a'i gor-ŵyr. Roedd y sibrydwyr wedi ei sicrhau na fydden nhw'n dioddef wrth groesi drosodd.

Gorffennodd Morgra ei gweddïau. Safodd a gwisgo amdani unwaith eto, y siapau o'i chwmpas yn ei chyffwrdd â'u bysedd oerion, tyner, a phob un yn ei chysuro a'i chroesawu.

Roedd hi'n barod. Doedd dim i'w wneud yn awr ond aros.

xiii

Roedd yn haws symud unwaith yr oedd y tri wedi cyrraedd y goedwig. Doedd yr eira ddim mor drwchus yma, a rhwystrai'r coed y plu rhag chwythu i mewn i'w hwynebau a'u llygaid.

Mae o fel baglu i mewn i'r twll-dan-grisiau yn nhŷ rhywun arall, meddyliodd Anna, a sylweddoli bod y drws wedi cau'n ddistaw y tu ôl i mi.

Prin y gallent weld wynebau'i gilydd yn y gwyll, dim ond siapau gwelw, amwys. Roedd yr hen lwybrau cyfarwydd wedi diflannu'n llwyr dan yr eira a throes pob coeden yn elyn milain, fel hen warchodwyr gwrachaidd a wnâi eu gorau i'w rhwystro rhag treiddio i mewn i'w canol – pob cangen yn fraich esgyrnog ac oer, pob brigyn yn ewin miniog a maleisus.

A'r fath *dawelwch* . . .

Ma'n teimlo fel taswn i'n gwisgo cap balaclafa dros fy nghlustiau, meddyliodd Marc. Teimlai'r distawrwydd yn drwm o'u cwmpas – na, yn waeth na hynny – yn *fyw*, rhywsut, fel petai'r goedwig gyfan yn dal ei gwynt. Wrth gwrs, doedd yr un o'r tri wedi bod mewn coedwig yn ystod y nos o'r blaen; eu hunig linyn mesur oedd yr hyn a welon nhw mewn ffilmiau – ac roedd y coedwigoedd rheiny wastad yn lleoedd digon swnllyd, gyda thylluan neu ddwy'n twit-tw-hwio'n gyfleus yma ac acw. Ond yr unig beth a glywai Marc oedd ei galon ei hun yn dyrnu'n boenus, a rhuthr ei waed yn ei ben.

A'r fath *oerni* . . .

Ma'n rhaid fy mod i'n dechrau sobri, meddyliodd Ows; dw i'n gallu teimlo'r eira'n gwasgu bodiau fy nhraed a'u pinsio'n giaidd. Fel y tawelwch, teimlai'r oerni hefyd fel rhywbeth byw, ond yn hytrach nag aros yn llonydd gan ddal ei wynt, rhuthrai hwn amdanynt fel haid o bryfed bach piwis gan bigo pob modfedd o'u hwynebau a'u clustiau. Llwyddai hefyd i lifo drwy eu dillad a'u goglais â'i fysedd rhewllyd, ac i'w lapio'i hun dros eu cegau a'u trwynau gan sugno'r anadl o'u cyrff.

Narnia, meddyliodd Anna wrth symud yn araf gyda'i breichiau a'i dwylo wedi'u gwthio allan o'i blaen, fel rhywun mewn cartŵn neu hen ffilm gomedi yn cerdded yn ei chwsg; dw i'n meddwl am *Narnia*, a dw i'n gwbod pam, hefyd, achos ro'n i wedi mwynhau'r llyfrau'n aruthrol pan o'n i'n blentyn ac wedi addunedu i mi fy hun y baswn i, rhywbryd, yn mynd am dro drwy goedwig yng nghanol yr eira. Ond ches i mo'r cyfle, achos fyddan ni byth yn cael digon o eira yma yn Aberllechi. A rŵan dyma fi, mewn coedwig, mewn eira, ond yn lle rhyfeddu ar yr holl harddwch o'm cwmpas dw i jyst â sgrechian isio mynd o'ma, isio bod adra o flaen y teli yn gwatshiad rhyw ffilm gachu neu'i gilydd achos dw i'n gwbod – yn *gwbod* – fod y goedwig yma, ein coedwig ni, coed Glanrafon, ganwaith yn fwy tywyll na ddychmygodd C.S. Lewis erioed, a bod yna rwbath gwaeth o lawar yn disgwl amdanon ni na'r Frenhines Ia . . .

'Lle ffwc a'th o?' Torrodd llais Marc ar draws meddyliau'r ddau arall . . . ac yna, fel petai sŵn y gwydr yn malu wedi ei deffro, rhuodd y ddraig yn uchel dros y goedwig gan fytheirio'i thân drwy'r tywyllwch.

xiv

Rambo.

Credai Stiw ei fod wedi llithro drwy'r goedwig fel cysgod, yn union fel Stallone yn *First Blood*. Yn ei gwrcwd, anwesodd ei fag Adidas wrth graffu drwy frigau'r goeden gelyn ar y ddwy garafán, un mewn tywyllwch ond y llall â dau sgwâr o oleuni'n rhythu'n ddall i'w gyfeiriad.

Roedd bat *baseball* ganddo yn y bag gyda'i boteli, a meddyliodd Rambo: Hmmm, y bat yn gynta', ac wedyn y poteli i orffen? Ynteu'r poteli'n gyntaf, ac wedyn y bat wrth iddyn nhw gael eu chwydu allan o'u hofelau?

Ia, penderfynodd. Poteli – a'r bat.

Symudodd o gysgod y goeden gelyn, yn nes at y garafán lle'r oedd y golau.

Agorodd sip y bag a thynnu'r botel gyntaf allan. Tynnodd ei chaead ac estyn clwt o'r bag. Gosododd y clwt dros geg y botel a'i throi â'i phen i lawr gan ofalu bod y clwt wedi'i wlychu'n iawn cyn ei wthio i mewn i'r botel at ei hanner. Tynnodd leitar o'i boced a chyda chlic taniodd waelod y clwt. Am eiliad, cafodd ei ddallu gan y goleuni sydyn, llachar. Gwasgodd ei lygaid yn dynn ar gau cyn eu hagor eto a lluchio'r botel gyda'i holl nerth drwy'r ffenestr agosaf . . .

XV

. . . a throdd Magda'n wyllt wrth i'r ellyllon chwilboeth ddawnsio o'i chwmpas fel meddwon sbeitlyd, oherwydd dyna beth oedden nhw; ellyllon coch a melyn ac oren oedd wedi manteisio ar ryw grac bychan ym muriau uffern i brancio allan ac i mewn drwy'i ffenestr hi. Yn eu canol gwelodd Jethro'n hanner deffro o'i bendwmpian ac yn syllu arnynt gyda golwg o benbleth llwyr ar ei wyneb, fel plentyn yn ceisio dyfalu sut ar wyneb y ddaear roedd yna dân gwyllt yn dawnsio o'i flaen fel hyn.

Yna rhoesant y gorau i'w prancio er mwyn canolbwyntio ar rythm eu dawns, gan lyfu'r dodrefn a'r carped a'r llenni, a dillad Jethro a dillad y gwely lle gorweddai Pietri'n cysgu o hyd. O'r tu allan meddyliodd Magda iddi glywed ffenestr y garafán drws nesaf yn malu, ond roedd yr ellyllon erbyn hyn yn llyfu croen Jethro ac yn bwyta'i wallt ac yn glafoerio gwreichion uwchben Pietri, ac agorodd Magda'i cheg i sgrechian ei enw . . . ond yna trodd yr holl fyd yn oren . . .

XVI

. . . a phetai Stiw Powell wedi camu'n ei ôl ar ôl lluchio'r botel drwy ffenestr yr ail garafán, yna buasai wedi diflannu yng nghanol y belen fawr oren a ffrwydrodd o'r garafán gyntaf. Ond aeth yn ei flaen heibio i gefn yr ail garafán, felly welodd o mo'r belen anferth, boeth, dim ond y coed a'r llwyni o'i flaen ac o'i gwmpas, yn hollol glir am eiliad neu ddau ond ar yr un pryd fel petai'n edrych arnynt drwy ffilter oren. Teimlodd y ddraig yn anadlu drosto a syrthiodd i mewn i'r eira.

Gwelodd hefyd fod yna dri ffigwr yn sefyll yno'n gegrwth a meddyliodd: dw i'n 'nabod y rhein, dw i'n siŵr. Roeddynt yn brysio tuag ato, eu cegau'n awr yn symud . . .

. . . ac yn galw Stiw Powell yn bob enw.

Marc oedd y cyntaf i'w gyrraedd a dechrau'i gicio. Edrychodd Stiw Powell arno mewn penbleth: pam oedd Marc yn ei gicio, a pham oedd y ddau arall yn edrych fel petaen nhw'n gweiddi arno'n gas?

Credai'r tri ffrind fod y carafannau'n wag, fod y Romani allan yn rhywle yn dathlu'r Nadolig a bod Stiw Powell wedi manteisio ar eu habsenoldeb i ddifa'u cartrefi. Credent nad oedd hyn yn ddim mwy na gweithred dyn llwfr, bwli a oedd yn y bôn yn hen fabi.

Ond yna dechreuodd y sgrechian.

xvii

Deuai o'r ail garafán, a oedd erbyn hyn yn llosgi'n hamddenol, bron, fel petai hi'n gwybod na fedrai feddwl am gynnig gystal sioe â'r un wrth ei hochr. Ohoni deuai sgrechfeydd o boen, ond hefyd o gasineb, o rwystredigaeth, o lid.

Ac yna agorodd y drws.

Ac yn y drws, gyda'r fflamau'n ei goleuo fel petai hi'n actores ar lwyfan, safai Morgra'n sgrechian.

Sgrialodd Stiw Powell oddi wrthi ar ei bedwar drwy'r eira, fel cranc lletchwith drwy dywod, gan gnewian yn uchel. Ond safai'r tri arall yn stond, fel petaen nhw'n methu'n lân â chredu fod yna ffilm arswyd go iawn yn digwydd reit o'u blaenau. Wrth iddynt rythu arni, gwelsant gymylau bychain o fwg yn poeri allan o wallt a dillad Morgra, yn union fel petai hi'n llosgi oddi mewn, fel petai'r tân yn brwydro i ddod allan ohoni. Yna trodd y cymylau mwg yn wreichion, yna'n fflamau bychain, ac yna'n fflamau mwy a ffyrnig . . .

. . . a dyna pryd y rhuthrodd Morgra amdanynt dan sgrechian melltithion yn ei hen, hen iaith, ei gwefusau wedi'u tynnu'n ôl oddi wrth ei dannedd, ei gwallt yn crebachu'n ddim wrth i'r fflamau fwyta'i phen, a'i hwyneb – Dduw mawr, ei hwyneb! – yn newid lliw o felyn i frown ac yna i ddu wrth i belenni ei llygaid chwyddo a ffrwydro gyda *pop*! gwlyb.

Methodd â'u cyrraedd. Syrthiodd i'r ddaear o'u blaenau. Rhythai i fyny i'w cyfeiriad gyda thyllau ei llygaid yn ddall ac yn llawn gwaed berwedig. Cododd ei braich i'w cyfeiriad – asgwrn du gyda chrafanc crebachlyd, du ar ei flaen, a phwyntio'n ddall at y pedwar ohonynt.

'*Sedre!*' llwyddodd i grawcian. '*Sedre! Eich plant . . . eich plant chi!*' – drosodd a throsodd a throsodd.

Clywsant bob gair yn glir, yn hollol glir, wrth i Morgra losgi a gwingo o'u blaenau ar y llawr, yr eira o'i chwmpas yn hisian fel nyth o nadroedd wrth iddo frwydro yn erbyn y fflamau a ddeuai ohoni.

Ac yna roedd Stiw Powell yn sefyll uwch ei phen gyda'i fat *baseball* wedi'i ddal yn uchel. I lawr â'r bat, eto ac eto, nes i'r peth gwinglyd, uffernol o'u blaenau lonyddu o'r diwedd. Ac o'r tu ôl iddyn nhw daeth sgrech arall, sgrech uchel o boen, a rhuthrodd rhywbeth i'w canol o'r tywyllwch, o'r eira, o nunlle, a throes Stiw Powell gyda'i fat gan ei daro yn ei ben. Dros sŵn y fflamau'n cnoi gweddillion y ddwy garafán a phawb a phopeth oedd ynddynt, clywsant sŵn y bat yn ffrwydro yn erbyn y penglog fel morthwyl *croquet* yn taro pelen bren.

A syrthiodd John Gawi i'r ddaear wrth eu traed.

18

Caren

Rydan ni i gyd wedi eu gweld nhw droeon ac wedi eu dilorni bob tro, oherwydd maen nhw *yn* chwerthinllyd o afreal, chwarae teg – y golygfeydd rheiny mewn ffilmiau lle mae'r ferch (oherwydd genod ydyn nhw'n ddi-ffael, am ryw reswm) yn mynnu mynd, ar ben ei hun fach, un ai i fyny'r grisiau i'r atig neu i lawr i'r seler, gan wybod yn iawn mai yno mae'r seico/bwgan/fampir/beth bynnag yn aros amdani.

Dyma un o'r elfennau sy wastad wedi fy ngwneud mor ddiamynedd efo ffilmiau arswyd – sef bod y prif gymeriadau un ai mor anhygoel o *ddwl*, fel yr eneth uchod, neu'n griw mor rheglyd a chyfoglyd (myfyrwyr Americanaidd, gan amlaf), byddaf yn gweddïo am gael eu gweld yn marw'n waedlyd fesul un.

Ond rŵan, dyma fi cyn waethed â nhw bob tamaid, yn cefnu ar ddiogelwch clyd a chyfarwydd tŷ ni ac yn rhuthro allan i'r eira lle'r oedd Duw a ŵyr beth yn llechu – pethau tebyg i beth bynnag oedd wedi anadlu ar fy ngwar allan yn yr ardd gefn yn gynharach.

Pethau oedd ar ôl Ifor a Lois.

'Lle *ma'* nhw–?' dywedais yn uchel, gan deimlo'n swp sâl pan welais mor drwchus oedd yr eira – yn syrthio'n ddigon trwm erbyn rŵan i fod wedi cuddio olion traed Lois ac Ifor bron yn gyfan gwbl. Roedd digon ar ôl i ddangos i mi eu bod nhw wedi troi i'r chwith ar ôl mynd allan o'r tŷ, ond ar ôl hynny roeddynt wedi mynd ar goll yng nghanol olion pawb arall oedd wedi cerdded heibio.

'O, blydi *hel*!'

Dw i ddim yn meddwl fy mod i erioed wedi teimlo mor anobeithiol, yr hen deimlad cas hwnnw sy'n llenwi'r llygaid â dagrau poenus. Gwaeddais eu henwau'n uchel, ond roedd yr eira fel tasa fo'n mygu pob un smic o sŵn ac yn troi bloedd yn grawc neu'n sibrwd.

Troais, felly, i'r chwith, gan drio dyfalu lle goblyn yr oedden nhw wedi mynd. Doedd dim angen athrylith o dditectif i ddweud wrtha i fod rhywbeth wedi eu dychryn i ffwrdd. Ac os felly, rhesymais, y tebygolrwydd oedd eu bod nhw wedi rhedeg heb unrhyw syniad lle'r oedden nhw am fynd, er mwyn dianc mor bell oddi wrth be bynnag roedd o ag oedd yn bosib.

Croesais y ffordd am y parc. Ychydig iawn o geir oedd o gwmpas erbyn hyn. Disgynnai'r eira'n drymach nag erioed gan fy ngorfodi i sbio i lawr ar fy nhraed wrth gerdded.

Roedd y siglenni a'r sleid yn y parc chwarae yn wag, wrth gwrs; yn wir, roedd y parc cyfan yn wag hyd y gwyddwn i, ond roedd yn amhosib gweld mwy na rhyw lathen o'm blaen. Ro'n i wedi meddwl y basa'r lle'n berwi â phlant, a deud y gwir, i gyd yn brysur yn eu pledu'i gilydd â pheli eira ac yn creu dynion eira: mae plant i fod i wirioni ar dywydd fel hyn. Oedd hyn yn od ynddo'i hun? Ynteu ai fi oedd yn bod yn *paranoid*? Yr ail, penderfynais; roedd yn bwrw'n rhy drwm, ac mae'n siŵr mai wedyn, ar ôl iddi arafu rhywfaint, y byddai'r plant yn dŵad allan i chwarae.

Cychwynnais ar draws y darn agored o dir lle mae cenedlaethau o blant Aberllechi wedi chwarae pêl-droed. Anodd iawn oedd coelio fod yna strydoedd a thai a siopau a phobl o'm cwmpas: allwn i weld dim byd ond gwynder, dan fy nhraed, bob ochr i mi ac o'm blaen.

Yn enwedig o'm blaen. Nid plu oedd yn syrthio o'r awyr bellach, ond lympiau o eira – miloedd ohonyn nhw, cannoedd ar filoedd – a cheisiais graffu drwyddyn nhw rhag ofn i mi gerdded i mewn i rywbeth: teimlais yn o hyderus fy mod wedi cadw at lwybr gweddol syth, ond mae'n hawdd iawn igam-ogamu yn y fath dywydd, ac fe'm cefais fy hun, yn hurt bost, yn meddwl am yr eneth honno yn un o gerddi Wordsworth a grwydrodd ar goll yn lân yn yr eira nes iddi gerdded oddi ar y bont ac i mewn i'r afon a boddi, er ei bod mewn gwirionedd ond ychydig lathenni o'i chartref.

Rhegais wrth i mi orfod tynnu fy sbectol a'i sychu eto fyth: faint o weithiau'r o'n i wedi gneud hynny erbyn rŵan? Dwsinau o weithiau, decini.

Yna, wrth ei gwthio'n ôl ar fy nhrwyn, gwelais ddau ffigwr yn cerdded drwy'r eira o'm blaen.

Dim ond siapau amwys oedden nhw, a do'n i ddim yn siŵr iawn i gychwyn a o'n i wedi eu gweld nhw go iawn ai peidio.

Ceisiais frysio ar eu holau, gan faglu a llithro yn fwy na dim byd arall. Serch hynny, cefais gip arall arnynt, un digon hir y tro hwn i mi weld nad Lois ac Ifor oedden nhw.

Roedd un yn dal iawn a'r llall gryn dipyn yn fyrrach; gafaelai'r un tal yn llaw y llall fel tasa fo'n ei arwain drwy'r eira. Yna diflannon nhw eto. Brysiais innau ar eu holau oherwydd, cyn iddyn nhw ddiflannu, roedd yr un lleiaf wedi hanner troi i'm cyfeiriad fel tasa fo wedi synhwyro fy mod i yno.

Cefais gip sydyn ar ei wyneb.

Wyneb ifanc, yn llawn ofn.

Wyneb Deian.

Ac wrth i mi fustachu'n ddi-lun ar eu holau, sylweddolais fod rhywbeth cyfarwydd ynglŷn â'r ffigwr arall hefyd, yr un tal a main . . . mewn côt *Parka* efo'r hẁd wedi'i dynnu i fyny dros y pen.

Be uffarn w't ti'n 'i 'neud, Caren? gofynnais i mi fy hun wrth frwydro ymlaen drwy'r eira. *Rw't ti'n ymddwyn yn union fel y genod gwirion rheiny yr oeddat ti mor barod i'w dilorni. Rw't titha' hefyd yn mynd i lawr grisiau'r seler i'r tywyllwch at y bwgan.*

A'r peth gwaethaf un oedd nad oedd gen i'r un syniad yn y byd sut y medrwn i helpu Deian – os mai Deian oedd o.

Be allai unrhyw berson byw ei wneud yn erbyn rhyw . . . rhyw bethau fel y rhain?

Ond roedd rhywbeth yn fy ngyrru yn fy mlaen ar eu holau, rhywbeth y tu mewn i mi a ddywedai fod yn rhaid i mi *drio*.

'Deian!' gwaeddais, ond doedd fy llais ddim yn swnio'n ddigon uchel o bell ffordd; swniai bron fel llais rhywun arall yn dod o ystafell yng nghornel bellaf rhyw hen dŷ mawr.

Yna gwelais i nhw eto, dau siâp yn symud yn dawel

drwy'r lympiau gwynion a fyrlymai i lawr o'u cwmpas – law yn llaw o hyd, ond y tro hwn roedd y lleiaf o'r ddau'n syllu'n ôl arnaf dros ei ysgwydd, a gwelais mai Deian oedd o, yn bendant.

'Deian!'

Syllodd Deian arnaf fel tasa fo'n hanner fy nabod, fel tasa fo'n teimlo y dylai wybod pwy o'n i ond heb fod yn siŵr iawn ohona i.

'Deian!' dywedais am y trydydd tro a'r tro hwn swniai fy llais yn gryfach o beth wmbrath ac, yn rhyfedd, yn llawn awdurdod.

Arhosodd y ddau.

Safai'r ffigwr tal yn y gôt *Parka* â'i gefn ataf, bron fel milwr oedd newydd glywed ei gadfridog yn gweiddi *Halt!* Ond daliai Deian i rythu arnaf wrth i mi symud yn nes at y ddau.

'Deian,' dywedais, gan ryfeddu mor gadarn y swniai fy llais. 'Ty'd efo fi rŵan.'

Estynnais fy llaw ato.

'Ty'd rŵan, Deian.'

Gwelais y ffigwr tal yn tynhau trwyddo cyn dechrau troi. Ceisiodd Deian dynnu'i law yn rhydd o'i afael, ond roedd bysedd y llall wedi'u cau'n dynn amdano – nid am ei law, ond am ei arddwrn.

A daliai i droi yn araf tuag ataf.

Roedd yr hŵd unwaith eto'n pwyntio i gyfeiriad y ddaear, fel tasa beth bynnag oedd yn llechu'r tu mewn iddo'n syllu i lawr.

'Deian – gafa'l yn fy llaw i rŵan.'

Daliai Deian i syllu arna i fel taswn i'n berson dieithr.

'Pwy 'dach chi?' meddai – ond o'r diwedd cododd ei

law rydd a chydio yn fy llaw i. Dechreuais ei dynnu tuag ataf, ond tynhaodd bysedd y ffigwr am ei arddwrn a gwingodd Deian mewn poen. Bysedd gwynion, main, oeddynt – yn edrych fel pryfaid genwair hirion wedi'u lapio am arddwrn Deian – ac wrth i mi syllu arnynt, dechreuodd y cnawd wingo'n rhydd o'r esgyrn. Pryfaid genwair *oedden* nhw, gwelais, ond rhai na welais i mo'u bath erioed o'r blaen; creaduriaid dall oedd y rhain, creaduriaid oedd yn treulio'u hoes yn nyfnderoedd tywyllaf y pridd.

Creaduriaid y fynwent.

Syrthiasant i'r eira a gwingo ar ei hyd tuag ataf, pump ohonyn nhw, eu pennau dall wedi'u dal i fyny yn yr awyr ac yn symud o ochr i ochr fel tasan nhw'n synhwyro'r aer. Fel arfer, mi faswn i wedi neidio o'u ffordd fel ysgyfarnog: mae'n gas gen i unrhyw beth sy'n ymlusgo ar hyd y llawr. Ond wyddoch chi be? Doedd arna i ddim mymryn o'u hofn y diwrnod hwnnw, Duw a ŵyr pam. Safais yn stond a gadael iddyn nhw gyrraedd blaenau f'esgidiau, ac wrth iddyn nhw fy nghyffwrdd, trodd bob un yn fflam fechan o dân cyn diflannu fesul un gyda ssss! fach druenus wrth i'r eira eu diffodd.

Teimlais fy hun yn gwenu. Ia – yn gwenu. Fi – a ddylai erbyn hyn fod o leiaf filltir i lawr y ffordd yn sgrechian fel hogan wallgof.

'Dyna'r gora 'sgin ti?' gofynnais. 'Wow!'

Esgyrn gwyn oedd yn cydio yng ngarddwrn Deian yn awr. Gwyliais hwy'n troi'n ddu, fel priciau tân wedi llosgi, a llanwyd fy ffroenau â'r hen oglau llosgi annymunol hwnnw roeddwn wedi'i synhwyro y tu allan i dŷ Ifor.

'Ty'd, Deian, wir Dduw, cyn i mi golli mynadd efo'r clown yma.'

Rhoddais blwc arall i law Deian – a chododd y ffigwr ei ben.

Ymwthiodd ei wyneb allan o'r duwch oedd y tu mewn i'r hẁd, fel crwban yn gwthio'i ben allan o'i gragen. Wyneb du, du oedd o; wyneb oedd wedi'i losgi'n golsyn crimp gyda'r dannedd yn fawr ac yn wyn ac yn clecian a chrinsian yn erbyn ei gilydd fel tasa'r peth yn ceisio dweud rhywbeth, yn gwneud ei orau i'm bygwth, i'm herio, i'm rhegi a'm melltithio.

Pam na wnes i lewygu yn y fan a'r lle, does gen i ddim syniad. Bob tro y bydda i'n meddwl amdano fo rŵan – a choeliwch chi fi, mi fydda i'n gneud hynny'n aml, ac yn breuddwydio amdano fo, bron bob nos – dw i'n gallu teimlo fy nghalon yn carlamu ffwl sbîd a 'mhen yn troi, ac mae'r sgrech hyd heddiw yn codi y tu mewn i 'ngwddw fel fflemsan anferth.

Ond ar y pryd . . . wel, mi faswn i'n palu clwydda taswn i'n deud na wnes i simsanu o gwbwl, ond yna gwasgodd Deian fy llaw a theimlais yr ofn yn llifo i ffwrdd oddi wrtha i.

'Gollynga fo,' gorchmynnais. 'Gad iddo fo fynd – rŵan!'

Tynnais Deian tuag ataf gerfydd ei law.

'Chei di mo'no fo,' dywedais. 'Felly gad iddo fo fynd.'

Am eiliad neu ddau cawsom ornest dynnu, gyda Deian druan fel rhaff rhyngom, yna gollyngodd y llall ei afael yn annisgwyl a baglodd Deian tuag ataf gan beri i minnau faglu dau neu dri cham yn f'ôl, wysg fy nghefn.

Pan edrychais i fyny, roedd y ffigwr wedi mynd.

A *dyna* pryd y dychwelodd yr ofn ataf, gan ruthro amdana i fel ci mawr blewog. Dechreuais grynu fel deilen, ac oni bai fod Deian yn cydio'n dynn ynof, mi faswn i wedi syrthio i lawr a rowlio'n belen yn yr eira. Sylweddolais, yn hurt, fy mod i rywbryd wedi tynnu fy sbectol: roedd hi yn fy llaw chwith.

'Caren?' clywais Deian yn dweud. 'Caren – y *chdi* sy 'na?'

'Be . . ?' Ymysgydwais a gwthio fy sbectol yn ôl ar fy nhrwyn. 'Ia. Ia, siŵr – pwy oeddat ti'n feddwl o'n i?'

Roedd Deian yn dal yn syllu arna i gyda rhywbeth tebyg iawn i syndod yn ei lygaid.

'Dw i'm yn gwbod. Ond ddim y chdi . . .'

Oedd tynnu fy sbectol yn gwneud cymaint â hynny o wahaniaeth i'r ffordd yr o'n i'n edrych? Go brin. Ac roedd Deian wedi fy ngweld droeon heb fy sbectol, p'run bynnag.

'Be yn y byd ddigwyddodd i chdi?' gofynnais. 'Efo . . . *hwnna* . . .'

Roedd yntau'n crynu rŵan hefyd. 'Dw i'm . . . dw i'm yn s-s-siŵr . . . Ro'n i'n chwara' ffwtbol efo rhei o'r hogia . . . m-m-mi ddaru hi dd-dd-ddechra bwrw eira . . . ac roedd yr hogia 'di mynd i rwla . . . ac mi dda'th o, allan o'r eira . . . yn b-b-brasgamu allan, amdana i . . .'

Dechreuodd siglo ar ei draed, felly cydiais ynddo fo a'i wasgu'n dynn. Roedd yr eira, sylweddolais, wedi arafu ychydig a gallwn weld drwyddo fo rŵan, dros y cae chwarae at y stryd, y siopau, y tai, y ceir a'r bobol.

Doedd dim golwg yn unman o'r *peth*.

Pobol roeddan ni eu hangen, penderfynais, pobol

normal, *byw* o'n cwmpas. A gwres. Gwres eu cyrff, a'u siopau, a'u tai, a'u ceir.

'Ty'd . . .'

Dros yr eira â ni, gan edrych o'r awyr, mae'n siŵr, fel un smotyn coch ac un smotyn glas ar gynfas fawr wen, ac yn gadael dim ond dwy res o olion traed ar ein holau, ein rhai ni a neb arall. Gallwn deimlo llaw Deian yn cynhesu yn fy llaw i, fel, gobeithio, yr oedd f'un i yn ei law yntau. Taflais ambell olwg dros f'ysgwydd, ond doedd neb i'w gweld yn ein dilyn ac ni allwn chwaith synhwyro'r hen arogl llosgi hwnnw yn yr aer.

Edrychodd Deian arna i bob hyn a hyn, fel tasa fo'n trio'i sicrhau'i hun mai fi oedd yno efo fo. Gollyngodd fy llaw pan gyrhaeddon ni'r stryd: doedd arno ddim eisiau cael ei weld yn cerdded law yn llaw ag unrhyw hogan.

''Na well, yndê?' meddwn. Roedd yn braf gallu teimlo palmant caled dan fy nhraed yn hytrach na glaswellt y parc chwarae.

'Doeddat ti ddim yn edrych fel chdi dy hun, 'sti, Caren,' meddai Deian. 'Nac yn swnio fel chdi dy hun chwaith.'

'O? Fel pwy ro'n i'n edrych, 'ta?'

'Dwn i'm. Rhywun arall.'

'Wel – fi oedd hi,' atebais.

Y gwir amdani oedd, nid oedd ei eiriau wedi fy synnu cymaint ag y dylen nhw fod wedi gwneud efallai. Do'n i ddim wedi *teimlo* fel fi fy hun, rhywsut – ac yn sicr do'n i ddim wedi ymddwyn fel fi. Nid ar y pryd. Rŵan, fodd bynnag, ro'n i'n crynu fel jeli bob tro y gwelwn rywun mewn hŵd yn cerdded heibio i mi, rhag ofn i mi weld yr wyneb llosgedig hwnnw'n ymwthio allan ohono efo'i ddannedd gwynion yn crafu'n erbyn ei gilydd.

Ond wrth gwrs, roedd rhywbeth pwysicach o lawer ar fy meddwl. Petrusais cyn siarad; do'n i ddim eisiau codi rhagor o ofn ar yr hogyn druan, ond doedd gen i ddim llawer o ddewis.

'Chwilio am dy chwaer ydw i,' dywedais, a llanwodd llygaid Deian â braw euog yn syth.

'Ma' nhw ar 'i hôl hitha hefyd!'

'Wn i, boi.' Dywedais wrtho am yr hyn oedd wedi digwydd yn gynharach, yng nghegin a gardd gefn tŷ ni.

Dechreuodd Deian droi i ffwrdd, ond cydiais yn ei fraich.

'Wo, wo – lle ti'n 'i chychwyn hi?'

'Adra, yndê. Lle ti'n meddwl?'

'Dw i'm yn meddwl mai yn fan'no ma' hi, Deian.'

Daeth rhyw syniad ofnadwy i'm meddwl – os oedd Ifor a Lois wedi mynd i'w cartrefi, yna'n sicr doeddan nhw ddim yno erbyn rŵan. Penderfynais mai doethach fyddai peidio â dweud hyn wrth Deian, ond gwelais o'r olwg ar ei wyneb ei fod o wedi meddwl am hynny ei hun.

'O blydi hel . . .'

Edrychodd o'i gwmpas yn wyllt, i fyny ac i lawr y stryd lle'r oedd pobol Aberllechi yn mynd o gwmpas eu pethau'n gwneud eu siopa Dolig funud olaf. Deuai sŵn chwerthin uchel o un o'r tafarnau llawn, a theimlais fel chwerthin a sgrechian yn uchel fel hogan o'i cho' yn lân. Dyma ni, oedd newydd gael cip ar ryw uffern ofnadwy, yn sefyll yng nghanol yr holl *normalrwydd* hwn ac yn trafod pethau nad oeddynt yn perthyn i'n byd bach ni o gwbwl.

'Lle *ma'* hi, 'ta, Caren?' erfyniodd Deian, ei lygaid rŵan yn llawn dagrau. 'Lle ma' Lois?'

Dechreuais ysgwyd fy mhen mewn anobaith . . . ac yna, ym mhen pella'r stryd, gwelais gar Dad, wedi'i barcio'r ochr arall i'r ffordd, y tu allan i hen gapel oedd ag arwydd *Ar Werth* mawr arno.

Capal Dad.

'Ty'd . . .'

* * *

Roedd Lois ac Ifor wedi cyrraedd y Stryd Fawr bron iawn heb sylweddoli mai yno'r oeddynt yn mynd. Rhyw reddf oedd wedi'u gyrru nhw yma, y teimlad fod yn rhaid iddyn nhw fod yng nghanol pobol eraill.

Dianc i ganol pobol byw.

Ffoi oddi wrth y meirw.

Gyda'u hanadl yn crafu yn eu gyddfau, arhosodd y ddau y tu allan i Tesco, y siop brysuraf, a oedd yn sugno pobol i mewn drwy un drws a'u poeri allan drwy'r llall.

Edrychasant ar ei gilydd gan weld yr un ofn yn llenwi'u llygaid.

'Caren . . .' meddai Ifor.

Nodiodd Lois. 'Wn i. Ti'n meddwl–?'

'Dw i'm yn gwbod. Mi fasa hi wedi gweiddi, ne' sgrechian, yn basa? Tasa hi wedi gweld rhwbath.'

Edrychodd Ifor i mewn drwy ddrysau'r siop, yna allan dros y maes parcio a'r cannoedd o bobol a glinciai heibio iddynt gyda'u trolis gorlawn. Pan drodd yn ôl at Lois, gwelodd ei bod hithau'n gwneud yr un peth, fel petai hi'n chwilio am rywun.

'Dw i'n ryw ama' mai dim ond y ni sy'n gallu'u gweld nhw, 'sti. Chdi, fi, Buddug ac Owain . . .'

'A Deian,' meddai Lois, ei llygaid yn llenwi'n awr â braw newydd. Tynnodd ei ffôn symudol o'i bag.

Yna cofiodd. 'Shit!'

'Be?'

Cadwodd Lois ei ffôn yn ôl yn ei bag. 'Mae'i ffôn o 'di torri ers wsnosa. Dyna mae o'n 'i ga'l fory'n bresant Dolig. I fod . . .'

'Ella'i fod o 'di mynd adra?'

Estynnodd y ddau eu ffonau a cheisio pwyso'r rhifau.

'O blydi hel!' Tarodd Lois ei ffôn yn erbyn cledr ei llaw. 'Ma' batri hwn yn fflat. Ga i fenthyg dy . . . Ifor?'

Roedd Ifor yn syllu ar ei ffôn yntau.

'A hwn hefyd,' meddai. 'Ond ddyla fo ddim bod . . .'

Edrychodd ar Lois â chwestiwn yn ei lygaid. Ysgydwodd Lois ei phen.

'Na hwn, chwaith. Mae o 'di bod ar tsharj gen i drw'r nos. O, blydi hel, Ifor . . !' Roedd ei llais yn crynu ag ofn.

'Ella'u bod nhw'n ocê, 'sti,' ceisiodd Ifor ei chysuro. 'Y tri ohonyn nhw.'

'Ti'n meddwl?'

Syllodd Ifor arni cyn troi i ffwrdd.

'Dw i'm yn siŵr os ydan *ni'n* ocê,' meddai. 'Os mai dim ond y ni sy'n ca'l 'u gweld nhw, be fedrith y rhain i gyd 'i 'neud i'n helpu ni?'

'Ma' nhw'n gneud i mi deimlo'n well,' meddai Lois.

Cydiodd yn dynn ym mraich Ifor, ei llygaid yn dawnsio i bob cyfeiriad. Ymdrechodd i beidio â meddwl am y ddrychiolaeth a welsant yn rhythu i mewn atynt drwy ffenestr cegin Caren.

‘Pam?’ meddai. ‘Be ’dan *ni* wedi’i ’neud?’

Ysgydwodd Ifor ei ben. Doedd dim ateb ganddo, wrth gwrs.

‘Fedran ni ddim aros yma drw’r dydd,’ meddai Lois. ‘Mi fyddan nhw’n cau toc, a hitha’n *Christmas Eve*. Ac mi fydd hi’n dechra t’wyllu. A dw i *ddim* isio bod yma pan ddechreuith hi d’wyllu.’

‘Dw inna ddim chwaith. Ond dw i’m yn meddwl ’mod i isio bod adra, chwaith.’

‘Na finna. Dw i isio bod yn rhwla saff.’

‘Ia – ond lle, Lois? Oes ’na rwla sy’n saff?’

Closiodd y ddau’n nes at ei gilydd, eu cefnau’n pwyso yn erbyn crocodeil anferth o drolis a dwy afon o bobol yn llifo bob ochr iddynt.

Ond toc byddai’r llif pobl yn tawelu a phobman yn dywyll a distaw.

Gyda dyfodiad y nos.

Yna teimlodd Ifor gorff Lois yn tynhau drwyddo wrth ei ochr, a’i llaw yn gwasgu’i fraich yn boenus.

‘Be . . ?’ dechreuodd ofyn, ond yna llifodd yr arogl i mewn i’w ffroenau yntau hefyd. Arogl porc yn llosgi.

‘Ma’ nhw yma,’ sibrydodd Lois. ‘Ifor, ma’ nhw yma . . .’

Edrychodd y ddau’n wyllt i bob cyfeiriad. Roedd *gormod* o bobol o’u cwmpas yn awr, a’r hyn oedd yn gysur ond rai eiliadau’n ôl bellach wedi troi’n rhwystr. Yn fygythiad.

Tyfai’r arogl yn gryfach ac yn gryfach nes bod eu stumogau’n troi, a daeth i’r ddau y syniad ofnadwy fod y *pethau* rheiny’n sefyll reit o’u blaenau ac yn anadlu eu drewdod ffiaidd yn eu hwynebau . . .

'Fedran ni ddim aros yma, siŵr,' meddai Ifor. 'Ty'd . . .'

Dechreuodd symud oddi wrth ddrysau'r siop ac yn ôl i gyfeiriad y stryd fawr, gan lusgo Lois hefo fo.

'Lle?' gofynnodd Lois.

'Dwn i'm! Ond ma'n rhaid i ni . . . jyst ty'd, Lois!'

* * *

Ar ei ben ei hun yn y capel, eisteddai Bryn yn sedd rhif naw, ei bennau gliniau'n gwasgu yn erbyn cefn pren sedd rhif wyth.

Be ydw i'n 'i 'neud yma? meddyliodd.

Yn dilyn eu cinio Nadolig, penderfynodd ei gydweithwyr eu bod am fynd i'r Ship – a oedd, wrth gwrs, ond ychydig ddrysau oddi wrth siop Anna. Cymerodd Bryn arno ei fod wedi addo mynd â Caren draw i barti ym Mhwllheli, a bod yn rhaid iddo felly aros yn sobor.

Gwyddai na fuasai wedi gallu ymlacio a mwynhau'i hun petai wedi mynd i'r Ship. Buasai ar dân eisiau mynd i weld Anna a'i pherswadio i gau'r siop a dod allan efo fo. Ond ofnai na châi fawr o groeso ganddi. Buasai gweld ei gwep yn disgyn wrth iddo gerdded i mewn i'r siop yn torri'i galon yn llwyr. Oherwydd yr ofn hwn, buasai Bryn, gwyddai, wedi yfed gormod cyn mynd draw i siop Anna p'run bynnag a gwneud coblyn o ffŵl ohono'i hun – a hynny o flaen Caren druan.

Ni fedrai chwaith wynebu'r syniad o fynd adref. Roedd y Nadolig wastad yn amser anodd ers iddo golli Delyth. Dyma pryd roedd yr hiraeth ar ei waethaf, ac oni bai am Caren a'r ffaith ei fod yn gorfod gwneud ymdrech er ei mwyn hi, gwyddai y buasai wedi drysu'n llwyr yn ystod y blynyddoedd cyntaf rheiny. Wnaeth yr hiraeth ddim lleihau, chwaith, gyda'r blynyddoedd, ond o leiaf dysgodd sut i lenwi'r dyddiau hir o ddathlu fel na châi'r hiraeth y cyfle i'w lethu'n llwyr.

Ac yn ddiweddar, roedd Anna ganddo.

Y Nadolig cyntaf iddynt ei dreulio yng nghwmni'i gilydd (efo Caren, wrth gwrs), teimlodd Bryn yn euog. Teimlai y *dylai* fod yn meddwl a hiraethu am Delyth dros yr ŵyl – ei bod, mewn ffordd, yn ddyletswydd arno i ddioddef. Ac yna teimlai'n euog oherwydd ofnai ei fod yn defnyddio Anna fel esgus dros *beidio* â meddwl a hiraethu cymaint am Delyth ag arfer.

Yna penderfynodd ei fod yn hurt bost yn hyd yn oed meddwl y fath beth, ac y buasai Delyth yn ei ddwrdio'n hallt am beidio â mwynhau'i hun.

'Yn basat ti, Del?' meddai'n uchel yn awr, er na thywyllodd Delyth y capel hwn erioed.

Crynodd Bryn. Gallai weld ei anadl ei hun yn cymylu yn yr aer llonydd o'i flaen. Roedd y trydan wedi'i hen ddiffodd, a dyn a ŵyr pryd y bu'r gwres ymlaen yma ddiwethaf. Teimlai gnawd ei wyneb yn dynn a gwyddai na fyddai'n hir cyn i'w drwyn ddechrau rhedeg.

Dw i ddim isio mynd adra . . .

O, bydda'n ddyn, 'nei di! meddai wrtho'i hun. Ma' gen ti rywun i rannu'r Dolig efo hi – dy ferch dy hun. Canolbwyntia arni hi – mi ddaw'r amser yn hen ddigon buan pan fydd ganddi hi ei chartref a'i theulu ei hun: mi gei di doddi mewn hunandosturi bryd hynny. Ac os ydi Anna isio chwara rhyw gêm wirion, yna rhyngddi hi a'i phetha; dw't ti ddim yn bod yn deg iawn efo Caren os gwnei di ada'l i Anna ddifetha'ch Dolig chi. A phwy a ŵyr – erbyn yr adeg yma y flwyddyn nesa, ella y bydd yna rywun newydd yn dy fywyd di, rhywun na fydd yn cadw cyfrinacha ac yn dy drin di fel tasat ti'n ddim mwy na ryw anghyfleuster.

Safodd. Swniai'i draed yn uchel ar y llawr wrth iddo gerdded at ddrws y capel.

A thra w't ti wrthi, ategodd, gwna adduned Flwyddyn Newydd, wnei di? Dy fod am roi'r gorau i ddŵad yma i ista a hel meddylia. Gad i'r gorffennol fod, Bryn bach, a hwyrach y gwnaiff y gorffennol adael llonydd i titha.

Gan deimlo'n well o beth myrdd, agorodd y drws a chamu allan i'r eira. Roedd ar fin troi er mwyn cau'r drws ar ei ôl pan sylweddolodd fod dau ffigwr yn brysio tuag ato ar hyd y llwybr bach, cul a arweiniai at giatiau'r capel a'r stryd fawr.

Ffrind Caren, Lois. A mab Ows Bach twrna.

A'r ddau yn rhuthro amdano fel petai haid o Gŵn Annwn ar eu holau.

19

Ows

Gan mai ganddo fo roedd y car drutaf – 4x4 oedd yn gallu cornelu'n dda ym mhob tywydd, gan gynnwys eira – Ows oedd y cyntaf o'r tri i gyrraedd cyffiniau Aberllechi. Erbyn hynny, roedd yn bwrw eira'n drwm ond cadwodd ei droed i lawr ar y sbardun cymaint ag y gallai, er iddo ddod yn agos droeon at lithro ar draws y ffordd ac i mewn i glawdd. Trafferth arall oedd bod pawb arall yn gyrru fel malwod, a chafodd sawl caniad corn piwis wrth iddo basio gyrwyr mwy gofalus.

Tasach chi ond yn gwbod, meddyliodd, *pam fy mod i'n gyrru fel hyn.*

Gwyddai y dylai arafu a chanolbwyntio ar y ffordd, ond roedd llawer gormod o bethau'n gwibio trwy'i feddwl. Pethau yr oedd o – a Marc ac Anna, gwyddai, a Stiw Powell, hefyd, tan ddwy flynedd yn ôl – wedi'u gwthio i gefn pellaf ei ymennydd. Atgofion, ia, wrth gwrs, ond hefyd llawer o gwestiynau, cwestiynau oedd yn amhosib eu hateb oherwydd nid oedd unrhyw bwrpas mewn defnyddio rheswm wrth drio mynd i'r afael â nhw.

Ac o dan y cyfan roedd pedwar gair bychan oedd wedi aflonyddu arno yn y modd mwyaf ofnadwy ers ugain mlynedd:

Wnes i ddim byd!

Roedd o wedi eu dweud drosodd a throsodd ers iddo

gychwyn o'r ysbyty; wedi eu parablu efo'r dagrau'n powlio i lawr ei wyneb a'r sneips yn llifo o'i drwyn. Roedd o fel plentyn, fel petai'r ugain mlynedd diwethaf, a mwy, heb ddigwydd o gwbl, yn sychu'i wyneb a'i drwyn efo llawes ei gôt ddrudfawr, chwaethus.

'Wnes i ddim byd! Pam ydach chi'n pigo arna i? Wnes i ddim byd i chi erioed! Gadwch lonydd i mi, plîs – ffliwc oedd o, fy mod i yno ar y pryd. Dydi o ddim yn deg, 'chos wnes i ddim byd!'

Ac yna'r cwestiynau . . .

'Pam ydach chi'n dial ar ein plant ni? Pam na fasach chi wedi'n cymryd ni, ar y pryd? 'Nath ein plant ni ddim byd i chi erioed! Pam ydach chi wedi aros tan rŵan? Er mwyn rhoi digon o amser i ni 'u caru nhw fwy a mwy a mwy efo bob blwyddyn aiff heibio – ac felly eu colli nhw'n fwy?

'Dduw mawr – faint o ddiodda ydach am i ni'i wneud? *A wnes i ddim byd!* Wnaethon *ni* ddim byd, 'mond . . . 'mond . . . bod yno . . .'

Ond roedd hynny, gwyddai, yn ddigon – a gwyddai hefyd eu bod yn cael eu cosbi *oherwydd* iddyn nhw wneud dim byd.

Beth oedd y dyfyniad hwnnw? Rhywbeth fel, '*All it takes for evil to triumph is for good men to do nothing*'. Wel, yn sicr roedd drygioni wedi ennill y noson honno; efallai eu bod nhw'n rhy hwyr i wneud unrhyw beth i rwystro Stiw Powell ar y pryd, ond wnaethon nhw ddim byd *wedyn* chwaith, dim ond cuddio yn eu cartrefi, yn crynu fel llygod bach y tu mewn i'w tyllau, yn disgwyl clywed y curo awdurdodol wrth y drws unrhyw funud.

Cofiai fel yr oedd y *Three Musketeers* wedi sefyll yno

fel lloi, eu ffroenau'n llawn o'r arogl llosgi porc uffernol hwnnw, wrth i Stiw Powell lusgo'r hyn oedd ar ôl o gorff Morgra at y garafán a'i wthio i mewn i'r tân. Fel yr oedd o wedyn wedi troi a phwyntio atynt eu tri fesul un (bron yn union fel roedd Morgra wedi'i wneud) a'u rhybuddio i gadw'n dawel. Pe bai unrhyw beth yn digwydd iddo fo, meddai, yna roedd o am daeru eu bod hwythau, hefyd, efo fo ar y pryd.

Ac yn hytrach na mynd at yr awdurdodau a dweud y gwir, gadawsant i erchylltra gweithred Stiw Powell eu brawychu'n llwyr.

Ond eu trosedd fwyaf oedd teimlo rhyddhad.

Dwywaith.

Y tro cyntaf oedd, ar ôl y diwrnod Nadolig diddiwedd, echrydus hwnnw, pan ddechreuon nhw glywed am y 'ddamwain' ofnadwy yng nghoed Glanrafon.

Damwain.

Rhyw nam ar gyflenwad nwy'r carafannau.

A'r ail dro?

Pan glywsant fod John Gawi – er ei fod yn fyw – wedi dioddef anafiadau mor ddifrifol yn y 'ddamwain', nes peri ei fod mewn coma dwfn, ac yn bur annhebygol o ddod allan ohono gyda'i feddwl yn holliach.

Wrth gwrs, ar y pryd roeddynt yn eu hystyried eu hunain yn bobol lwcus tu hwnt. Hwyrach, er enghraifft, mai fel damwain yr oedd pawb arall yn meddwl am yr holl beth – ond beth am yr heddlu? A'r gwasanaeth tân? Onid oedd ganddyn nhw arbenigwyr a fuasai'n gallu dweud fwy neu lai'n syth bìn sut roedd rhywbeth fel hyn wedi gallu digwydd yn y lle cyntaf?

Mwy o chwysu a chwydu a nosweithiau di-gwsg a chymryd arnynt eu bod yn dioddef o'r ffliw.

Ond *roedd* nam ar y cyflenwad nwy, ac roedd y difrod a wnaethpwyd gan y ffrwydrad cyntaf wedi dileu unrhyw olion a fuasai wedi awgrymu sut roedd y tân wedi cychwyn yn y lle cyntaf.

Penderfynwyd hefyd fod John Gawi'n lwcus i fod yn fyw (Ha!), a phetai wedi cyrraedd ond eiliadau'n gynharach, y buasai yntau hefyd wedi cael ei chwythu'n ddarnau mân pan ffrwydrodd y garafán.

Ia – pobol lwcus.

Y pedwar yn cael parhau efo'u bywydau, tri ohonynt yn priodi a chael plant, a'r plant yn cael llonydd i dyfu.

Ond dim ond am ryw hyd.

Nes i'r rhieni eu cael eu hunain yn difaru'u heneidiau – yn llythrennol – nad oeddynt wedi cael eu cosbi'n ddisymwth y noson honno.

Ond trugaredd fuasai hynny.

Y gosb waethaf o'r cyfan oedd gwneud iddyn nhw ddifaru'r ffaith eu bod wedi cael plant erioed . . .

. . . ac yn awr, wrth yrru heibio i'r Red Lion yn Llanllechi a chychwyn ar filltir olaf ei siwrnai, ni fedrai Ows Bach beidio ag edrych drwy'i ffenestr dros y clawdd a'r cae, dros yr eira, at y fan lle gwelson nhw, ugain mlynedd ynghynt, Stiw Powell yn diflannu i mewn i goed Glanrafon.

A'r tro hwn gwelodd ei ferch, Buddug, yn dawnsio yn yr eira yn ei chôt goch, law yn llaw â phlentyn ifanc, yn dawnsio *dros* yr eira, rhywsut, ac yn mynd i mewn i'r goedwig. Trodd y plentyn ac edrych i'w gyfeiriad, a hyd yn oed o'r ffordd fawr gallai Ows weld gwên faleisus ar wyneb claerwyn y bachgen wrth iddo ddawnsio o'r golwg gyda Buddug.

A'r tu ôl iddynt, dilynai Owain – ei fab.

A gyrrodd Ows Bach y 4x4 i mewn i'r clawdd.

Cafodd ei ddeffro gan yr eira'n chwythu i mewn drwy ddrws agored ei gar ac ar ei wyneb. Agorodd ei lygaid i weld wynebau dieithr yn llawn pryder yn syllu i lawr arno. Deuai sŵn hisian a chymylau o stêm o dan foned ddi-siâp y 4x4. Teimlai gusanau'r plu eira yn fendigedig ar ei wyneb.

Yr eira . . .

Cofiodd.

Sgrialodd am fwcl ei wregys diogelwch.

'Wo, wo – na, ara' deg rŵan, 'dan ni wedi galw am ambiwlans,' clywodd lais yn dweud, ond doedd y llais ddim yn dallt, yn nag oedd? Llwyddodd i'w ryddhau'i hun a hanner dringo, hanner syrthio allan o'r car. Teimlodd ddwylo caredig yn cydio yn ei freichiau, ond ysgydwodd hwy oddi wrtho.

'Na! gwaeddodd, yna, yn ddistawach, ac â'r tristwch trymaf iddo'i deimlo erioed yn ei lais: 'Na. 'Dach chi ddim yn dallt.'

Ni sylwodd ar y wifren bigog a rwygodd ddefnydd ei drowsus a chnawd ei ben-glin wrth iddo ddringo a sgrialu dros y clawdd ac i'r cae – dyn byr, tew mewn siwt a chôt barchus, a edrychai'n union fel petai ar ei ffordd i'r capel.

'Buddug!' llefodd. 'Owain . . !'

Baglodd drwy'r eira ar draws y cae nes cyrraedd y fan lle'r oedd olion traed Owain yn arwain i mewn i'r goedwig. Dilynodd hwy, heb sylwi mai dim ond un rhes o olion traed oedd yno.

Doedd dim rhaid iddo feddwl ba ffordd i fynd. Ymwthiodd drwy lwyni a mieri gyda brigau a drain a chelyn yn crafu'i wyneb; o'i gwmpas yn yr aer, yn dod ato o bob cyfeiriad, roedd sŵn chwerthin a ddywedai'n glir wrtho ei fod eisoes yn rhy hwyr.

Ac yn ei ffroenau a'i geg, arogl a blas llosgi.

Fel porc melys a chyfoglyd.

Nes o'r diwedd baglodd Ows i lecyn lle'r oedd y drewdod ar ei waethaf a'r chwerthin ar ei uchaf.

Doedd dim golwg o'r plentyn.

Na Buddug.

Ond roedd Owain yno, yn gorwedd yn noethlymun ar yr eira, a hwnnw'n goch o'i gwmpas.

Ac uwch ei ben, gyda charreg fawr yn ei ddwy law – carreg fawr lwyd gyda smotiau cochion arni – safai John Gawi yn ei gôt laes ddrewllyd a'i gap gwlân.

Edrychodd John Gawi'n hurt ar Ows, yna i lawr ar Owain wrth ei draed, ac yna'n ôl ar Ows.

'Magda?' meddai. 'Lle a'th Magda, w't ti'n gwbod?'

Owain

Teimlai'r eira fel tywod cynnes, meddal dan ei draed, fel petalau rhosod yn hedfan heibio iddo a chusanu'i wyneb yn ysgafn.

Trodd Magda gan wenu'n llydan arno cyn diflannu i mewn i'r goedwig, ychydig o flaen Buddug a'r bachgen, y ddau'n dawnsio dros wyneb yr eira dan chwerthin.

Chwarddodd yntau hefyd, wedi anghofio popeth erbyn hyn am bob ddoe a fu, wedi anghofio fod ganddo orffennol o gwbwl, ac yn edrych ymlaen at y dyfodol agos.

Rhywle, mewn cornel fechan o'i isymwybod, meddyliodd iddo glywed clec uchel, ac o gornel ei lygad gwelodd fod rhyw ffŵl wedi gyrru oddi ar y ffordd fawr, gannoedd o lathenni i ffwrdd, ac i mewn i'r clawdd.

Ond doedd hynny ddim yn bwysig. Roedd Buddug a'r bachgen wedi cyrraedd y goedwig erbyn hyn, a brysiodd Owain ar eu holau. Edrychai pren y coed yn ddu dan yr eira gwyn; roedd popeth o'i gwmpas fel hen ffilm ddu a gwyn ond ag ambell i fflach o'r gôt goch i'w gweld rhwng y brigau trymion. Meddyliodd hefyd fod yna wynebau'n syllu arno o'r coed, rhai yn isel wrth y ddaear, eraill i fyny yn y brigau, eraill wedyn yn sbecian allan o'r llwyni. Suai'r awel rhwng boncyffion y coed gan sibrwd cyfrinachau yn ei glust.

Daeth at lecyn oedd â choed celyn yn tyfu'n drwchus o'i gwmpas, yr aeron yn goch fel gwaed yn erbyn y dail gwyrdd a'r eira gwyn. Doedd dim golwg o'r plentyn na Buddug, ond safai Magda yng nghanol y llecyn yn gwenu arno. Cododd ei dwylo dros ei chorff, a phan ollyngodd hi hwy daeth ei dillad i ffwrdd yr un pryd. Edrychai ei chorff yn wynnach na'r eira o'i chwmpas, a'r triongl tywyll rhwng ei chluniau yn ddu fel plu'r frân. Safai yno'n aros amdano a brysiodd yntau i ddiosg ei gôt, ei siwmper, ei grys, ei grys-T, ei esgidiau, ei sanau, ei jîns a'i drôns. Agorodd Magda'i breichiau a chamodd Owain i mewn i'w chofleidiad.

'O'r diwedd,' sibrydodd. 'O'r diwedd . . .'

Teimlodd ei llaw yn cau amdano ac yn ei dynnu i lawr i'r ddaear hefo hi, ei chluniau'n lapio amdano a'i gloi yn ei herbyn, ei wyneb ar goll yn ei gwallt. Wrth i'w choesau ei wasgu'n dynnach a'i gaethiwo, teimlodd Owain hi'n cynhesu fwyfwy amdano ac oddi tano nes bod y gwres yn anghyfforddus, ac yna'n boenus. Ymwthiodd i fyny er mwyn edrych i lawr i'w hwyneb . . .

. . . ac nid merch ifanc, hardd oedd yno ond hen, hen ddynes, yn dangos ei dannedd melyn, miniog wrth iddi sgrechian chwerthin yn ei wyneb. A gwelodd ei hwyneb yn crebachu a throi'n ddu wrth i'r cnawd losgi oddi arno, wrth i'r llygaid doddi a llifo fel llysnafedd browngoch dros ei gruddiau, a chlywodd ei gwallt yn crinshian wrth iddo ddiflannu oddi ar ei phenglog. Roedd y boen rhwng ei goesau yn annioddefol yn awr ac agorodd ei geg i sgrechian ond dyna pryd . . .

. . . y rhuthrodd John Gawi amdano, drwy'r eira ar draws y llecyn, gyda'r garreg fawr lwyd yn ei law. Roedd o wedi cyrraedd mewn pryd i weld hwn – *hwn!* – mab un ohonyn *Nhw* – yn noeth ar ben ei Fagda ef a hithau'n gwingo oddi tano, yn amlwg yn gwneud ei gorau i ddianc ond yn methu oherwydd roedd pwysau'r bastad hwn yn ei rhwystro. Cododd John Gawi y garreg yn uchel cyn dod â hi i lawr â'i holl nerth ar ben Owain, drosodd a throsodd, nes bod ei freichiau'n brifo. Pan edrychodd o'i gwmpas, doedd dim golwg o Magda yn unman – dim ond hwn yn gorwedd yn goch ac yn llonydd ar yr eira.

Trodd John Gawi'n wyllt gan feddwl iddo glywed Morgra'n chwerthin, ond doedd dim golwg ohoni hithau chwaith, dim ond un ohonyn *Nhw* – yr un byr, tew yn baglu tuag ato drwy'r eira ac yn syrthio i'w liniau wrth ochr ei fab. Cododd y pen di-siâp ar ei lin a cheisio glanhau'r gwaed a'r stwff llwyd stici oddi ar wyneb ei fab, gan wneud y sŵn crio mwyaf ofnadwy, y gwaethaf a glywodd John Gawi erioed. Gwyddai yntau na fedrai ddioddef gorfod gwrando rhagor ar y sŵn aflafar hwn, felly cododd y garreg eto.

Edrychodd Ows i fyny ato.

'Ia!' gwaeddodd. 'Gwna! *Gwna*! Plîs!'

Ond yn lle hynny eisteddodd John Gawi yn yr eira gyda'r garreg ar ei lin, a dechrau canu'n dawel iddo'i hun. Trodd Ows oddi wrtho mewn anobaith. Mae'n rhaid, meddyliodd, i mi godi a mynd i chwilio am Buddug. Mi a' i mewn munud ne' ddau. Ond dw i isio treulio ychydig o amser efo Owain yn gyntaf. 'Mond rhyw bum munud bach. Mi a' i wedyn.

'*I'm dreaming of a White Christmas*,' canodd John Gawi. '*Just like the ones we used to know. Where tree tops glisten, and children listen, to hear sleigh bells in the snow . . .*'

20

'Ara' deg . . . *ara' deg*! Be yn y byd sy'n bod?'

Roedd Lois ac Ifor wedi byrlymu i mewn iddo a'i wthio'n ôl yn galed yn erbyn drws y capel, ill dau yn igian crio.

'*Be sy*?' gofynnodd Bryn eto, yna dros eu pennau gwelodd fod rhywun yn sefyll ar ganol llwybr y capel.

Plentyn, hogyn ifanc oddeutu deng mlwydd oed, yn gwisgo dim byd ond pyjamas. Yr un plentyn â'r un a welodd yn sefyll ar ganol y ffordd fawr yng ngoleuadau car Anna. Edrychodd Lois ac Ifor yn ôl dros eu hysgwyddau er mwyn gweld beth wedi denu sylw Bryn, a phan welsant y plentyn dechreuodd y ddau ohonynt riddfan yn uchel a cheisio gwthio heibio iddo am y drws.

Trodd Bryn ac agor y drws iddynt a baglodd y ddau i mewn yn bendramwnwgl . . .

. . . a phan drodd Bryn yn ei ôl, roedd y plentyn yn sefyll reit o'i flaen. Gwenodd wên oedd yn llawn malais; roedd llond ei geg o ddannedd duon a'r rheiny'n gymaint yn waeth oherwydd gwynder ei wyneb.

Teimlai Bryn ei goesau'n rhoi oddi tano, yn plygu ohonynt eu hunain ac yn ei dynnu i lawr, yn is ac yn is, nes bod ei wyneb yn union gyferbyn ag wyneb y plentyn. Agorodd hwnnw'i geg yn llydan gan anadlu drosto; ohoni daeth yr arogl mwyaf ffiaidd a synhwyrodd Bryn erioed, fel rhywbeth oedd wedi hen bydru yn llosgi. Rhywle, o bell, clywodd bobol yn sgrechian mewn poen; roedd blas mwg yn ei geg a theimlai wres anhygoel ar ei wyneb, fel petai'n sefyll yn rhy agos at dân ffyrnig . . .

'Dad! *Dad!*'

Trodd y plentyn oddi wrtho gan hisian, a theimlodd Bryn y nerth yn dychwelyd i'w goesau. Pwysodd Bryn ar wal allanol y capel a theimlo'i chadernid y tu ôl i'w gefn. Wrth iddo ymsythu, gwelodd Caren yn sefyll rhwng giatiau agored y capel, gyda Deian yn gafael yn ei llaw.

Os Caren hefyd . . .

Caren

Prin yr o'n i'n gallu teimlo fy nhraed wrth i ni gychwyn ar hyd y stryd i gyfeiriad y capel. Roedd fy sgidia a'm sana'n wlyb socian a baswn i wedi rhoi'r byd am gael eu tynnu a lapio fy nhraed mewn tywel cynnes.

Taswn i ddim wedi bod yn canolbwyntio cymaint ar hyn, mae'n siŵr y baswn i wedi sylweddoli'n gynt nad oedd Deian wrth f'ochor.

Troais.

Roedd o'n sefyll yn stond ychydig droedfeddi y tu ôl i mi, gyda'r lliw i gyd wedi mynd o'i wyneb.

'Be sy?' gofynnais.

Cododd Deian ei law a'i dal allan tuag ataf, ac wrth iddo wneud hynny dechreuodd symud oddi wrtha i wysg ei gefn – *heb symud ei goesau o gwbl* – yn union fel petai rhywun yn ei lusgo'n ôl at y cae chwarae. A'r peth oedd, roedd yna bobol eraill o'n cwmpas yn mynd ac yn dod, a'r un ohonyn nhw'n cymryd unrhyw sylw ohonom.

'Deian!'

Neidiais amdano a chydio'n dynn yn ei law. Wrth i mi deimlo fy mysedd yn cau am ei rai ef, teimlais y boen fwyaf ofnadwy ar gefn fy llaw, yn union fel tasa rhywun yn llusgo colsyn poeth dros y cnawd. Gwelais bedair streipan goch yn ymddangos ar y croen, a theimlais ewinedd miniog yn tyllu i mewn i'm llaw ac yn ei hysgwyd yn galed i fyny ac i lawr.

'*Na!*'

Teimlais fy ngafael yn llacio, a'r un pryd chwarddodd rhywun yn ddigon agos i'm clust i mi deimlo anadl poeth a drewllyd yn golchi drostaf.

Yna, yn sydyn, doeddwn i ddim yn medru gweld yn iawn. Er bod fy sbectol am fy nhrwyn, edrychai popeth yn aneglur mwya sydyn, yn union fel y maen nhw'n edrych pan fydda i'n tynnu fy sbectol.

'Caren . . .' clywais Deian yn erfyn, ei lais yn llawn ofn unwaith eto. Prin y medrwn ei weld, felly tynnais fy sbectol a daeth popeth yn glir, yn union fel sy'n digwydd pan fydda i'n gwasgu'r botwm *auto focus* ar fy nghamera.

Roedd y peth a welsom yn gynharach yn y parc yn ei ôl; roedd wedi lapio'i freichiau am ganol Deian ac yn gwneud ei orau i'w dynnu ato. Ac yn sefyll wrth ei ochr, gyda'i hewinedd wedi'u plannu yn fy llaw, roedd dynes ganol oed gyda gwallt sgraglyd, hir, a'i gwefusau wedi eu tynnu'n ôl oddi ar ei dannedd wrth iddi wthio'i hewinedd i mewn i groen fy llaw.

Trodd honno a syllu i fyw fy llygaid.

Gwenodd.

Yna gwelais ei gwên yn llithro a'i hwyneb yn llenwi ag ansicrwydd. Ar yr un pryd teimlais y nerth rhyfedd hwnnw a deimlais yn y parc yn saethu drwy fy nghorff. Gafaelais yn dynnach yn llaw Deian.

'Wnewch chi ddim gwrando, yn na wnewch?' fe'm clywais fy hun yn dweud. 'Chewch chi mo'no fo, a dyna ddiwadd arni!' – a rhoddais herc galed i Deian. Saethodd allan o freichiau'r peth oedd yn ei ddal a thuag ataf i'n ddiogel. Gwelais y ddynes yn poeri i'm cyfeiriad, ond erbyn hyn roedd hi a'r llall wedi dechrau diflannu, rhywsut, a chyrhaeddodd ei phoer mohonof. Clywais y llysnafedd yn hisian fel dŵr berwedig ar yr eira o'm blaen.

'Ma'n ol-reit, ma' nhw wedi mynd,' dywedais wrth Deian. Trodd y byd yn aneglur unwaith eto a rhoddais fy sbectol yn ôl ar fy nhrwyn.

A wyddoch chi be? Drwy gydol hyn i gyd, roedd yna bobol yn cerdded o'n cwmpas, nifer ohonyn nhw'n gwgu arnom wrth iddynt orfod camu heibio i ni er mwyn ein hosgoi.

Ac meddai Deian, 'Mi wnest ti newid eto, 'sti, Caren.'

'Do?'

Do'n i ddim am ddadlau na chwestiynu y tro hwn, a minnau wedi teimlo'r peth yn digwydd, i bob pwrpas.

Ond newid i bwy?

Cydiais yn dynn yn llaw Deian o hynny ymlaen: do'n i ddim isio mentro'i golli eto.

'Lle 'dan ni'n mynd?' gofynnodd.

Allwn i ddim egluro'r peth, ond roedd gweld car Dad yn y pellter, y tu allan i'r capel, wedi dweud wrtha i'n glir mai yno y dylwn i fod. Wrth i ni nesáu at y capel, trodd bywyd yn ffilm *slow motion* am rai eiliadau. Gwelais ddrws y capel yn dechrau agor, a'r un pryd gwelais ddau ffigwr cyfarwydd yn llithro ac yn baglu am y giatiau – Ifor a Lois oedden nhw. Gwelais hwy'n troi i mewn drwy'r giatiau ac i fyny'r llwybr a tharo yn erbyn Dad.

Edrychodd Dad heibio iddynt ac i'n cyfeiriad ni, ond nid edrych arna i roedd o. Hyd yn oed o'r ochr arall i'r ffordd, gallwn weld y braw anhygoel yn ei wyneb. Yna trodd ac agor y drws i Lois ac Ifor. Diflannon nhw i mewn i'r capel, ac yna gwnaeth Dad rywbeth annisgwyl iawn.

Aeth i lawr ar ei liniau yn yr eira. Ond doedd o ddim yn gweddïo. Dw i'n meddwl mai ond pobol sydd ar fin cael eu dienyddio sy'n gweddïo gyda ffasiwn ofn yn llenwi'u hwynebau.

'Be mae o'n 'neud?' clywais Deian yn gofyn, ond erbyn hynny ro'n i'n methu ei ateb oherwydd roedd popeth wedi troi'n aneglur unwaith eto.

Tynnais fy sbectol.

Gwelais yn syth fod yna hogyn bach, yn droednoeth ac mewn pyjamas, wyneb yn wyneb â Dad.

Ac roedd yr hen ogla llosgi afiach hwnnw'n llenwi'r aer unwaith eto.

Oedd y diawliaid yn dechrau aflonyddu ar Dad rŵan? Teimlais fy nhymer yn berwi. 'Dad!' gwaeddais. 'Dad!'

Edrychodd Dad i fyny, a throdd y plentyn tuag ataf. Dechreuodd ddangos ei ddannedd duon i mi, ond, sori, do'n i ddim yn fodlon cymryd unrhyw grap gan hwn. Brasgamais tuag ato i fyny llwybr y capel, ond diflannodd ymhell cyn i mi ei gyrraedd, a throdd y byd yn aneglur eto nes i mi ailwisgo fy sbectol.

Roedd Dad yn sefyll â'i gefn yn erbyn wal y capel yn rhythu arna i. Gwenais a dechrau dweud rhywbeth gan estyn fy llaw i'w gyffwrdd ond, er mawr braw i mi, sgrialodd oddi wrthyf gan lusgo'i gefn ar hyd y wal arw.

'Paid!' meddai. 'Paid â dŵad yn *agos* ata i!'

Roedd o'n sbio arna i fel taswn *i'n* ddrychiolaeth!

'Dad?'

Gyda'i lygaid wedi'u hoelio arna i, estynnodd ei law a chydio ym mraich Deian i'w dynnu tuag ato.

Teimlais y dagrau'n rhuthro i'm llygaid.

'Dad – be sy? Pam 'dach chi'n sbio arna i fel 'na?'

Roedd o'n dal i rythu arna i, ond o'r diwedd gwelais y braw yn cilio o'i lygaid fesul dipyn.

'Caren?'

'Ia!'

'Ma' hi'n gneud hynna weithia, Mr Williams,' clywais Deian yn dweud.

Gneud *be*, dechreuais ofyn, ond ro'n i wedi deall: ro'n i wedi 'newid' eto, mewn rhyw ffordd oedd wedi codi'r ofn mwyaf ofnadwy ar Dad.

* * *

Dechreuodd Marc barablu wrth iddynt gyrraedd y dref.

'Pam na fedran nhw ada'l llonydd i ni rŵan? Stiw oedd yr un roeddan nhw 'i isio, yndê? Y fo oedd yn gyfrifol. Ma' nhw 'di ca'l 'i blant o. Wna'thon ni ddim byd . . .'

'Naddo, Marc, yn hollol. Dyna'r peth, yndê.'

Teimlai Anna wedi ymlâdd. Dyn a ŵyr, roedd hi – a'r lleill – wedi ail-fyw'r Nadolig erchyll hwnnw gannoedd o weithiau. Ac i feddwl mai eu hofn mwyaf ar y pryd oedd cael eu dal a'u cosbi gan yr awdurdodau. Doedd ganddyn nhw'r un syniad o'r hunllef oedd yn aros amdanyn nhw. Doedd yr un ohonynt wedi meddwl llawer am eiriau olaf y sipsi honno yn y goedwig, am y ffordd yr oedd wedi pwyntio atynt i gyd fesul un a'u melltithio.

Wedi'r cwbl, doedden nhw ddim yn credu yn y fath rwtsh. Iddyn nhw, rwtsh oedd o – tan y tro nesaf roedd rhagolygon y tywydd yn bygwth eira.

Mi ddechreuon nhw gredu *wedyn*. O, do. Dyna pam y penderfynodd Stiw Powell fudo i dref ddiwydiannol yn y gogledd-ddwyrain lle nad oedd hi byth yn bwrw eira.

Wel – bron byth.

A phan oedd yna fygythiad o eira dros y Nadolig, i ffwrdd â Marc ac Ows Bach i'r haul. Dianc am eu bywydau; am fywydau eu plant.

Ond es i ddim, meddyliodd Anna. Arhosais i yma, i gael fy nychryn a'm poenydio, ond gwyddwn drwy'r amser fy mod, yn y bôn, yn weddol saff.

Oherwydd bod dim plant gen i.

Na'r gobaith, chwaith, o gael rhai – er fy mod bron â marw o eisiau cael bod yn fam. Dywedais wrth bawb mai fy newis i oedd peidio ag esgor ar blentyn erioed, ond celwydd oedd hynny i gyd.

Doedd gen i ddim dewis. Oherwydd ro'n i'n iawn, y diwrnod hwnnw ugain mlynedd yn ôl yn y caffi: mi *wnes* i deimlo rhywbeth yn marw y tu mewn i mi pan boerodd y ddynes honno i'm hwyneb. Cha' i byth fod yn fam, a cha' i ddim bod yn wraig, chwaith; ddim i Bryn, er cymaint dw i'n ei garu, oherwydd buasai Caren, wedyn, yn dod yn ferch i mi – er nad y fi a esgorodd arni. Gwn na fedrwn i fyw efo mi fy hun tasa rhwbath yn digwydd i Caren.

A rŵan dw i wedi blino – wedi blino yn y modd mwyaf ofnadwy. Ma' arna i ofn fy mod i wedi colli Bryn a Caren. Ac os nad ydw i, yna ma'n rhaid i mi eu colli nhw oherwydd fedra i ddim mynd ymlaen fel hyn o un gaeaf i'r llall, yn rhaffu celwyddau wrthyn nhw ac yn gwneud fy ngorau glas i beidio â'u caru, oherwydd dwi'n gwybod y bydd fy nghariad i'n gyfrifol am eu difa, yn hwyr neu'n hwyrach.

Ac o, damia, damia – ma' nhw yma rŵan, y tu allan i'r capal hwnnw y mae Bryn mor hoff ohono, yn galw ar Marc a fi . . . a diolch i Dduw, mae Deian a Lois ac Ifor yno hefo nhw. Mae Marc newydd floeddio mewn llawenydd, a chroesi'r ffordd am y capel gan hidio dim am y ceir. Cofleidio mawr, cofleidio a swsio a chrio, a dylwn i gerdded ymlaen am adra – ond dw i'n croesi'r ffordd atyn nhw, ac mae llygaid Bryn ym mhob man ond arna i, er ei fod yn siarad efo fi.

'Roedd o yma, Anna,' meddai Bryn. 'Yr hogyn hwnnw welson ni ar y ffordd adra o Fangor. Roedd o yma, gynna . . .'

Nodiodd Anna. Roedd Bryn, felly, wedi'i weld ac wedi'i dderbyn. Byddai'n rhaid iddi ddweud y cyfan wrtho fo'n awr, ac yn sicr ni fyddai arno eisiau ei hadnabod wedyn. Edrychodd ar Caren, ac roedd Caren yn syllu arni mewn ffordd ryfedd, fel petai hi'n gallu darllen ei meddwl.

Ac Ifor. Ifor druan. Safai ar ei ben ei hun yn gwylio Marc yn cofleidio'i blant. Ble yn y byd oedd ei dad ef? A'i frawd, a'i chwaer?

Mae'n rhaid iddo fo gael gwybod, meddyliodd Anna. Mae'n rhaid iddyn nhw i gyd gael gwybod. Doedd gynnon ni ddim hawl celu'r gwir oddi wrthyn nhw dros yr holl flynyddoedd, er mor erchyll ydi o.

Roedd arnon ni ofn colli'r rhai roedden ni'n eu caru.

Roedden ni'n hunanol, mor ffiaidd o hunanol.

Yna clywodd Anna lais Lois yn ebychu ac yn rhythu i gyfeiriad giatiau'r capel.

Trodd.

* * *

A dyna lle'r oedden nhw, y teulu cyfan – y nain, y tad, y fam ifanc a'r plentyn – ochr yn ochr ac yn syllu ar y saith a safai yng nghysgod hen gapel Seion. Doedd dim byd rhyngddyn nhw'n awr ond yr eira a ddisgynnai'n drymach nag erioed.

Roedd Marc ac Anna'n eu hadnabod, er mai dyma'r tro cyntaf iddynt eu gweld yn iawn ers ugain mlynedd. Harddwch y fam, y direidi a ddawnsiai yn llygaid duon yr hogyn bach, y wên dawel ar wyneb y tad a'r malais pur yn llygaid y nain – daeth y cyfan yn ôl i Marc ac Anna.

Yna cododd y nain ei llaw.

Ifor oedd y cyntaf i gamu allan atynt, yna Lois, ac yna Deian. Ceisiodd Marc eu rhwystro, ond roedd ei freichiau cyn drymed â phlwm. Syrthiodd yn ei ôl yn erbyn wal y capel, a'r dagrau'n powlio i lawr ei ruddiau wrth i'w blant gerdded i ffwrdd oddi wrtho heb hyd yn oed edrych yn ôl arno.

Gwenodd y nain. Roedd cnawd pob un ohonynt yn dechrau newid lliw yn awr, eu hwynebau'n troi'n ddu, eu llygaid yn toddi a'u gwalltiau'n crinshian wrth ddechrau llosgi.

A cherddodd Ifor, Lois a Deian atynt, yn nes ac yn nes, yr eira trwm eisoes wedi dechrau eu cuddio rhag y rhai oedd yn eu caru.

'Na, dw i ddim yn meddwl.'

Caren oedd wedi siarad, ond nid Caren chwaith. Camodd allan i'r eira, ei sbectol yn ei llaw, yn union fel athrawes oedd wedi gorfod codi oddi wrth ei gwaith marcio er mwyn dwrdio haid o blant anhydrin.

'Lois, Deian, Ifor – dyna ddigon, rŵan. Dowch yn eich holau. Ar unwaith!'

Arhosodd y tri, ychydig yn ansicr yn awr, fel tasan nhw mewn breuddwyd ond yn methu'n lân â deffro ohono.

Llanwyd yr aer ag arogl llosgi a chamodd y sipsiwn meirw ymlaen yn fygythiol.

A chamodd Caren hithau ymlaen i'w cyfarfod. Safodd yno'n eu herio, a'r hyn a wibiodd drwy feddwl Anna oedd, ydi hi wirioneddol yn credu ei bod yn ddiogel oherwydd ei bod yn sefyll ar dir y *capel*? Dim ond ychydig dros dwy fil o flynyddoedd oed ydi ein crefydd ni, ac mae hi ar fin marw. Ond mae crefydd y rhain ganrifoedd lawer yn hŷn, gyda nerth a grym yr holl ganrifoedd rheiny'r tu ôl iddi.

Yna sylweddolodd Anna fod yr eira wedi arafu gryn dipyn . . . na, mwy na hynny, roedd yr eira wedi *teneuo*.

Roedd yn troi'n law.

Glaw trwm – gyda lympiau o eira ynddo, rhaid dweud, ond glaw oedd o, serch hynny. A chyda'r glaw teimlodd Anna y nerth yn dychwelyd i'w chorff. Diflannodd yr arogl llosgi o'r aer, a gwyliodd y sipsiwn hefyd yn diflannu; roedd eu cyrff yn mynd yn fwy a mwy aneglur wrth i'r glaw trwm, bendigedig sgubo fel llen lwyd dros Aberllechi.

Trodd Caren yn ôl a'u hwynebu. Ond nid Caren oedd hi, ddim yn hollol. Roedd hi'n hŷn, rhywsut, ei hwyneb ychydig yn fwy main, a doedd hi ddim cyn daled. Edrychodd ar Bryn gyda chariad pur yn ei gwên, a gwyddai Anna pwy oedd hi, hyd yn oed cyn i Bryn sibrwd ei henw.

'Delyth?' meddai. 'Del . . ?'

Cychwynnodd tuag ati, ond ysgydwodd Caren/Delyth ei phen. Gwenodd eto, ond roedd ei gwên y tro hwn yn llawer iawn tristach.

Caeodd Bryn ei lygaid.

Pan agorodd nhw eto, safai Caren o'i flaen, ei sbectol ar ei thrwyn ac yn wlyb at ei chroen.

* * *

Disgynnodd y glaw gan wlychu pob un ohonynt. Disgynnodd dros y dref gan droi'r eira'n slwj anghynnes cyn ei olchi i ffwrdd yn gyfan gwbl. Disgynnodd dros yr harbwr ac i mewn i'r môr, dros y strydoedd a'r tai a'r siopau a'r swyddfeydd, dros y caeau a'r cloddiau a'r coed a'r llwyni yng Nghoed Glanrafon lle, weithiau, mae'n bosib clywed lleisiau ar y gwynt.

A chwerthin tawel.
Yn enwedig yn y gaeaf, o gwmpas y Nadolig.
Ac yn enwedig os yw hi'n bygwth bwrw eira.

EPILOG

Caren

Mae'n haf yn awr, yma yn Aberllechi, ac mae'n anodd iawn credu fod yr hyn a ddigwyddodd y Nadolig diwethaf wedi digwydd. Mae fel tasa'r glaw trwm ddisgynnodd ar noswyl Nadolig wedi dileu'r cyfan, fel y dileodd yr eira i gyd.

Chawson ni ddim rhagor o eira, na'r un bygythiad o eira chwaith, dim ond gaeaf mwyn a thyner a drodd yn slei yn wanwyn.

Gwelais Ifor unwaith cyn iddo adael efo'i fam a'i dad. Daeth draw i ddweud ta-ta ond ddwedodd o 'run gair, bron, dim ond eistedd efo dagrau'n powlio i lawr ei wyneb, cyn codi a mynd. Dw i ddim yn meddwl ei fod o wedi edrych unwaith i fyw fy llygaid.

Mae Ows, ei dad, mewn cadair olwyn, wedi cael strôc ar ôl colli Owain a Buddug. Daethpwyd o hyd i gorff Buddug yn yr ardd o dan ffenestr agored ei llofft. Roedd yna sibrydion o gwmpas y lle ei bod hi ac Owain yn noethlymun pan fuon nhw farw: pam, does wybod. Mae'r teulu bellach wedi ymfudo i'r Eidal at deulu Gina, mam Ifor. Go brin y daw'r un ohonynt yn ôl i Aberllechi ond, weithiau, af am dro heibio i'w hen gartref. Mae ar werth gan gwmni Dad, ac er mor braf yw'r tŷ does neb eto wedi'i brynu. Mae rhywbeth amdano sy'n gwneud i unrhyw ddarpar-brynwyr deimlo'n reit annifyr, medd Dad. Byddaf innau'n aml yn teimlo, wrth gerdded heibio iddo, fod rhywun yno'n fy ngwylio drwy un o'r ffenestri, a chredaf fy mod wedi cael cip, fwy nag unwaith, ar Owain a Buddug yn sefyll yno.

Dim ond cip. Ond mae'n ddigon, a byddaf wastad yn gwenu a chodi fy llaw, rhag ofn iddyn nhw feddwl fy mod wedi anghofio amdanyn nhw.

Mae John Gawi mewn Cartref – neu hwyrach y buasai carchar yn well disgrifiad – ac yno y bydd o am weddill ei oes. Does gan neb syniad pam ei fod wedi ymosod mor ofnadwy ar Owain – na chwaith pam fod Owain yng Nghoed Glanrafon y diwrnod hwnnw yn y lle cyntaf.

Mae Marc, Gwennan, Lois a Deian yma o hyd, ond pur anaml y byddaf yn eu gweld o gwmpas y lle. Clywais yn ddiweddar eu bod yn pasa mynd oddi yma i fyw, ond i ble yr ân nhw, does gen i'r un clem. Mae Lois a Deian fwy neu lai'n fy anwybyddu yn yr ysgol: mae'n amlwg fy mod yn eu hatgoffa o bethau ofnadwy.

Daeth perthynas Dad ac Anna i ben. Es i am dro i'r harbwr un bore a gweld fod *Pandora's Books* wedi'i gau am byth, y stoc wedi'i werthu a fflat Anna uwchben y siop yn wag. Lle'r aeth hi, does neb yn gwybod. Mae gen i ryw deimlad, fodd bynnag, fod Dad yn gwybod. Ond os ydi o, yna dydi o ddim am ddweud. Mae pobol eraill yn y siop erbyn hyn, Saeson, yn gwerthu crefftau a lluniau lleol yn ystod yr haf ac yn mynd i ffwrdd bob gaeaf tra bo'r siop yn hel llwch am chwe mis. Ac mae Dad wedi dechrau gweld Alwena, dynes leol oedd yn yr ysgol yr un pryd â fo. Gawn ni weld a ddaw unrhyw beth o'u cyfeillgarwch. Mae Alwena'n ddigon clên, chwarae teg iddi, ac yn amlwg yn meddwl y byd o Dad.

Ond dydi hi ddim yn Anna.

A fi? Wel – dw i am fwrw ymlaen efo fy ngwaith ysgol, sefyll fy lefel A a chyda lwc mi fydda i'n mynd i ffwrdd i'r coleg i astudio'r gyfraith.

Mae'n hawdd edrych ymlaen at hynny, yn enwedig ar ddyddiau fel heddiw pan fo'r haul yn taro'n boeth a phopeth yn lliwgar ac yn iach. Dw i'n gwybod na fydd yn hir cyn y bydd yn aeaf eto yma yn Aberllechi; efallai y cawn ni eira eto eleni, ond fwy na thebyg na welwn ni'r un bluen.

Ond dw i'n gwybod hefyd eu bod nhw yn rhywle – rhywle oer a thywyll – ac yn aros am gyfle i ddod 'nôl. Waeth iddyn nhw heb, fydd neb yma ar eu cyfer nhw; bydd Ifor yn yr Eidal, a bydd Lois a Deian i ffwrdd efo'u rhieni yn rhywle poeth.

'Mond y fi fydd yma.

Ond does dim ofn arna i.

Oherwydd dw i'n gwybod, lle bynnag y bydda i, fydda i byth ar fy mhen fy hun.

EIRA MÂN, EIRA MAWR